Entfesselte Forschung

Die Folgen einer Wissenschaft ohne Ethik

Mit Beiträgen von
Jürgen Altmann, Max Born,
Anton-Andreas Guha, Carsten Klingemann,
Matthias Kreck, Rudolf A. M. Mayer,
Günter Neuberger, Sven Papcke,
Ekkehard Sieker, Du-Yul Song,
Robert Tschiedel, Hanns Wienold
und Joachim Wille

Herausgegeben von
Anton-Andreas Guha und
Sven Papcke

Fischer
Taschenbuch
Verlag

Lektorat: Walter H. Pehle

Originalausgabe
Veröffentlicht im Fischer Taschenbuch Verlag GmbH,
Frankfurt am Main, Februar 1988

Umschlaggestaltung: Jan Buchholz / Reni Hinsch
Gesamtherstellung: Clausen & Bosse, Leck
Printed in Germany
ISBN 3-596-23871-4

Ein Band in der Reihe
»Themen der Zeit«

Über dieses Buch Industrie und interessierte Kreise verbreiten auf Hochglanz-broschüren eine Technik-Euphorie ohnegleichen, die uns von der Anwendung neuer Technologien die Lösung aller Probleme (von der Ausrottung von Erb-krankheiten bis zur Beseitigung des Hungers in der Dritten Welt) verspricht. Der vorliegende Band aus der Reihe »Themen der Zeit« soll das Problembewußtsein für die Folgen eines ungehemmten (um nicht zu sagen: hemmungslosen) Fort-schritts in Forschung und Technik stärken.

Weit davon entfernt, Technikfeindlichkeit das Wort zu reden, wird hier auf die Notwendigkeit einer Technologiefolgen-Abschätzung hingewiesen, die bisher lei-der nur in Ansätzen erkennbar ist. Dazu ist eine intensive interdisziplinäre Diskus-sion zwischen *allen* Wissenschaftlern, Forschern, Theoretikern und Anwendern notwendig, die endlich auch ethische Fragen miteinschließen muß.

Eine derartige Debatte muß *vor* der Einführung der neuen Technologien stattfin-den, damit wir nicht plötzlich vor vollendeten Tatsachen stehen, die uns keinen Handlungsspielraum mehr lassen. Hierzu will dieser Band Denkanstöße geben und erste positive Vorschläge machen.

Die Autoren Siehe Seite 219

Inhalt

Vorwort

Everything is spoiled by use.
John Keats

Seit Mitte der 60er Jahre hat der Anteil derjenigen Bundesbürger, die in Wissenschaft und Technik einen »Segen für die Menschheit« erkennen, von 72 auf 30 Prozent geradezu dramatisch abgenommen. Laut den Umfrage-Ergebnissen des »Allensbacher Instituts für Demoskopie« aus dem Jahre 1982 stieg die Zahl derer, die die Technik eher für »einen Fluch« halten, in der gleichen Zeit zwar nur von 3 auf 13 Prozent; aber auch die Einerseits-Andererseits-Meinungen, von 1966 bis 1982 von 17 auf 53 Prozent angewachsen, verraten insgesamt doch einen beträchtlichen Stimmungsumschwung: Angesichts verheerender Umweltschäden durch hemmungslose Anwendung vorhandener Technologie wird ein Großteil der Bevölkerung offenbar immer unsicherer, ob der bisherige Weg zum Wohlstand durch Wirtschaftswachstum – auf der Grundlage einer wissenschaftlich ermöglichten Beschleunigung des technischen Wandels – nach wie vor als »Fortschritt« bezeichnet werden kann.

Solche Skepsis hat nicht nur die politische Parteienlandschaft verändert. »Die Grünen« nehmen sich erfolgreich der Irritationen über die zerstörerischen Folgen der technisch-wissenschaftlichen Zivilisation an und verwirren nicht unerheblich den eingefahrenen Trott der Parlamentsarbeit in Bund, Ländern und Gemeinden. Diese *Postmoderne*, die sich in dem öffentlichkeitswirksamen Protest gegen den Fort-Schritt nach Seveso, Bhopal, Tschernobyl oder Basel ausdrückt, hat in einem ungewöhnlichen Ausmaß überkommene Begriffe und Standorte in Bewegung gebracht. Was heißt heute Fortschritt? Was Rückschritt? Zwar mag man die Schlußfolgerung, daß Positionsverschiebungen bereits den Zusammenbruch des Fortschrittsparadigmas ausdrücken, da das Industriesystem mittlerweile unabwendbar »an seine Kontraproduktivitätsschwelle« (Rolf Peter Sieferle) gestoßen sei, in Frage stellen. Diese »Schwelle« scheint aber dann erreicht, wenn die Schäden, die ein System hervorruft, größer werden als seine Vorteile. Ist ein solcher Wendepunkt tatsächlich in Sicht? Angesichts der weltweit ausgebrochenen Technik-Euphorie mutet es gegen-

wärtig eher so an, als ob die Wissenschaftsverpflichtung zu einer Art Naturgewalt gerät, der man sich bei Strafe des wirtschaftlichen Abstiegs
nicht entziehen kann.

Unwiderlegbar bleibt dennoch, daß die Schattenseiten dieses Entwicklungsweges heute nicht länger verleugnet werden können. Der »Fortschritt« hat nicht mehr selbstredend alle guten Geister auf seiner Seite,
die seit der Aufklärung das Füllhorn materieller Verheißungen über die
Menschheit ausgießen wollten. Durch die geschichtlich überlieferte Vernetzung von Wirtschaftsliberalismus, Wissenschaftssystem und Technokratie verengte sich der Entwicklungsprozeß der Moderne bald auf die
Entfesselung der dominanten »Marktgesellschaft«, deren ungehemmtes
Wirken in abstracto den Fortschritt, in concreto den allgemeinen Wohlstand mehren sollte.

Die kulturellen und ökologischen Spätfolgen eines ökonomisch wie technisch eingegrenzten Fortschritts-Begriffs haben zu einer tiefen Beeinträchtigung dieses Wertes geführt, so daß manch einer nur mehr von
»Fort-Schrott« (Jürgen Henningsen) sprechen mag. Es geht uns in diesem
Kontext nicht um Zivilisationskritik! Man lese zur Erinnerung an die
Herrschaft etwa der Krankheit über den Alltag jene ergreifenden »Kindertotenlieder« eines Friedrich Rückert aus den dreißiger Jahren des
vorigen Jahrhunderts. Die Perfektionierung von Hygiene, von medizinischer Forschung und Versorgung ist ein Ergebnis der Verwissenschaftlichung der Gesellschaft und hat fraglos ehemalige Geißeln der Menschheit zügeln helfen. Es geht vielmehr um die unschöne Kehrseite dieser
Entwicklung, deren Nebeneffekte (wie Umweltverschmutzung) der Kontrolle der Konsumenten ebenso entglitten sind wie die Veränderungs-Impulse, die von der »technischen Formation« (Heinz Hülsmann) auf die
Gesellschaft ausgehen. »Der Gedanke der Beherrschung der Natur durch
einen Verstand, der ihr alle Kunstgriffe ablockt«, so hat Friedrich Georg
Jünger resümiert, »ist groß gedacht, aber er kehrt seine Spitze auch gegen
den Menschen: Der Herr der Maschinerie schrumpft zum Mechaniker.«
»Die Wissenschaft entdeckt, die Industrie wendet an, der Mensch aber
paßt sich an oder wird durch die Innovationen umgeprägt«, so stand es
1933 stolz im Handbuch der »World's Fair on Science and Industry« in
Chicago zu lesen.

Die Beiträge in dem vorliegenden Band befassen sich mit unterschiedlichen Problemfeldern dieser Verdrängung ursprünglicher Intentionen
von Wissenschaft und Technik, die am Ende zu einer Prioritäten-Verkehrung führt. Aus dem Instrument der Weltbeherrschung durch die Menschen droht ein Instrument zur Beherrschung der Menschen zu werden,
in den Natur- wie auch in den Gesellschaftswissenschaften. Offenbar liegt
im »wissenschaftlichen Blick« selbst eine Tendenz, die observierte Natur

und Menschenwelt in bloße Objekte zu verwandeln, wobei »im Interesse der Forschung« deren Vivisektion notwendig werden kann. Was aber ist das Interesse der Forschung? Es zeigt sich seit langem, daß jenes Wissenschaftssystem, noch immer von der Aureole des Gemeinschaftsdienstes umstrahlt, eine Verbindung mit politischen oder wirtschaftlichen Interessen eingegangen ist, die sich mehr oder weniger der öffentlichen Kontrolle entzieht. Wie ist dem entgegenzuwirken? Auch dazu finden sich in den nachstehenden Beiträgen Überlegungen. Vor allem aber soll die Dringlichkeit der aufgeworfenen Fragen aufgezeigt werden. Noch scheint es Zeit, die wissenschaftliche Zivilisation zu lenken.

Anton-Andreas Guha / Sven Papcke
Frankfurt am Main / Münster, März 1987

SVEN PAPCKE

Wissenschaft und Ethik – ein Dilemma

> Wer bloß an einer Pflanze riecht, der
> kennt sie nicht, und wer sie pflückt,
> bloß um daran zu lernen, kennt sie
> auch nicht.
>
> Friedrich Hölderlin
> *Hyperion oder der Eremit in*
> *Griechenland, Vorrede*

Das wissenschaftliche Wunschbild der europäischen Frühmoderne hat seine *materiellen* Verheißungen im Laufe der Zeit durchaus erfüllt. Es hat zugleich aber seine Kompetenz überzogen, indem es zunehmend selbst zur Quelle unzähliger Probleme wurde. Wissenschaftliche Leistungen sind inzwischen unentbehrlich, aber schon deswegen, weil sie mehr Komplikationen schaffen als lösen. Überdies reicht ihr Veränderungsdruck auf die Gesellschaft seit langem nicht nur weit über den Alltagsverstand hinaus, sondern nimmt auch keineswegs mehr Rücksicht auf »das menschliche Maß«. Die »Innovationslust« unserer Vorfahren hatte ihre Grenzen vielleicht einmal als selbstverständlich unterstellt, heute scheint kein Mensch mehr zu wissen, wohin die Reise geht. Ist es daher an der Zeit, den immer hemmungsloseren Fortgang der Wissenschaften nicht nur in Frage zu stellen, sondern ihn auch durch gesellschaftliche Kontrollen zu steuern?

In einer verregneten Novembernacht des Jahres 1619 hatte der Philosoph René Descartes einen Traum. Ihm offenbarte sich darin, wie er später berichtete, der »Geist der Wahrheit«, welcher dem Schlafenden die Schatzkammer der Wissenschaften aufschloß. Seither stellte sich dem französischen Denker die Neuzeit nicht nur als Chance zielgerichteter Erkenntnis, sondern auch als der viel umfassendere Anspruch dar, mit Hilfe der Forschung alle Welträtsel klären zu können. Dem Ziehvater der modernen Erkenntnislehre schien so »die Natur« bald nichts anderes mehr zu sein als eine Fülle mechanischer Regeln, die durch Rechenschritte beherrschbar waren. Moral oder Kunst aber sahen sich aus solchem Techno-Kosmos als Beiwerk verbannt.

Dieser *Szientismus*, mithin der im 17. Jahrhundert obsiegende Glaube an die Allmacht der Wissenschaften, wurde dabei durch einen ihm innewohnenden Kurzschluß populär. In Francis Bacons Programmschrift »Novum Organum« heißt es 1620 bezeichnend[1], daß nicht allein der Fortschritt, sondern ganz allgemein die Lebensqualität der Menschheit in den Händen der Forscher bestens aufgehoben sei. Diese Argumentationsfigur erwies sich stets als schlüssig, erst ein Blick zurück im Zorn deckt ihre langfristigen Irrtümer auf. Der noch von Bacon vermutete sozialethische Mehr-Wert der Forschung wurde von dieser selbst bald strikt abgelehnt. Es ging ihr nicht etwa um »das größte Glück der größten Zahl«, sondern um Erkenntnismehrung, ohne Skrupel, was mit den Forschungsfrüchten geschehen mochte oder wie sie auf die Gesellschaft rückwirkten. Als »entfesselter Prometheus«, solchermaßen bar aller ethischen Vorgaben, erwiesen sich die Wissenschaften aber nach und nach nicht nur als Wandlungsfaktor erster Ordnung, sie gerieten unversehens auch zur kardinalen Infragestellung, ja Bedrohung der Zivilisation. Die so späte Problematisierung ungehemmter Neugier zielt auch auf die heute bereitgestellten Naturkräfte und Instrumente, die endlich imstande sind, nicht nur die menschliche Gattung, sondern in einem Handstreich (des »atomaren Winters«) auch die irdische Natur in ihrer herkömmlichen Gestalt auszulöschen.

1. Wissenschaftskritik

Es gibt zwei Formen der Wissenschaftskritik, die gegenwärtig Konjunktur haben. Zum einen die Angst vor Veränderung: Diese grundsätzliche Verwerfung wissenschaftlicher Leistungen ist »wertkonservativ« und fordert eine strikte »Neugierkontrolle« in Forschung und Wissenschaft. Zum anderen die Einsicht in die der Forschung innewohnenden Grenzen ethischer und natürlicher Belastbarkeit. Diese Ablehnung kann sich einmal als Empörung über die »Expertokratie« niederschlagen. Zu den Merkwürdigkeiten der heutigen Politik gehört ja fraglos die wissenschaftliche Anmaßung auch dort, wo sie weder zuständig noch kompetent ist. Aber diese Kritik wird auch seit geraumer Zeit greifbar als wissenschaftsgeschichtliches Großreinemachen, das nacheinander Fächer wie Soziologie, Jurisprudenz oder auch Biologie erleben. An dieser Stelle geht es nicht um die Verneinung wissenschaftlicher Dienste, ohne deren Hilfe die Moderne sowieso nicht mehr bestehen könnte. Im Gegenteil, die durch die industrielle Nutzung von Wissenschaft und Technik hervorgerufenen Schäden etwa in der Umwelt bedingen geradezu die unentwegte Steigerung wissenschaftlicher Kapazitäten. Für blinde Feindschaft gegenüber den Wissenschaften wäre es historisch sowieso bereits viel zu spät! Das Gewicht der Wissenschaften für die Gesellschaft macht es aber nur noch dringlicher, wissenschafts-interne Fehlleistungen abzubauen, um deren »Gebrauchswert« zu mehren.

Bei solchen Klärungsversuchen kann sich freilich herausstellen, daß in der Methode einzelner Disziplinen selbst Probleme stecken, die sich nur schwer vermeiden lassen, ohne den Charakter der Fächer zu ändern. Das läßt sich bei manchen Humanwissenschaften deutlicher zeigen als etwa im Geltungsbereich der Naturwissenschaften. Der »wissenschaftliche Blick« des Naturwissenschaftlers spiegelt den Herrschaftswillen des Menschen über die Natur, eine »*Machtbeziehung*«, die bereits Francis Bacon 1627 in seiner »Nova Atlantis« gerechtfertigt und formalisiert hat. Die Methode der Naturwissenschaften, gedacht als Schlüssel zur Manipulation der Natur, geriet im Lauf der Zeit zu *der* wissenschaftlichen Vorgehensweise überhaupt, alle anderen Disziplinen begannen ihrem erfolgreichen Vorbild nachzueifern. Das aber schloß eine ähnliche Machtbeziehung zum Objekt ein, wie sie in der Naturbearbeitung möglich schien. Hier wie dort war eine »Beziehungskälte« zwischen Forscher und Beobachtungsobjekt zu verzeichnen; beidemal vollzieht die Wissenschaft erst eine »Konstitution des Forschungs-Gegenstandes«, das Objekt an sich hat also keine Bedeutung, außer in der wissenschaftlich definierten Neugier des Beobachters. Diese Haltung mag in der Naturwissenschaft unproblematisch sein, weil wir es in diesem Fall ja – soll man sagen – *nur* mit unbeseelter, zumindest aber unbewußter Materie zu tun haben. Gegenwärtig wird freilich immer deutlicher, daß solche Auffassung ihres Gegenstandes schon in der Naturwissenschaft ein Trugschluß war, in den Humanwissenschaften ganz und gar. Denn die Verfügungsgewalt der Wissenschaft über die Natur mißbraucht diese am Ende derart, daß sie als Existenzgrundlage für Lebewesen nicht mehr taugt.

2. Kriminologie als Beispiel

Dieses Wissenschaftsideal sowie seine bedenklichen Folgen für Forscher wie Forschungsobjekte untersucht der Grazer Rechtsphilosoph Peter Strasser[2] in seinem Buch über die »wissenschaftliche Erzeugung des Bösen« am Beispiel der »Kriminologie«: Kriminologisches Denken ist nicht zuletzt der Versuch, die »Archaik des Bösen durch Wissenschaft zu bannen«. Das ist leichter gesagt als getan, wie sich zeigt, weil offenbar solche Archaik noch den schönsten »Methodenpurismus« jener Wissenschaften ansteckt, die sich – von der Theologie bis zur Rechtswissenschaft – mit dem Bösen abgeben. An diesem wie an anderen humanwissenschaftlichen Bereichen läßt sich unschwer nachweisen, daß die Übertragung des autoritativen »Modells der Naturwissenschaft« ihre Tücken hat, wenn man die Rückwirkungen im Auge behält, die die jeweilige wissenschaftliche Methode auf ihre Objekte hat, in diesem Falle also auf das Verbrechen und seine Repräsentanten.

Ein Blick auf die Geschichte der »Kriminologie« zeigt, daß dieses Fach ganz handfesten Kontrollproblemen der frühmodernen Gesellschaften entsprungen ist. Die Kriminologie löste ältere Strafpraktiken ab, da diese immer kostspieliger wurden. Sie waren überdies immer schwieriger zu rechtfertigen, weil sie un-wissenschaftlich und daher zufällig wirkten. Wie die Naturwissenschaft ihre Gegenstände der Erkenntnismacht unterwirft, so beabsichtigte die »Kriminologie« ihren Bearbeitungsbereich der Ordnungsmacht zu unterwerfen. Da aber die naturwissenschaftliche Erkenntnis ihrem Natur-Stoff verpflichtet ist und sonst nichts darüber hinaus entdecken kann, hören hier alle Parallelen auf. Einen derartigen Maßstab, der »objektiv« ist und bleibt, besitzt die »Kriminologie« mitnichten. »Ordnung« als ihre zentrale Bezugsgröße muß als Kulturschöpfung verstanden werden, die historisch und regional sehr unterschiedlich ausfällt. Kein Methodenpurismus kann helfen, wo der Gegenstand der Erkenntnis gar nicht erkenntnis-unabhängig gegeben ist. Strasser schreibt voll Häme über diesen Zirkel: »Eine Wissenschaft, die sich bereits im Vollzug der Erkenntnisproduktion den Ordnungsmächten anbiedert, hat trotz aller ›Praxisrelevanz‹ keine Existenzberechtigung, *insoweit* sie beansprucht, der Wahrheit zu dienen; der Konstitutionsakt einer Wissenschaft mag im Schoße der Macht vonstatten gehen – und es mag sein, daß er nur dort stattfinden kann –, aber die Fortentwicklung einer Wissenschaft als eines Unternehmens der Wahrheitssuche hängt ab von ihrer *inneren* Emanzipation gegenüber der Machtbindung.«[3] Diese Distanzierung ist für die »Kriminologie« aber nicht zu erkennen. Die unterschiedlichen Ausprägungen des Faches bleiben vielmehr trotz – oder gerade wegen – aller Anstrengungen, als saubermännische Wissenschaft zu gelten, ihren Ordnungsvorgaben ausgeliefert.

Die Not der Kriminologie als Wissenschaft ergibt sich jedoch nicht allein aus der Tatsache, daß sie als »Dienstleistungsgewerbe« auftritt und als »Geistesbüttel der Strafrechtsideologie und ihres bürokratischen Unterbaus«[4] agiert. Solche Machtbildung besteht auch bei anderen Wissenschaften. Vielmehr bleibt unter dem Schutzschild des Expertenimages verborgen, daß sich diese Disziplin in einem veritablen »Labyrinth« verlaufen hat, ein wissenschaftlicher Skandal, der die Breitenwirkung dieser Universitätseinrichtung nicht zu mindern scheint. Vielleicht sogar umgekehrt: der weite »Mantel der Wissenschaftlichkeit« fördert die eigentliche Aufgabe dieser Zunft, den gesellschaftlichen Zustandsschutz mittels Strafe als verwaltete Leidzufügung zu gewährleisten. Kriminologie ist ein wirkmächtiges Fach, und das, obschon sie als Wissenschaft kaum ernst genommen werden kann, stellt sie doch oft wenig mehr dar als eine Ritualisierung des »Bösen«.

Wie dem auch sein mag: Es ist schon bedrückend, läßt man all jene Verrücktheiten Revue passieren, die sich (im Namen der Wissenschaft und im Auftrag der Ordnung) am Verbrechen als gesellschaftlicher Regelverletzung abgearbeitet haben. Insgesamt erweisen sich die unterschiedlichen Schulen und Phasen der »Kriminologie« als szientistisch verbrämte Vorurteile, die die Gelehrtengenerationen dem emotionalen Fundus ihrer Epoche entnahmen.

Als stellvertretendes Beispiel sei hier nur jener Franz-Joseph Gall erwähnt, der zu Beginn des 19. Jahrhunderts meinte, »das Verbrechen« mittels Schädelmessungen orten zu können. Verbrecherische Seelenturbulenzen beeinflußten die Kopfform, bösartige Anlagen ließen sich durch mehr oder weniger ausgeprägte »Wutstigmata« ertasten. Bloße Theorie? Schlimm genug, aber harmlos; Gall hat seine »Lokalisationstheorie« aber auch praktiziert: Bei seinen Wanderungen durch die Gefängnisse Preußens und Sachsens diagnostizierte der Gelehrte nach Schädelbetastungen die weitere »kriminelle Karriere« der Gefängnisinsassen. Seine Prognosen waren gedacht als Maßgabe an die Sicherheitsbehörden, wie mit den Gefangenen weiter zu verfahren sei – bis hin zu Vorschlägen einer lebenslangen Verwahrung, sollte er ausgeprägte »Verbrechenswülste« ertastet haben, die wohl zumeist ossifizierten Hämatomen nach schweren Geburten zu verdanken waren.

3. Reine Forschung und die Folgen

Kritik und Angst – aber auch Faszination – waren schon immer Weggefährten von Wissenschaft und Technik. Bereits der römische Kaiser Vespasian hat vor nunmehr 1900 Jahren gegen die Verwendung der Wasserkraft votiert, weil er fürchtete, diese Technologie werde Arbeitskräfte – und damit womöglich Sozialunruhen – freisetzen. Oder man denke an John Ruskins Schelte des Eisenbahnbaus. Wer wolle wohl wie ein Paket von einem Ort zum anderen verschickt werden? Die »Maschinenstürmer« in England hatten noch Jahre zuvor versucht, die Einführung von Fertigungsapparaten in der Textilbranche zu verhindern, weil sie um Arbeit und Brot bangten. Solcher Unmut oder Widerstand mutet heute »vormodern« an, weil er auf Innovationsschritte bezogen blieb, die für sich genommen harmlos waren. Auch aus solchen »Teilschritten« ließ sich freilich das Grundproblem einer wissenschaftlich-technischen Schubkraft ablesen. Daß die Forschung mithin eine überaus heikle Kompetenz darstellt, ist daher seit der Romantik immer wieder thematisiert worden. Eines der literarischen Frühzeugnisse für diese bösen Visionen steht bis heute als Groteske geradezu symbolisch für die Gefahren einer Wissenschaftsauffassung, die nichts kennt als ihre Entdeckerfreude. In ihrem 1818 veröffentlichten Bestseller »Frankenstein oder der moderne Prometheus« malt Mary Shelley das Risiko aus, das wir eingehen, wollen Forscher es dem Schöpfer gleichtun. Jener Professor Frankenstein kommt – wie anderthalb Jahrhunderte später Friedrich Dürrenmatts »Die Physiker« – nach langen Gewissensqualen zu dem Schluß, daß die Menschheit sich davor hüten müsse, ohne Vorausschau alles herzustellen, was »machbar« sei. Wissenschaftsskepsis hat es also seit langem gegeben. »Wir müssen den faustischen Pakt mit der Wissenschaft aufkündigen!«, so verlangt heute der amerikanische Computer-Fachmann Joseph Weizenbaum[5], auch wenn das bedingt, »irgendwann ›nein‹ zu den Vorteilen« zu sagen. Ganz in diesem Sinne meinte Carl Friedrich von Weizsäcker, eine »Ethik des technischen Zeitalters« lasse sich einzig dadurch begründen, daß der Mensch erneut »Herr des Plans und der Apparate« würde[6].

Kann der Mensch solchermaßen wirklich wieder die Oberhand gewinnen? »Die Frage ist nicht mehr«, so hat demgegenüber der konservative Soziologe Hans Freyer zu bedenken gegeben, »wer den Fortschritt will und wer ihn verantwortet, da ein Wille doch wohl die Möglichkeit einer offenen Wahl voraussetzen würde (...) Das Problem ist vielmehr, den Fortschritt, d. h. seine jeweils nächsten Schritte zu vollziehen oder auch nur: mit ihm Schritt zu halten«.[7] Daß ein leichter Ausstieg kaum denkbar ist, hat auch mit einem Umstand zu tun, auf den Karl Mannheim bereits 1935 mit der Bemerkung hingewiesen hat, daß die technisierte Gesellschaft einen Menschentypus prägt, »für den ein Baum nicht ein Baum, sondern Nutzholz ist«.[8] Solche Prägungen sind aber massenhaft kaum nebenbei abzuschütteln, sie wirken vielmehr fort, selbst wenn sie längst unerträglich geworden sind. Auch die öffentliche Meinung ist skeptisch: Umfragen erweisen (1983), daß Vorbehalte immer häufiger werden, daß mittlerweile nur mehr 30 % der Bundesbürger »einen Segen« in Wissenschaft und Technik zu erkennen vermögen. Verbinden auch noch 91 % mit dem Begriff der »Technik« den Gedanken an Fortschritt, so assoziieren gleichzeitig aber auch 67 % in diesem Zusammenhang »Zerstörung der Umwelt« und 56 % signalisieren »Angst«. Zeichen solcher Verunsicherung ist sicherlich die Häufung irrationaler Stimmungen, wie sie sich etwa im Sektenwesen äußern. Offenbar ruft die Wissenschaft durch ihre ständige Überforderung der Mitwelt vielfach kaum berechenbare Fluchtbewegungen auf den Plan: Chips und Gurus nutzen einander, indem sie wechselseitig Unsicherheit und Sicherheit stiften. Und Wissenschaftskritik äußert sich gegenwärtig gerade auch politisch mittels »Alter-

nativer Listen«. So vielschichtig deren Wählerschaft sein mag, so ambivalent ist in diesem Zusammenhang ihre Bedeutung. Steht nämlich
einerseits die Verwerfung von Wissenschaft und Technik immer in Gefahr, Irrationalismen aller Art das Wort zu reden, so wird andererseits
auch augenfällig, daß ohne öffentliche Empörung einer Volltechnisierung
der Lebenswelt nichts entgegenzusetzen wäre.
Hierzulande herrscht zur Zeit ein technologisches Stimmungshoch. Mit
Parolen wie »Neue Technologien«, »Technologietransfer« und »Blaupau-
senpolitik« schicken wir uns an, den Wettkampf mit Japan und Kalifornien um die Märkte von morgen aufzunehmen. Was immer von solcher
Euphorie zu halten ist, die offenbar die Beschwörung »technologischer
Lücken« verwertet, um Innovationsbegeisterung zu wecken: Ein roh-
stoffarmes und exportabhängiges Land wie die Bundesrepublik Deutschland darf den Anschluß an den internationalen Standard nicht verpassen.
Gleichzeitig gilt es aber, die Folgen im Auge zu behalten, die die ungehemmte Technik der letzten Jahrzehnte angerichtet hat. Wer die Skepsis
großer Teile der Öffentlichkeit gegenüber großtechnologischen Abenteu-
ern mindern möchte, darf Forschungspolitik nicht auf Finanzierungsfra-
gen verkürzen, sondern muß vor allem überzeugend dartun, auf welche
Weise Wissenschaft und Technik – etwa im Umweltbereich oder im Ener-
giesektor – Wohlstandsmehrung mit Schadensminderung oder gar -ver-
meidung verbinden können.

4. Science Fiction

Vor anderthalb Jahrzehnten nahm Alvin Toffler in seinem Erfolgsbuch
»Der Zukunftsschock« erste Anzeichen einer internationalen Revolte
wahr, die Parlamente und Kongresse in den kommenden Jahrzehnten er-
schüttern würde. Um solcher Innovationsfeindschaft vorzubeugen, plä-
dierte Toffler mit Nachdruck für eine »verantwortliche Technik«. Trotz
Sensibilisierung der Bevölkerung etwa in Umweltfragen ist bislang eine
übernationale Beschlußfreudigkeit – z. B. für die Rettung der Wälder –
nicht zu verzeichnen. Es soll in diesem Kontext aber nicht verallgemei-
nernd um das Auf und Ab der Technikkritik gehen, sondern vielmehr um
die Beherrschbarkeit wissenschaftlicher Fertigkeiten und technologischer Entwicklungen, die in diesem Jahrhundert für Mensch, Gesellschaft und Natur zum Alpdruck werden. Vergegenwärtigt sei an dieser
Stelle nicht nur das atomare oder chemische Risiko; problematischer
noch wird zunehmend die biologische Forschungslage, wo sich im Bereich
der »grünen« beziehungsweise »roten« Kernbiologie dem faustischen
Streben Tür und Tor zu öffnen scheinen. Mit Blick auf das sich ausbil-

dende Gen-Ingenieurswesen hat der amerikanische Biochemiker Erwin Chargaff jüngst davon gesprochen, daß in dem seit Descartes erklärten »Kolonialkrieg der Menschen gegen die Natur« nun Schwellen überschritten würden, die man hätte scheuen sollen. Und tatsächlich, betrachtet man die Liste abgeschlossener, wahrscheinlicher oder projektierter Entwicklungen etwa in der Biomedizin, dann ist zu erkennen, daß nicht länger »nur« die »äußere Natur«, sondern der Mensch selbst wissenschaftlichem Kalkül zur Disposition steht. Manipuliert der Mensch seine »Gestalt«, ehe er weiß, was er sich leisten kann zu wollen? Der Homunculus ist nicht länger nur Imagination, denn in den Labors laufen Versuchsreihen, deren Ergebnisse sehr wohl am Ende den zwar allemal gestundeten, aber doch immer noch gültigen Menschlichkeitsbegriff zum alten Eisen werfen könnten. Lernen die Menschen wieder einmal erst, wenn es zu spät ist?

Wenn die Menschheit aber nicht einmal mehr aus dem bisher angerichteten Schaden lernt, weil es unterdessen wohl auch einfach zu viele Schreckensmeldungen gibt, wie ist dann solch rasender Erfindungsgabe beizukommen? Die Diffusität der Belastungen – vom Streß zum sauren Regen – legt die Aufregung lahm und erklärt die Hoffnungslosigkeit vieler Beobachter, Prometheus je wieder an die Felsspitze am Rande des Weltstroms Okeanos schmieden zu können. Vor diesem Hintergrund stimmt vor allem die Erfahrung besorgt, die weiland Cicero ebenso beklagte wie vor ihm in der griechischen Antike schon Protagoras, daß nämlich die Menschen noch allemal das ausprobiert haben, was sie erfanden. Chlorgas und Atomwaffen sind dafür ein ebenso trübseliger Beleg wie die Gehirnwäsche oder das heute schon vorhandene »genetic screening« in Großbetrieben. Auf dem »Pfad der schöpferischen Arroganz«, den die Menschheit seit dem 17. Jahrhundert frischauf und völlig orientierungslos einschlug, steht die Gegenwart daher laut Hans Jonas unvermutet an einem Wendepunkt. Wie soll es weitergehen? Der Philosoph Jonas erkennt nur die Notwendigkeit, entschieden jenes »Werk des Übermuts, der Neugier und der Willkür« aufzugeben. »Wir müssen wieder lernen, daß es ein Zuweit gibt. Das Zuweit aber beginnt bei der Integrität des Menschenbildes.«[9] Doch wer legt den Entwicklungspunkt fest, an dem es »zuweit« ist? Die Wissenschaften frönen ihrer Erkenntnis, und der Pluralismus der Öffentlichkeit kann sich auf regulierende Werte nicht einigen. Es verwundert daher wenig, daß bedeutende Mitglieder der Gelehrtengemeinde die Ansicht vertreten, daß es eine solche Grenze gar nicht gibt, daß die Menschheit vielmehr bereit und willens sein müsse, sich der von ihr selbst vorfabrizierten Umwelt kontinuierlich anzupassen. Voller Eifer malt Forscher-Finesse die Umrisse eines Chimären-Zeitalters aus, in dem gen-manipulierte Generationen – nach Be-

darf auch in Pflanzen-, Amphibien- oder Kyborg-Gestalt – munter und
vor allem angepaßt und leistungsfähig leben können. Kann die verwirrte
Gesellschaft sich noch entscheiden?

5. Autonomieverlust

Der Heidelberger Soziologe Alfred Weber hat 1953 kulturkritisch darauf
hingewiesen, daß die wissenschaftlich-technische Beschleunigung der Sozialentwicklung am Ende auch die Moral berührt, weil sie deren Men-
schenbild entwertet. In seinem Buch »Der dritte oder der vierte Mensch«
beschrieb Weber daher die »gesellschaftliche Gesamtverapparatung« als
ein *Verhaltens-Diktat*, dem sich ausnahmslos alle zu fügen haben, wollen
sie nicht nutzlos werden. Als Triebfeder dieser Entwicklung galt dem Soziologen die allseitige »Verwissenschaftlichung« der Moderne. Die durch
sie beschleunigte Bürokratisierung aller Sozialgebilde wiederum verän-
dere auch die Forschungslandschaft. Wissenschaft und Wissenschaftler
seien keineswegs souveräne Meister der reinen Erkenntnis geblieben, wie
ursprünglich von Isaac Newton in seinen »Mathematischen Grundlagen
der Naturphilosophie« (1687) unterstellt, sie unterlägen auf Dauer den
gleichen Organisationszwängen und Kosten-Nutzen-Kalkülen wie der
Rest der Gesellschaft. Diese »Verwissenschaftlichung« war und ist mithin
die Hauptursache für jene von René König so titulierte »Selbstdomesti-
kation« der Industriegesellschaft durch eine von den Menschen freige-
setzte, mittlerweile aber offenbar nicht mehr zu bändigende »Vergesellschaftung der Technik«. Alfred Weber steht mit seiner Einschätzung
einer solchermaßen usurpierten Kultur in einer Kritiktradition, die wie
ein Kontrabaß die Karriere der Wissenschaften seit ihren Anfängen
untermalt hat. Daß solche Warnungen verhallten, erklärt sich aus den
großartigen Erfolgen in der Gestaltung der äußeren Welt; bei allen Fort-
schritten dieser Art, die oft übereilt in Gang kamen, haben die Wissenschaften aber schon die Erwartung nicht erfüllt, daß vom freien Wirken
der Erkenntnis auch Klärungen der Sinn- oder doch wenigstens der Wahr-
heitsfrage zu erwarten seien. Zwar hat der »Geist der Wissenschaften«
unstreitig als Aufklärung gewirkt, vor seinem suchenden Blick hielt kein
Vor-Urteil stand. Da die Wissenschaft aber wohl widerlegen, nicht jedoch
selbst Sinn und Zweck stiften kann, hat solche »Entzauberung« den Welt-
anschauungsbedarf der Epoche mitnichten gemindert. So ist verständ-
lich, daß schon die Erzväter des »Szientismus« unter einem drückenden
Sinnmangel litten, wie sich etwa an Descartes zeigen läßt, der einen Ausweg ins Fromme suchte, indem er einer Art von Vernunftoffenbarung
huldigte. Als die zur »Bearbeitung« freigegebene Natur keinerlei Glau-

bensreservoir mehr bot, fühlte sich der Mensch von seiner eigenen Erfindungsgabe ernüchtert, obschon er zu immer verblüffenderen Naturerklärungen gelangte. Inzwischen geht es daher nicht länger nur um Wissenschaftskritik, sondern um eine Alternative zu einer Wissenschaftspraxis, deren Kunst- und Zerrbilder (in den Sozialwissenschaften) sowie Schöpfungsofferten (in den Naturwissenschaften) der Öffentlichkeit endgültig zu entgleiten drohen. Die Gründe für solchen Umschlag von Wohltat in Plage finden sich aber auch in wissenschaftsgeschichtlichen Veränderungen der Erkenntnispflege.

6. Auftragsforschung – woher, wohin?

Persönlichkeit auf wissenschaftlichem Gebiet hat nur, wer rein der Sache dient. So verteidigte Max Weber ein Forschungsprinzip, welches das gute Recht, ja die Pflicht des Wissenschaftlers absichert, sich ohne Wenn und Aber an seinen jeweiligen Untersuchungsgegenstand zu halten. Mit dieser Losung begründete die Wissenschaftlergemeinde auch ihr Verlangen nach »Forschungsfreiheit«: Man wollte nur der Wahrhaftigkeit dienen, nichts und niemand sonst, die Nützlichkeit reiner Erkenntnis aber ließ sich scheinbar nicht am Verständnishorizont der Zeitgenossen festmachen. War auch die dermaßen begründete »Werturteilsenthaltsamkeit« ursprünglich eine wichtige Handhabe gegen die Einmischung sachfremder Vorbehalte in den Erkenntnisablauf, so zeitigte diese Einstellung doch bedenkliche Konsequenzen. Ein Blick in die Wissenschaftsgeschichte zeigt nämlich, daß dieses Postulat sonderbarerweise gerade auch wissenschaftsfremden Einflüssen den Weg ebnete. So ist unschwer ersichtlich, daß diese Scheinneutralität die Vereinnahmung der Wissenschaft als »Auftragsforschung« noch erleichtert hat. Es wurde zunehmend untersucht, was die »Kundschaft« forderte, das aber abgelöst und wertfrei. Mehr noch: Unter dem Banner der Wertungsfreiheit haben sich guten Gewissens Forschungspraxis und Anwendungsbereich trennen lassen. Für problematische Spät- oder Nebenfolgen wissenschaftlich-technischer Durchbrüche oder sozialwissenschaftlicher Rezepte hatte man als Wissenschaftler nicht gerade zu stehen. Diese *Unverantwortlichkeit der Forschung* wurde freilich durch ihre Organisationsgeschichte noch verstärkt. Hier wie anderswo stellte sich bald heraus, daß die Erkenntnismenge mit der Arbeitsteilung zunimmt, wenigstens was ihre Qualität anbelangt. Auch die Sozialwissenschaftler, wie vor ihnen schon die Naturwissenschaftler, verstehen seither mehr und mehr von weniger und weniger. Solche Blickverengung schafft in den Worten Bertolt Brechts jene »erfinderischen Zwerge«, die eine Atombombe basteln, als handele es sich um ein Intelligenz-Puzzle. Die lange Vorlaufphase der Welt-Ent-rätselung bis weit in dieses Jahrhundert hinein, in der noch Einzelforscher nach den Kriterien von Genie und Zufall ihre Fachdisziplin beförderten, scheint längst vorbei. Von einer wissenschafts-immanenten Steuerung oder doch Kontrolle des Erkenntnisverlaufs kann kaum mehr die Rede sein. Als Auftragsforschung gehorcht die Wissenschaft Zentralisierungs-zwängen und Richtungsgeboten, die auch die übrige Volkswirtschaft be-stimmen.

»Triebfeder der Wissenschaft ist der Enthusiasmus«[10], daran hat Hans Mohr vor kurzem noch einmal erinnert. Mag das für die individuelle Neu-gierde auch weiterhin gelten, so wirkt diese Motivation im verwalteten Wissenschaftsbetrieb von heute eher nachrangig. Die Wissenschaften selbst haben dabei ihre Überführung in »Großforschung« begünstigt, in-dem sie die technischen Werkzeuge einer fortschreitenden Vernetzung geliefert haben; aber sie sind diesem Prozeß auch seit Jahrzehnten ausge-liefert. Im Forschungsfeld geht es immer weniger »spontan« oder »selbst-gesteuert« zu, wohl auch deswegen, weil alles fürchterlich viel Geld ko-stet. Es gibt zwar weiterhin »freie Forschung und Wissenschaft«. Die eher problem- denn marktorientierten Untersuchungsgepflogenheiten in den Universitäten erfüllen auch weiterhin wichtige normative Aufgaben, während die »Großforschung« nur allzuleicht dem Griff lenkender Inter-essen erliegt. Angesichts der Zahlenverhältnisse und Größenordnungen wird aber diese »freie Forschung« wenigstens im naturwissenschaftlichen Sektor zunehmend ins Abseits gedrängt, ein Vorgang, der durch die an vielen Universitäten ausgebrochene Drittmittel-Euphorie noch beschleu-nigt werden könnte. Für den Löwenanteil der Forschung aber bedroht das *Diktat der Nützlichkeit* jede Kritikfähigkeit, wobei solcher Nutzen in den Grenzen einer kurzfristigen Verwertungsabwägung berechnet zu werden pflegt. Die Ware der Forschungsindustrie hat daher auch mit dem, was die gebildete Öffentlichkeit einstmals als »geistige Erzeugnisse« schätzte, wenig mehr als die Wissenschafts-Verpackung gemein, so Erwin Chargaff maliziös, obschon doch diese Großforschung immer neue Techno-Spektakel zu inszenieren versteht. Sind aber unter diesen Bedin-gungen die vom Wissenschaftssystem beanspruchten Privilegien wie An-sehen, Erkenntnisfreiheit, Experten-Nimbus und ähnliches noch zeitge-mäß?

7. Was kann man tun?

Unter dem Titel »Schöne neue Welt« veröffentlichte der englische Schriftsteller Aldous Huxley im Jahre 1932 einen satirischen Zukunftsroman, der viele Leser fand. Sein Buch versteht sich als heftige Wissenschaftskritik und ist zugleich auch eine Abrechnung mit jener damals weithin ungebrochenen Wissenschaftsgläubigkeit, der neun Jahre zuvor Herbert George Wells mit seiner Fortschrittsutopie »Menschen Göttern gleich« Ausdruck verliehen hatte. Dabei erwies Huxley der Wissenschaft durchaus Reverenz, traute er doch dem Forscherdrang schon damals zu, was mit der genetischen Teilentschlüsselung menschlicher Reproduktivität erst heute beginnt. Warum gelangte er dann aber nicht zu freundlicheren Einschätzungen, wo doch gegenwärtig das Klonen und die Gen-Chirurgie nicht nur als Hilfe bei den über 2000 bekannten Erbkrankheiten diskutiert werden, sondern auch als passabler Weg zur Steigerung der zerebralen Leistungsfähigkeit der Menschheit? Was Huxley offenbar ebenso verstört hat wie heutige Beobachter der Entwicklung, ist der Umstand, daß laut Max Born der Höhenflug des Erfindergeistes einen »Tiefstand der Ethik« schafft. So schwingt sich in Huxleys »Siebtem Jahrhundert nach Ford« die Wissenschaft selbst zur einzig gültigen Norm auf, die keine Götter neben sich duldet, schon gar nicht Werte, wie sie sich gleichgesinnt im Tugendkatalog aller Weltreligionen wiederfinden. Ohne solche Werte aber sieht sich jene düstere Prognose von Jean Jacques Rousseau aus dem Jahr 1750[11] erfüllt, wonach die wissenschaftlich »verbildete« Menschheit endgültig gemein würde. Wer immer sich mit Fragen des rasenden Wandels im wissenschaftlich-technischen Feld befaßt, stößt unweigerlich auf ethische Notstände. Forschungsbeurteilung und Wertentscheidungen hängen untrennbar zusammen. Nicht erst seit gestern dringen ja jene schon von E. T. A. Hoffmann so benannten »wahnsinnigen Detailhändler der Natur« in Gebiete vor, aus denen sich die Moral speist. Müssen diese zu Schutzzonen erklärt werden, ehe es zu spät ist? Als »Magd der Daseinsordnung« wollte Karl Jaspers[12] noch 1931 die Wissenschaften bezeichnet wissen. Aber in unseren Tagen entdeckt sich dieses Verhältnis als eine Hilfe, die ihre Leistungen nicht für das Gemeinwohl, sondern im Dienste von Auftraggebern erbringt, die ihrerseits diese »Daseinsordnung« aus dem oft engstirnigen Sichtwinkel von Eigeninteressen betrachten. Oder anders: Die Forschung als solche interpretiert die Daseinsordnung ebensowenig wie den Wert ihrer Verrichtungen für die Allgemeinheit, überdies stehen ihre Fertigwaren den Geldgebern zu, die sie in ihrem Sinne vermarkten. Das unterstreicht auch ein Blick auf die Finanzierungsströme. Das Batelle Institut in Frankfurt prognostizierte für die USA des Jahres 1985 einen preisbereinigten Zuwachs der Ausgaben für Forschung und Entwicklung von 3,9% (Japan 5,3%) auf 107,3 (Japan 34) Mrd. US-$, eine größere Steigerungsrate als in den vergangenen zehn Jahren, so daß die Forschungsausgaben 2,8% (Japan 2,6%) des Sozialproduktes betragen. 52% dieser Investitionen bestreitet die Industrie. Und die Bonner Regierung verkündet zufrieden, daß mit einem realen Wachstum der Ausgaben um 4% (auf bald 3% des Sozialproduktes) – in absoluten Zahlen 53 Mrd. DM – die Bundesrepublik Deutschland 1985 an der Weltspitze liegt. 58,8% dieser Kosten entfallen auf die Wirtschaft, der Rest auf die öffentlichen Hände. Die Innovationsimpulse kommen von außen, und die Abhängigkeiten sind mit den Händen zu greifen.

Wissenschaft und Technik vermitteln das Gefühl der Furcht, aber auch der Hoffnung. Diese Stimmungen haben durchaus einen realistischen Boden, denn tatsächlich ähnelt der Fortschritt in der Naturbeherrschung jenem Wesen aus Robert Louis Stevensons Erzählung von 1886, das mal als »Dr. Jekyll«, mal aber auch als Mißgestalt des »Mr. Hyde« auftritt. Und irgendwie bilden beide Hälften ein Ganzes. So gelingt es beispielsweise der Chemie, die Bilharziose zu bekämpfen, an der weltweit über 200 Millionen Menschen leiden; sie gefährdet aber durch die Bereitstellung gefährlicher Stoffe für den partiellen Nutzen – vom Formaldehyd bis zum Dioxin – auf naive oder sogar unverantwortliche Weise die Umwelt. Da zumeist zwischen Erkenntnisprodukt und Schadensfolge viele Zwischenglieder liegen, weil stets Zeit zu verstreichen pflegt, ist für die Öffentlichkeit und die Betroffenen – inzwischen auch für die Wissenschaftler – eine Rollenerhellung der auftragsgebundenen Forschung sehr schwierig. Die Wissenschaft produziert in immer erheblicherem Umfang gesellschaftliche Folgen der verschiedensten Art. Aber die Öffentlichkeit vermag auf diesen Lauf der Dinge kaum Einfluß zu nehmen, obschon sie davon elementar betroffen wird, wie das »Waldsterben« oder der »Artentod« dramatisch vor Augen führen. Solche Schieflage wird noch dadurch verstärkt, daß unsere hochentwickelte Industriegesellschaft immer stärker auf wissenschaftlich-technische Spitzenleistungen angewiesen ist. Es darf also keineswegs grundsätzlich der Wissenschaftsfeindschaft das Wort geredet werden, sondern es geht vielmehr – neben klaren Zielansprachen – um die praktische Frage, wie die öffentliche Kontrolle dieses Faktors gewährleistet werden kann.

8. Forschungspolitik und die Selbstkontrolle der Gelehrtengemeinde

Der Stimulus all unserer Wissenschaft, so hat Arthur Schopenhauer 1851 ausgedrückt, ist das Unerklärliche. Heute steht die Wissenschaft als Innovationskraft, die ohne Rücksicht auf Verluste erfindet, auf gefährlichem

Boden. Das Grundprinzip des Liberalismus jedenfalls, jenes altehrwürdige »Laisser faire«, läßt sich keinesfalls als »Laisser innover« auf die Forschungspolitik übertragen, sollen nicht Katastrophen wie Seveso oder auch der Contergan-Fall zur Regel werden. Spätestens seit der Eheschließung mit der Industrialisierung hat die Wissenschaft alle Arglosigkeit verloren. Gemessen an den ursprünglich hehren Forschungszielen ist der Notfall längst eingetreten. Wenn aber die wirtschaftliche ebensowenig wie die organisatorische Beschaffenheit im Forschungsbereich zu berichtigen sind, so muß vor allem sichergestellt werden, daß die Politik als Wächter des Gemeinwohls alle Offerten von Wissenschaft und Technik genauestens auf ihre Human-, Natur-, Umwelt- und Sozialverträglichkeit hin überprüft!

Wie wäre das zu erreichen? Es »gehört zur Tragik dieser Zeit, daß das entfesselte menschliche Denken seine eigenen Folgen nicht mehr zu erfassen vermag.«[13] Nicht erst Oswald Spengler hat erkannt, daß zwischen Absicht und Wirkung sozialen Handelns ein erheblicher Unterschied besteht; oft handeln die Menschen, ohne die Ursachen- beziehungsweise Motivationsketten zu überblicken, die sie zum Tun drängen, oft können sie die Folgen ihrer Eingriffe gar nicht erfassen. Nicht zuletzt aus diesem Grund haben sich in der Evolution innergesellschaftliche Teilsysteme ausgebildet – Wirtschaft, Kultur, Wissenschaft, Politik etc. –, die (jeweils spezialisiert) sich gegenseitig bedingen und im Zaum halten. Strahlen die Wirkungen einer dieser Einheiten – wie im Falle der Wissenschaften – auf die anderen Komplexe in der Weise aus, daß nicht nur die Systembalance, sondern auch die Handlungsgrundlagen des Gesamtsystems bedroht werden, spätestens dann kommt es zu Steuerungskonflikten. Die Wissenschaften sind inzwischen in einen Zustand geraten, der es nicht mehr erlaubt, sie sich selber zu überlassen. Vielleicht nicht zuletzt deswegen hat das »Godesberger Programm« der SPD 1959 ausdrücklich verlangt, daß »der Staat Vorsorge zu treffen hat, daß Forschungsergebnisse nicht zum Schaden der Menschheit mißbraucht werden«[14].

»Die Krise der Wissenschaft besteht nicht eigentlich in den Grenzen ihres Könnens«, meinte Karl Jaspers noch 1931, »sondern im Bewußtsein ihres Sinns«[15]. Heute freilich wird die Sinn- und Nutzenfrage mit der offenkundigen Grenzenlosigkeit dieses Könnens immer drückender. Und aus dieser Verunsicherung entsteht eine viel tiefere Vertrauenskrise, als sie Jaspers vermuten konnte. Sie wird noch dadurch gesteigert, daß sich die Wissenschaften – soweit sie überhaupt die Öffentlichkeit ins Bild setzen – stets auf ihre Maxime der »Wertfreiheit« zurückzuziehen pflegen, wenn ihre Verantwortung gefordert wird. Was geschieht wirklich in den Labors, an den Reißtischen der Sozialkonstrukteure? Hinkt die öffentliche Debatte aber dem Stand der Forschung hinterher, so ist die politische Kontrollmöglichkeit entscheidend geschmälert. »Solange die Wissenschaft sich nicht selbst zur Vernunft bringt, bleibt eine Ethik der Wissenschaft bodenlos.«[16] Der Münchener Philosoph Hermann Krings vernachlässigt allerdings, daß eine Ethik *der* Wissenschaft als Gebot längst besteht, anders wäre ihre Karriere gar nicht möglich gewesen. Der ethische Auftrag *für die* Wissenschaft kann sich heute aber nicht in der Suche nach methodischen Regularien erschöpfen, etwa zum Schutz gegen Scharlatanerie, er muß vielmehr die Unbedenklichkeit, ja den Vorrang ihrer Dienstleistung für Menschenwürde und Natur garantieren, was 1974 durch eine UNESCO-Empfehlung zur »Stellung der wissenschaftlichen Forscher« versucht wurde. Wie aber läßt sich dieser Auftrag umsetzen? Ist etwa in Anlehnung an den Mediziner-Beruf für alle Wissenschaftler ein verbindlicher Verhaltens-Kodex zu entwickeln, der wenigstens die Beweislast im Krisenfall umdreht?

Ein derartiger »Hippokratischer Eid für Wissenschaftler« ist freilich leichter zu entwerfen als einzuhalten. Der Arzt hat klare Anwendungsbeziehungen, sein Gebot des »Nicht-Schadens« ist im Einzelfall überprüfbar und schlimmstenfalls auch einzuklagen. So übersichtlich stellt sich die Situation für die Wissenschaften ganz allgemein leider nicht dar, man denke etwa an die Dunkelziffer von Opfern nach Einführung des Explosionsmotors. Wer war dafür verantwortlich? Überdies besteht immer die Gefahr, daß unelastische Regeln der Schadensverhütung am Ende Forschung unterbinden, denn die allseitige »Verrechtlichung« sorgt ja auch anderswo für Bewegungsverluste. Wenn also die Selbstkontrolle in der »Gelehrtenrepublik« abgenommen hat durch Veräußerung in Fremdforschung und gleichzeitig die Ziel- und Wirksamkeitskontrolle von außen bisher kaum möglich ist, sollte dann nicht sicherheitshalber mit dem Philosophen Hans Jonas tatsächlich eine Art von prinzipieller »Neugierbegrenzung« dort verlangt werden, wo Praxis und Anwendung von Forschung im Lauf der Zeit die menschliche Integrität bedrohen könnten?

Die Steuerung der wissenschaftlichen Arbeit durch Forschungspolitik ergibt sich aber nicht notwendig aus dem Zwang, die eingesetzten Mittel optimal zu verwalten; auch nicht nur aus dem Umstand, daß paradoxerweise ja die Politik – und nicht etwa die unbekannte Wissenschaftlergruppe – öffentliche Kritik an Folgelasten wissenschaftlich-technischer Neuerungen auszubaden hat. Vielmehr wird ganz allgemein solche Steuerung um so dringlicher, je komplexer das Wissensfeld wird, je folgenschwerer seine Eingriffe in Natur und Gesellschaft ausfallen.

»Verachte nur Vernunft und Wissenschaft, / Des Menschen allerhöchste Kraft«, so mokiert sich Mephistopheles über den denkmüden Dr. Faustus, »Laß nur in Blend- und Zauberwerken / Dich von dem Lügengeist bestärken, / Dann hab' ich dich schon unbedingt.«[17] Mit Goethe ist der Forschergeist als solcher zu verteidigen. Ethisch-verantwortliche – im Sinne von Kant also vernünftige – Wissenschaft ist das berufene Medium zur Klärung anstehender Sinn- und Sachfragen. Es geht freilich um eine Standort- und Zuständigkeitsabwägung: Die von Goethe angesprochene »Verblendung« hat sich im Atomzeitalter insofern zugespitzt, als jener »papierne Papst«, als den Sebastian Brant schon 1494 in seinem »Narrenschiff« den Wissenschaftsbetrieb bezeichnet wissen wollte, selbst den Wahnwitz vorantreiben kann. Will man den Ayatollas dieser Welt nicht das Feld überlassen, läßt sich auf aufgeklärte Formen – gerade auch der wissenschaftlichen Kompetenz – keinesfalls verzichten. Der Mißbrauch der Forschung etwa im Dritten Reich oder heute noch in sozialistischen Ländern kann das ebenso veranschaulichen wie die Gewohnheit einer »wertfreien«, aber interessengesteuerten Natur- und Gesellschaftswissenschaft, neue Handlungsfelder zu eröffnen, ohne die Folgeprobleme zu berücksichtigen. Der Bamberger Denkpsychologe Dietrich Dörner hat vor einiger Zeit nachweisen können, daß die Geschichte dem Menschen vornehmlich ein, wie es heißt, »lineares Denkvermögen« abverlangt hat, weswegen seine Entscheidungen häufig oberflächlich bleiben angesichts von »vernetzten Anforderungen«, wie sie zunehmend üblich werden. Die Komplikation ließe sich freilich durch angepaßte Entscheidungsmuster und Informationssysteme beheben. Grundsätzlicher ergibt sich heutzutage eine normative Gefahr daraus, daß spätestens jener vielberufene »Szientismus« einer *instrumentellen Vernunft* den Weg ebnete, die effektiv aber inhaltsleer blieb. Ihr ist der florierende Fachidiotismus zu danken, der voller Eifer die Natur gefährdet, indem er sie erkennt. Durch die wissenschaftliche Leistungsexplosion ist jedenfalls jene Alternative gegenstandslos geworden, die Wilhelm Dilthey 1890 in seinem »System der Ethik« mit der Formel: Es gibt »eine der Welt und der Wissenschaft immanente Idealität oder gar keine«[18] fixiert hatte. Die Eigendynamik der Wissenschaften bietet nicht nur keine »Idealität«, sie entwertet vielmehr alle Bestände, denen Regeln für »das gute Handeln« zu entnehmen waren. Einigt sich die Sozialwelt nicht auf eine angemessene und verbindliche »Idealität«, könnten auch Mensch und Gesellschaft unversehens zum »Versuchsfeld« natur- wie sozialwissenschaftlicher Operationen herabgewürdigt werden.

»Die Quantifizierung der Natur«, so hat Herbert Marcuse hervorgehoben, »löste die Wirklichkeit von allen immanenten Zwecken ab und trennte folglich das Wahre vom Guten, die Wissenschaft von der Ethik.«[19] Damit aber stellt sich nur um so dringlicher die Frage nach einer ethischen Besinnung, eine Pflicht, die sich nicht durch bloße Wissensausweitung von selbst erledigt. Der enttäuschten Hoffnung, die Wissenschaften könnten hier »selbstklärend« wirken, hat schon Theodor Fontane in seinem Altersgedicht »Umsonst« Ausdruck verliehen:

Immer höhre Wissenstempel,
Immer richtger die Exempel,
Wie Natur es draußen treibt,
Immer klüger und gescheiter,
Und wir kommen doch nicht weiter,
Und das Lebensrätsel bleibt.[20]

Am 15. November 1725 hielt Montesquieu einen Akademie-Vortrag über »Die Motive, die uns zur Wissenschaft ermuntern sollten«[21]. Neben der Nützlichkeit solcher Betätigung führte der französische Aufklärer auch den ethischen Gewinn und die Förderung »de notre propre bonheur«[22] an, die die Forschung verspräche. Dieser Effekt schien lange Zeit mit dem Begriff »Fortschritt« identisch zu sein, und obschon diese Verknüpfung seit längerem bezweifelt wird, ist sie weiterhin möglich, wenn, ja wenn diese vornehmste Leistung der Menschen als sozial-ethische Entscheidung begriffen wird, die bewußt getroffen, eingehalten und überwacht werden muß. Darauf ist seit der frühen Industriekritik immer wieder hingewiesen worden. Mahnende Stimmen wurden seinerzeit aber als »rückschrittlich« abgetan, die den Königsweg der Menschheit in ihre materielle Erlösung durch Nörgelei unnötig erschwerten; dies war eine fürwahr unbequeme Ecke, in der sich alle Fortschrittskritik bis in die jüngste Vergangenheit befand. Dabei entpuppt sich im Rückblick diese Kritik als der Versuch, die durch die industrielle Revolution hervorgerufene Kulturumwälzung wenigstens »intellektuell« zu bewältigen. Im Nachhinein sehen sich solch traditionsverbundene Autoren als empfindsame Beobachter geschichtlicher Fehlverläufe anerkannt und fortschrittstrunkene Aufklärer als betriebsblinde Sternengucker eingestuft. Wie dem auch sei: Anzuknüpfen wäre bei allen wissenschafts-ethischen Überlegungen an die »in sich dauernden Wahrheiten« (Dilthey) der Naturrechtstradition und an deren Entwurf der Menschen- und Daseinswürde. Dieser sollte sich nun auch die menschliche Neugierde zu beugen haben. Das aber bedingt zugleich, daß der Mensch seine seit bald 300 Jahren rücksichtslos betriebene Trennung von der äußeren Welt überdenkt und sich selbst wieder in ein Seinsverständnis einfügt, wie es die *Naturphilosophie* von Schelling und Fechner entworfen hat. Notwendig ist mithin in den Worten von Emil du Bois-Reymond auch die Abkehr von jener »trockenen, harten, von Musen und Grazien vollständig verlassenen Sinnesart«, als die sich der manierierte Wissenschaftsbetrieb darstellt. Allen Fort-Schritt gilt es einzubinden in den bewundernswerten Qualitätsplan der Natur, dessen

Inbegriff nach Spinoza nun einmal der Mensch in der Fülle seiner Fähigkeiten ist, als beseelter Stoff.

Bleibt keine Hoffnung? Etwa nach dem Motto: Wo die Gefahr, wächst das Rettende auch? »Vorteil kennt keine Poesie«, hat Hoffmann von Fallersleben angesichts der Umweltzerstörung schon seiner Zeit 1871 geklagt. Das mag so sein, aber der Standpunkt des Interesses akzeptiert sehr wohl Schadensberechnungen, ist mithin wenigstens auf dem Terrain seiner eigenen Nützlichkeitsüberlegungen anzusprechen. Nicht nur bei den Alternativen, auch in den etablierten Parteien – wenngleich noch immer viel zu zögerlich – wächst heute die Sensibilität dafür, daß jene überlieferten Gepflogenheiten der Sozialentwicklung an ihre Grenzen stoßen, falls das weitere Wachstum nicht natur-entlastend gelingt.

MATTHIAS KRECK

Ethische Verantwortung der Naturwissenschaften

Die Aufforderung einen Beitrag zu dem Problembereich Ethik und Verantwortung der Naturwissenschaften zu schreiben, wird die meisten Naturwissenschaftler mit Unbehagen erfüllen. Zu deutlich erfahren wir in unserer täglichen Arbeit, daß wir selbst in unserem eigenen Fach nur über ein Teilgebiet kompetent reden und urteilen können. Auf diesem Hintergrund wirkt die Vorstellung, sich zu Fragen zu äußern, über die Philosophen, Theologen und auch vereinzelt Naturwissenschaftler im Laufe der Geschichte intensiv nachgedacht haben, wie eine Anmaßung. Andererseits ist der Einfluß von Ergebnissen naturwissenschaftlicher und technischer Forschung auf das Leben immer größer geworden. Solange diese Einflüsse von der Gesellschaft als Fortschritt empfunden wurden, hat diese Entwicklung kaum zu kritischen Fragen an die Wissenschaft geführt. Im Gegenteil, die Naturwissenschaftler gewannen dadurch mehr und mehr an Ansehen bis hin zu einer gläubigen Bewunderung: der Wissenschaftler als der Medizinmann der modernen Zeit.

Es war zu erwarten, daß sich diese positive Einstellung ändern würde, wenn naturwissenschaftlich-technische Forschung zu Resultaten führen würde, die sich negativ auf die Gesellschaft oder Umwelt auswirken. Solche Resultate gab es im Grunde genommen seit dem Beginn naturwissenschaftlicher Forschung, man denke nur an die Entwicklung von Waffen. Aber auf Grund der jeweils herrschenden Ethik wurde so etwas nicht nur nicht negativ gesehen, sondern zumeist als besonderer Fortschritt gefeiert. Solange es sich um Waffen herkömmlicher Art handelte, kann man das vielleicht noch verstehen. Es macht aber nachdenklich, wenn auch die Entwicklung von Massenvernichtungsmitteln (man denke etwa an die Produktion und den Einsatz von Giftgas im Ersten Weltkrieg) von Forschern und Gesellschaft weitgehend begrüßt wurde.

Erst allmählich begann sich in diesem Jahrhundert eine kritische Betrachtungsweise naturwissenschaftlich-technischer Forschung durchzusetzen. Die Naturwissenschaftler selber – von einigen Ausnahmen abgesehen – standen dabei nicht an der Spitze der Bewegung. Wenn man sich z. B. die Friedensbewegung in den letzten 6 Jahren anschaut, dann ist auffällig, daß sich erst im Jahre 1983, nachdem bereits Millionen den Krefelder Appell gegen die Stationierung amerikanischer Mittelstreckenwaffen unterschrieben und breite Bevölkerungskreise gegen die Militärpolitik unseres Landes demonstriert hatten, Naturwissenschaftler in einer größeren Zahl beim Mainzer Kongreß »Verantwortung für den Frieden. Naturwissenschaftler gegen neue Atomraketen« zu Wort meldeten. Daß sie es getan haben, ist eine Reaktion auf eine veränderte Einstellung in weiten Kreisen der Bevölkerung zu Ergebnissen von Naturwissenschaft und Technik. Neben der waffentechnischen Entwicklung bezieht sich diese kritische Einstellung auch auf die zivile Nutzung der Atomenergie oder etwa auf die Gentechnologie. Auf Grund dieser Entwicklung fällt es schwer, sich mit der Entschuldigung mangelnder Kompetenz aus der Diskussion um den Problembereich Ethik und die Verantwortung der Naturwissenschaftler herauszuhalten.

1. Verantwortung von Naturwissenschaftlern innerhalb der Friedensbewegung

Anfang 1983 traf sich in Köln eine Gruppe von Naturwissenschaftlern aus verschiedenen Fachgebieten einschließlich Mathematik und Medizin und beschloß, im Sommer desselben Jahres den bereits erwähnten Mainzer Kongreß zu veranstalten. Eine Gruppe von etwa 10 Kollegen, zu denen ich gehörte, konstituierte sich als Vorbereitungskomitee. Dieser Beschluß ist nicht als eine Selbstverständlichkeit zu betrachten. Ich bin davon überzeugt, daß die meisten Kollegen ein Gefühl der Unsicherheit hatten. Keiner von uns war ein Experte auf dem Gebiet der Militärtechnik. Wie konnten wir es da wagen, als Veranstalter und z. T. Redner eines wissenschaftlichen Kongresses zu diesem Thema aufzutreten?
Im Aufruf zu diesem Kongreß haben wir versucht, auf diese Frage eine Antwort zu geben. Wir haben die Tatsache angesprochen, daß sich weite Kreise der Bevölkerung gegen die Installierung von Waffensystemen wenden, die nicht zuletzt auf Grund ihrer technischen Eigenschaften als besonders friedensgefährdend eingestuft werden. Technische Einzelheiten und eine Spezifizierung der Gefahren wurden aber in der Öffentlichkeit kaum diskutiert. Wir haben in dem Aufruf für uns in Anspruch genommen, daß wir darüber auf Grund unserer Kenntnisse informieren können. Wahrnehmen von Verantwortung für den Frieden bedeutete für uns in dieser Situation, diese Informationen in der Öffentlichkeit bekanntzumachen und sie der kritischen Diskussion mit Fachkollegen auszusetzen.
Es ist wichtig, Information und Diskussion zusammenzusehen. Es liegt in der Natur der Sache, daß wir als im zivilen Bereich forschende Naturwissenschaftler in militärisch-technischen Fragen nur eine relative Kompetenz haben. In vielen Bereichen sind wichtige Informationen geheim, und

man ist darauf angewiesen, Fakten aus veröffentlichten Daten zu rekonstruieren. Und selbst die der Öffentlichkeit zugänglichen Informationen betreffen häufig Bereiche, bei denen keiner von uns im engeren Sinne ein Spezialist ist. Es ist guter wissenschaftlicher Brauch, in einer solchen Situation die Ergebnisse von Überlegungen nicht als unumstrittene Wahrheit darzustellen, sondern der Diskussion mit Fachkollegen auszusetzen.

Damit sind mehrere Aspekte angesprochen, wie Verantwortung wahrgenommen wurde. Der eine ist die Bereitschaft, Diskussionen in der Öffentlichkeit aufmerksam zu verfolgen und zu prüfen, ob Naturwissenschaftler auf Grund ihrer Kenntnisse zur Stellungnahme aufgefordert sind. So banal dieser Anspruch klingt, so wenig selbstverständlich ist er, was angesichts der bereits angesprochenen Kompetenzprobleme und der verständlicherweise geringen Bereitschaft, die für die eigentliche Forschungsarbeit nötige Zeit auf etwas anderes zu verwenden, nicht verwunderlich ist.

Ein zweiter Aspekt ist die Bereitschaft, auf eine solche Aufforderung zur Stellungnahme zu reagieren. Das bedeutet in erster Linie, sich selbst möglichst kompetent zu machen und nach einem Forum zu suchen, innerhalb dessen man seine Informationen bekannt machen kann.

Und der dritte Aspekt ist die selbstkritische Komponente, die darin besteht, die eigenen Erkenntnisse einer kritischen Diskussion im Rahmen eines Fachkongresses auszusetzen. Dies kann natürlich am Beginn einer solchen Entwicklung nur in beschränktem Maße wahrgenommen werden, da davon auszugehen ist, daß die meisten Fachkollegen schlechter informiert sind. Trotzdem hat es sich bewährt, der Möglichkeit zu kritischer Diskussion von vorneherein Raum zu geben.

Der Erfolg des Kongresses mit über 3000 Teilnehmern und die Reaktion in der Öffentlichkeit haben gezeigt, daß diese Art, Verantwortung wahrzunehmen, akzeptiert wird. Dieser Erfolg hat uns ermutigt, die Information als Hauptaufgabe auch weiterhin in den Mittelpunkt unserer Friedensaktivität zu stellen. Die nachfolgenden Kongresse über die Militarisierung des Weltraums in Göttingen im Sommer 1984 und über chemische und biologische Waffen wiederum in Mainz im Herbst 1984 haben die Notwendigkeit, in diesem Sinne weiterzuarbeiten, bestätigt. Als Folge dieser Kongresse sind an zahlreichen Hochschulen Ringvorlesungen zu Fragen von Krieg und Frieden abgehalten worden. Die an diesen Veranstaltungen beteiligten Kollegen wurden im Laufe der letzten 2 Jahre zu einer Vielzahl von Vorträgen im Rahmen von örtlichen Friedensinitiativen eingeladen und hatten so Gelegenheit, die Bevölkerung unmittelbar zu informieren und mit ihr zu diskutieren.

Die bisher geschilderte Erfahrung im Versuch, Verantwortung wahrzu-

nehmen, bezieht sich in erster Linie auf den Zeitraum bis zum ersten
Mainzer Kongreß. In der Folgezeit hat es einige Weiterentwicklungen
gegeben. Beim ersten Kongreß haben wir nach eingehender Diskussion
beschlossen, keine Politiker als Redner einzuladen. Dafür gab es zu dem
Zeitpunkt eine Reihe von guten Gründen. Aber der Beschluß war wohl
auch Ausdruck der Vorstellung, unsere sauberen wissenschaftlichen Argumente sollten nicht mit den so leicht manipulierbaren politischen Interessen vermischt werden. So berechtigt diese Kritik auch sein mag, so ist
doch zu fragen, ob sie dem Ziel, Einfluß auf eine Änderung der Rüstungs-
politik zu nehmen, entspricht. Und es ist schon als Fortschritt zu betrachten, daß wir diese distanzierte Haltung inzwischen aufgegeben haben.
Sowohl in Göttingen als auch beim zweiten Mainzer Kongreß waren Politiker vertreten, und der Rahmen der Diskussion wurde dadurch positiv
erweitert. Eine ähnliche Entwicklung trat im Verhältnis zu anderen Gruppierungen der Friedensbewegung ein. Nach einer anfänglichen Distanz
sind wir inzwischen in die verschiedenen Gruppierungen eingebettet. So
wurde der Kongreß über chemische und biologische Waffen teilweise gemeinsam mit dem DGB Rheinland-Pfalz veranstaltet.
Diese Entwicklung ist von großer Bedeutung. Die Frage, ob Verantwortung angesichts der Bedrohung des Friedens in rechter Weise wahrgenommen wird, wird nicht zuletzt daran gemessen, ob der eingeschlagene
Weg zu konkreten politischen Konsequenzen führt. Wenn es richtig ist,
daß die Sicherung des Friedens nur über eine starke, von breiten Teilen
der Bevölkerung unterstützte Friedensbewegung erreicht werden kann,
dann hat die Gruppe der Naturwissenschaftler mehr Chancen, zum Erfolg beizutragen, wenn sie sich als Teil dieser Bewegung betrachtet und –
wie die Friedensbewegung insgesamt – alles tut, um die Politiker von der
Richtigkeit ihrer Argumente zu überzeugen. Es ist als Erfolg unserer Arbeit zu bewerten, daß die SPD den im Rahmen des Göttinger Kongresses
erarbeiteten Vertragsentwurf zur Verhinderung der Militarisierung des
Weltraums übernommen hat. Und es ist wahrscheinlich, daß die gemeinsame Befürwortung einer chemiewaffenfreien Zone von SED und SPD
durch den zweiten Mainzer Kongreß mit vorbereitet wurde.

2. Ethik und verantwortliches Handeln von Naturwissenschaftlern

Seit es keine Instanz mehr gibt, die wie früher die Kirche allgemeinver-
bindliche ethische Normen festlegt, kann man nicht mehr von *der* herrschenden Ethik sprechen. Das bedeutet aber nicht, daß die einzelnen
Bürger heute keine ethischen Normen mehr kennten. Noch immer gehört
die überwiegende Mehrheit unseres Volkes zu einer der beiden christ-

lichen Kirchen. Auch wenn das nicht bedeutet, daß alle Mitglieder der
Kirchen auch deren Ethik bejahen (soweit eine solche überhaupt bindend
festgelegt ist), so muß doch zumindest bei einem Teil dieser gesellschaftlichen Gruppe von einer stark christlich geprägten Ethik gesprochen werden. Andere Teile der Gesellschaft werden mehr oder weniger bewußt
von einem der großen anderen Entwürfe der Menschheitsgeschichte geprägt sein. Etwa von einer Ethik, die das höchste Ziel im Streben nach
individuellem oder kollektivem Glück sieht, oder einer, die die vernunft-
gemäße Entfaltung der Persönlichkeit zum Ziel hat (Aristoteles) oder ein
Leben im Einklang mit der Natur (Stoa). Viele werden von der Pflicht-
ethik Kants geprägt sein, die z. B. die Forderung beinhaltet: »Handle nur
nach derjenigen Maxime, durch die du zugleich wollen kannst, daß sie ein
allgemeines Gesetz werde«.

Solche ethischen Ansätze kommen in vielen Fragen zu sehr verschiedenen Schlußfolgerungen, man denke nur an die Diskussion um den § 218.
Wie sieht das heute in der Friedensfrage aus? Wenn man sich einmal exemplarisch die Situation in den christlichen Kirchen anschaut, gewinnt
man den Eindruck, daß es starke Gruppen gibt, die sich alle auf die Bibel
als ethischen Maßstab berufen, aber zu ganz verschiedenen Schlußfolgerungen kommen, indem die einen etwa die Aufstellung von amerikanischen Mittelstreckenraketen bejahen, weil so der Friede sicherer würde,
während andere sagen, jeder weitere Aufrüstungsschritt bringe uns dem
Verderben ein Stück näher.

Hier haben wir also offensichtlich eine Situation, in der ethische Normen
allein nicht ausreichen. Eine unterschiedliche Beurteilung der politischen
und militärisch-technischen Lage führt zu verschiedenen Konsequenzen.
In dieser Situation kommt allen Informationen und Argumenten, die man
unabhängig von ethischen und ideologischen Vorentscheidungen nach-
vollziehen kann, eine erhöhte Bedeutung zu. Eine solche Unabhängigkeit ist typisch für weite Bereiche naturwissenschaftlicher Arbeit. Wenn
etwa ein Luftchemiker analysiert, was für einen Einfluß eine Explosion
einer großen Zahl von Atombomben auf das Wetter haben würde und zu
der Schlußfolgerung des nuklearen Winters kommt, dann ist dieses Resultat unabhängig von ethischen und ideologischen Grundeinstellungen
des Forschers. Ähnliches gilt, wenn der Genetiker die Spätfolgen beschreibt oder der Mediziner erklärt, warum er uns nicht helfen kann. Diesen Beispielen ließe sich eine Reihe von weiteren hinzufügen.

Ohne die Bedeutung naturwissenschaftlicher Informationen etwa gegenüber politischen und ideologischen Argumenten überzubetonen, scheint
klar, daß solche Informationen eine wichtige Rolle bei dem Prozeß spielen, auf der Grundlage vorgegebener ethischer Normen zu einer konkreten friedenspolitischen Position zu kommen. Wenn man nachweisen

kann, daß ein nuklearer Schlagabtausch das Ende der Zivilisation zumindest auf der nördlichen Erdhälfte bedeutet, wenn es richtig ist, daß Aufrüstungsmaßnahmen wie die Stationierung der Pershing II die Gefahr eines solchen nuklearen Schlagabtauschs erhöhen, z. B. dadurch, daß Computerfehler nicht mehr korrigiert werden können, wenn es richtig ist, daß SDI aus prinzipiellen technischen Gründen nicht zu einem lückenlosen Schutzschild führen wird, sondern im Gegenteil als wahrscheinliche Gegenmaßnahme zu einer Erhöhung des Raketenpotentials führen wird, dann kommt diesen Informationen eine große Bedeutung zu. Eine Analyse der oben erwähnten ethischen Ansätze würde wahrscheinlich zu dem Ergebnis führen, daß man von diesen verschiedenen Ausgangspunkten zu einer ähnlichen Konsequenz käme: Es ist höchste Zeit, das Rad anzuhalten und es mit allen Kräften zurückzudrehen.

Von daher ist klar, daß den Naturwissenschaftlern eine große Verantwortung auferlegt ist. In diesem Sinne haben die Veranstalter des ersten Mainzer Kongresses den folgenden Abschnitt in die Abschlußerklärung vom 3. Juli 1983 aufgenommen: »Wir verpflichten uns, über die politischen, militärischen und technischen Voraussetzungen der Erhaltung und Sicherung des Friedens weiter nachzudenken und aufzuklären. Wir bitten alle Wissenschaftler, persönlich mit ihren Kenntnissen und Einsichten zu einer aufklärenden und sachlichen Diskussion beizutragen und das Gespräch über traditionelle Grenzen hinweg zu führen.«

In der Rechtsprechung gibt es den Tatbestand der unterlassenen Hilfeleistung. Lädt nicht der Wissenschaftler, der eine für die Orientierung der Öffentlichkeit wichtige Information nicht erarbeitet und nicht publiziert, eine ähnliche oder vielleicht noch größere Schuld auf sich? Insbesondere wenn man bedenkt, daß es eine Frage betrifft, bei der es um Leben und Tod nicht von einzelnen, sondern der gesamten Menschheit geht.

Es liegt somit ein doppelter Bezug zur Ethik vor. Zum einen die angesprochene generelle Informationspflicht als ethische Selbstverpflichtung des Naturwissenschaftlers. Zum anderen die Bedeutung dieser Information für die Bemühungen der Bevölkerung, aus der jeweiligen ethischen Grundhaltung heraus in der Friedensfrage zu einer eigenen Position zu kommen.

3. Weitergehende Forderungen

Die Forderung nach Informationspflicht genügt allerdings nicht, wenn man bedenkt, daß es zu der Situation, über die aufgeklärt werden soll, erst auf Grund der Entwicklung von Massenvernichtungsmitteln durch Naturwissenschaftler und Techniker gekommen ist. Sind wir nicht vielmehr verpflichtet, dafür zu sorgen, daß keine neuen Waffen entwickelt und gebaut werden, indem alle Naturwissenschaftler und Techniker die Mitarbeit verweigern? Oder noch weitergehend, sollte nicht in allen Bereichen, wo die Gefahr besteht, daß Forschungsergebnisse zur Produktion von Waffen mißbraucht werden können, von vorneherein auf entsprechende Forschung verzichtet werden?

Zunächst zur Forderung, die Mitarbeit an unmittelbarer Kriegsforschung zu verweigern. Diese Forderung ist in der Tat berechtigt. Es darf aber nicht übersehen werden, daß die Wahrscheinlichkeit, auf diesem Wege zur Abrüstung zu kommen, sehr gering ist. Man versetze sich nur einmal in die Lage eines jungen Wissenschaftlers, der einzig eine Stelle in der Rüstungsindustrie angeboten bekommt. Es wird wahrscheinlich immer einzelne geben, die in dieser Situation standhaft bleiben. Aber die Mehrzahl wird es nicht tun, nicht zuletzt deshalb, weil man ähnlich wie bei den Arbeitern damit rechnen muß, daß dann die Stelle von einem anderen angenommen wird. Machen es sich alle, die ernsthaft zur Abrüstung beitragen wollen, nicht etwas zu leicht, wenn sie von einer kleinen Gruppe, hier den Arbeitern und Wissenschaftlern in der Rüstungsindustrie, ein so großes Opfer verlangen? Anders sieht das für Wissenschaftler an den Hochschulen aus. Wer hier einen Auftrag des Verteidigungsministeriums ablehnt, kann zwar möglicherweise gewisse, auch grundsätzlich interessante Forschungsprojekte nicht durchführen, er erleidet aber keinen persönlich unzumutbaren Nachteil. Weiterhin ist an den Hochschullehrer die Frage zu richten, ob er seine Studenten auf die bei der späteren Arbeitssuche auftretende Problematik, sich für oder gegen ein Angebot aus der Rüstungsindustrie entscheiden zu müssen, nicht in irgendeiner Weise vorbereiten könnte.

Die heute vieldiskutierte Forderung nach einem Forschungsverzicht in Bereichen, die zu Resultaten führen könnten, die sich gegen Mensch und Natur richten, ist sehr viel kritischer zu sehen. Die Geschichte lehrt uns, daß es kaum ein Forschungsprojekt gibt, wo diese Gefahr von vorneherein auszuschließen ist. Fast jedes Resultat ist ambivalent, kann zum Nutzen wie zum Schaden der Menschheit verwendet werden. Und in vielen Fällen ergibt sich eine positive oder negative Anwendungsmöglichkeit erst lange nach einer Entdeckung. Also würde die obige Forderung letztendlich zur radikalen Aufgabe naturwissenschaftlicher Forschung führen. Nun kann man sich fragen, ob das angesichts unseres hohen Lebensstandards so schlimm wäre. Doch dies ist ein sehr egoistischer und kulturgeschichtlich höchst bedenklicher Standpunkt. Egoistisch, weil er nur einen verengten Blickwinkel offenbart und außer acht läßt, daß es große Probleme in anderen Bereichen der Welt gibt – man denke nur an den Hunger in der Dritten Welt –, die ohne den Einsatz von Wissenschaft nicht zu lösen sind. Aber auch in unserem Land gibt es eine Vielzahl von Problemen, die nach einer wissenschaftlichen Lösung verlangen, man denke nur an die Heilung von heute noch als hoffnungslos geltenden Krankheiten.

Neben dem Anwendungsaspekt hat die Naturwissenschaft stets auch eine unabhängige Bedeutung für die Entwicklung der Kultur gehabt. Man denke nur an die Veränderung unseres Weltbildes durch die Kopernikanische Wende. Das Erkennen von Gesetzmäßigkeiten und Grundstrukturen sowie von neuen präzisen Begrifflichkeiten hat unser Denken und zugleich unsere Kultur weiterentwickelt.

Aus all diesen Gründen ist die Forderung nach einem generellen Forschungsverzicht in zweideutigen Fällen abzulehnen. Die Tatsache der Ambivalenz vieler Resultate erlegt dem Wissenschaftler aber eine besondere Verantwortung auf. Er hat die Möglichkeit des Mißbrauchs zu überprüfen und die Pflicht, in einem solchen Fall laut und deutlich zu warnen.

Was kann der Wissenschaftler darüber hinaus noch tun? Eine interessante Forderung ist, daß er seine Kompetenz nicht nur zur Information einsetzen, sondern konstruktiv über Alternativen nachdenken soll, etwa über alternative Verteidigungskonzepte und rein defensive Waffensysteme. Natürlich wird hier der Einwand kommen, daß der Naturwissenschaftler für eine solche Aufgabe noch weniger Kompetenz hat als für die Analyse von Waffensystemen. Schließlich muß er bei einem solchen Versuch strategische und politische Überlegungen schwerpunktmäßig mit einbeziehen. Wer diesen Einwand überbetont, gibt von vorneherein die Hoffnung auf eine Lösungsmöglichkeit auf und billigt den Politikern, die ihrerseits keine Fachleute für Waffentechnik sind, eine umfassende Kompetenz zu, die sie gar nicht haben. Vielleicht ist es eher umgekehrt, daß Wissenschaftler, die es gewohnt sind, daß komplexe Probleme im allgemeinen keine einfache Lösung haben, aus dieser Grundhaltung heraus auch für die Bearbeitung umfassender Problemkreise gewisse nützliche Fähigkeiten mitbringen.

Natürlich kann die Forderung, über Alternativen nachzudenken, nicht zum generellen Prinzip erhoben werden, denn in den meisten Fällen würde der Naturwissenschaftler, wenn er darüber ernsthaft arbeitet, sein eigenes Forschungsgebiet, bei dem er viele wertvolle Erfahrungen angesammelt hat, verlassen.

Ich möchte abschließend noch einen Bereich ansprechen, den der in der Friedensbewegung aktive Naturwissenschaftler mit berücksichtigen sollte, obwohl er auch damit seinen Bereich überschreitet. In seinem beeindruckenden Vortrag auf dem Mainzer Kongreß über chemische Waffen (der demnächst in dem Kongreßbericht beim Fischer Verlag erschei-

nen wird) beschreibt Hubert Kneser den Chemiker und Nobelpreisträger
Fritz Haber, den Vater des deutschen Gaskrieges, der im Jahre 1915 begann. Er schildert ihn als einen im täglichen Leben äußerst sympathischen
Menschen, dessen Verhalten gegenüber seinen Mitarbeitern von Bescheidenheit, Selbstlosigkeit und Hilfsbereitschaft geprägt war. Kneser stellt
dann die Frage, wie es zu dieser Diskrepanz kommen konnte. Haber hat
sich später mit juristischen Argumenten gerechtfertigt. Kneser schreibt
dazu: »Diese gewundene, juristisch mögliche Rechtfertigung, die auch
von den Militärs mehrerer Länder geteilt wurde, konnte bei einem so
kenntnisreichen und feinsinnigen Mann wie Fritz Haber zweifellos nur
deshalb alle Bedenken überwinden, weil die deutsche Sache von vorneherein über alle Zweifel erhaben war. Das war damals gängige Ideologie
in Deutschland.«
Er schreibt dann weiter: »Die Ideologie von 1914 haben wir inzwischen
verloren, aber wir haben eine neue bekommen, den Antikommunismus.
Jeder von uns steckt – mehr oder weniger – in dieser kaum bewußten
Ideologie. Fragen wir uns doch einmal, was in unseren Köpfen vorging,
als wir erfuhren, daß in Deutschland ein Kommunist nicht Briefträger
sein darf. Haben wir bemerkt, haben wir behalten, daß im Disziplinarver-
fahren gesagt wurde, der Gedanke an Verfassungsbruch sei härter zu ahn-
den als eine Unterschlagung? Haben wir da unsere Hypothesen geprüft,
Hypothesen zu Schillers Gedankenfreiheit, zum Geist des Grundgeset-
zes, zur relativen Gewichtung von Freiheit und Frieden in den Reden der
Politiker? Haben wir das getan, wie wir es gelernt haben: im klärenden
Diskurs mit anderen? Müssen wir uns jetzt wundern, daß ein Lehrer ent-
lassen wird, weil er – außerdienstlich – einseitig Stellung nimmt für die
Friedensbewegung?«
Hier trifft Kneser den neben der Desinformation der Bevölkerung über
die Wirkung eines Atomkrieges und die durch die Entwicklung neuer
Waffensysteme steigende Gefahr eines Kriegsausbruchs zweiten und
wahrscheinlich noch wichtigeren Kernpunkt, warum sich die Politik der
Abrüstung und Verständigung in unserem Volk noch nicht durchgesetzt
hat. Wenn ein Naturwissenschaftler bei einem Experiment nicht zu dem
von der Theorie vorhergesagten Resultat kommt, wird er untersuchen,
ob die Rahmenbedingungen einwandfrei funktionieren. Wenn ein Ma-
thematiker bei einem Beweis auf einen Widerspruch stößt, wird er die
Voraussetzungen noch einmal sorgfältig prüfen. Wenn – wie häufig geschehen – im Rahmen einer Diskussion nach einem Vortrag von einem
Hörer zunächst zugestanden wird, daß ihm die technischen Argumente
eingeleuchtet haben, mit denen die wachsende Gefahr weiterer Aufrü-
stungsschritte für das Überleben der gesamten Menschheit begründet
wird, und er dann mit der Bemerkung fortfährt: Aber was sollen wir ange-

sichts der roten Gefahr sonst machen?, dann heißt das, daß hier Gedanken und Vorstellungen so tief in den Menschen verwurzelt sind, daß man
sie selbst dann nicht mehr in Frage stellt, wenn sie in Widerspruch zur
Wirklichkeit geraten.

In dieser Situation halte ich es für unsere Pflicht, die ideologische Verblendung mit zu thematisieren. Wenn es uns in einer gemeinsamen An-
strengung gelingt, Sachkenntnis zu vermitteln und ideologische Sperren
zu überwinden, dann wird es auch möglich sein, sich in dem Bereich der
Friedenssicherung mit der großen Mehrheit der Bevölkerung auf ethische
Grundprinzipien zu einigen, die eine Politik der Entspannung und friedlichen Koexistenz ermöglichen.

JÜRGEN ALTMANN

»Star Wars« und die Verantwortung der Wissenschaftler

Eindrücke aus den USA

> Ich rufe die Gemeinschaft der Wissenschaftler, die uns die Kernwaffen gegeben haben, auf, ihre großen Talente der Sache der Menschheit und des Weltfriedens zu widmen; uns die Mittel an die Hand zu geben, um diese Kernwaffen unwirksam und überflüssig zu machen.
>
> US-Präsident Reagan, 23. 3. 1983

Im Jahr 1942 begann in den USA das Manhattan-Projekt zur Entwicklung der ersten Atombombe. Wissenschaftler hatten drei Jahre gebraucht, bis sie Regierung und Militär zur Finanzierung und Organisierung dieses Programms gebracht hatten. Im geheimen Waffenlabor von Los Alamos arbeiteten sie auch sonnabends und nachts, damit nicht das faschistische Deutschland als erstes die Atombombe bekäme. Bis zur deutschen Kapitulation hatten sie keine Zweifel an der Richtigkeit ihrer Arbeit. Nach dem Abwurf der Bomben auf Hiroshima und Nagasaki begannen allerdings viele, über ihre Verantwortung nachzudenken. Wie reagieren die Wissenschaftler der USA heute auf Reagans Aufruf?

Seit 1945 ist die Bedeutung der Wissenschaft und Technik für die Aufrüstung ständig gestiegen. Mit Amtsantritt Präsident Reagans hat sich das Tempo dabei erheblich verschärft: Von 1980 bis 1985 sind die Bundesausgaben für militärische Forschung real um 90 % (nominal um 150 %) hochgefahren worden (sie umfassen jetzt 70 % der gesamten Forschungsausgaben), während die zivilen Forschungsausgaben um real 30 % zurückgingen; rund ein Drittel aller Wissenschaftler und Ingenieure der USA arbeiten für militärische Forschung und Entwicklung[1]. Das 1984 gestartete »SDI«-Forschungs- und -Entwicklungsprogramm soll der größte Verbund von Rüstungsforschungsprojekten werden, den es je gegeben hat. Es wird intensive Arbeit von Wissenschaftlern und Ingenieuren brauchen. Wissenschaftliche Arbeit kann man (leider noch) kaufen, nur wenige Naturwissenschaftler und Ingenieure in den USA können sich den Job so aussuchen, daß sie keine Militäraufträge bearbeiten. »Star Wars« braucht aber auch politische Unterstützung, damit die immer mehr steigenden Ausgaben auch akzeptiert werden. Dies wird auf Dauer nur gewährleistet sein, wenn Bevölkerung und Entscheidungsträger wirklich überzeugt sind, daß »wir strategische Raketen abfangen und vernichten könnten, bevor sie unseren Boden oder den unserer Verbündeten erreichen« (R. Reagan, 23. 3. 1983). Sollte nämlich bei der Aufrüstung im Weltraum nach neuem Wettrüsten nur wieder die alte Abschreckung herauskommen, aber mit kürzeren Vorwarnzeiten und geringerer strategischer Stabilität, wäre es wohl doch besser, die Sicherheit der USA und ihrer Verbündeten durch politische Maßnahmen, durch Ratifizieren alter und Abschluß neuer Rüstungskontrollverträge mit der UdSSR zu erhöhen. Wissenschaftler haben eine große Aufgabe, sie müssen zu klären versuchen, welche Ansicht über das mögliche Endergebnis des »SDI«-Programms richtig ist – bringt es Schutz vor Atomraketen oder neues Wettrüsten? Sie haben die ebenso wichtige Aufgabe, dafür zu sorgen, daß die Mehrheit der Bürger und Politiker der USA die richtige Antwort kennen. Wenn es so ist, daß schon die Mehrheit der Wissenschaftler nicht überzeugt werden kann, daß durch Raketenabwehr im Weltraum die Bedrohung durch Kernwaffen abgeschafft werden kann, dann kann dies der Bevölkerung auf lange Sicht auch nicht klargemacht werden. Reagans Rede sollte eine nationale Einigung unter dem Banner der Weltraumverteidigung bewirken. Statt dessen ist die Überzeugung, daß die neue Aufrüstung richtig ist und das leistet, was ihre Befürworter versprechen, brüchiger denn je.

Im Rahmen von Forschungsprojekten zur Rüstungskontrolle bei neuen Waffen, die von der Stiftung Volkswagenwerk finanziert wurden, hatte ich 1985 und 1986 die Gelegenheit, die USA zu besuchen und dort mit vielen Wissenschaftlern aus allen politischen Lagern über die sogenannte Strategische Verteidigungsinitiative zu reden. Im folgenden möchte ich einen Überblick über das Spektrum ihrer Auffassungen und einige Beispiele für die politische Auseinandersetzung im Wissenschaftsbereich geben.

1. Die Rolle der Wissenschaftler in der SDI-Debatte in den USA

Universitäten – Forschung, Kritik, Protest

Schon traditionell ist in den USA, daß ein großer Teil der Universitätsforschung aus Rüstungsgeldern bezahlt wird. Um so erstaunlicher ist, daß das »Star Wars«-Projekt von den Forschern höchstens halbherzig, wenn nicht gar kühl begrüßt worden ist. Ein nicht mehr junger, politisch nicht hervorgetretener Physik-Professor an einer angesehenen Universität führt die lauwarme Reaktion der Fachwissenschaftler auf Reagans Initiative darauf zurück, daß sie nicht fasziniert sind – bei SDI sei kaum aufregende neue Wissenschaft zu machen, es handele sich im wesentlichen um eine technische Herausforderung.

In der akademischen Community sind die Befürworter der strategischen Verteidigung sehr dünn gesät, und sie sind, wie ein Kollege sich ausdrückte, »eher am Rand des Wissenschaftsbetriebs zu finden«. Es gibt eigentlich nur einen einzigen naturwissenschaftlichen Hochschul-Professor, der in den Medien als expliziter politischer Befürworter von SDI auftritt, den Geophysiker Robert Jastrow vom Dartmouth College in New Hampshire. Seine Erfahrungen in der Rüstungsforschung können sich mit denen vieler SDI-Kritiker nicht messen. Er hat – ähnlich wie viele führende Vertreter der Reagan-Administration – die Grundüberzeugung, daß die Sowjetunion der Hort allen Übels sei und nur durch militärische Stärke beeindruckt werden könne. Einer seiner Artikel heißt: »Warum es auf strategische Überlegenheit ankommt«, ein anderer: »Reagan gegen die Wissenschaftler: Warum der Präsident bei der Raketenabwehr Recht hat«[2]. Von den informierten Wissenschaftlern wird er nicht recht ernst genommen. Wenn er allerdings mit dem Chefunterhändler der USA in Genf, Max Kampelman, und dem Sicherheitsberater von Präsident Carter, Z. Brzezinski, einen Pro-SDI-Artikel schreibt, bekommt dieser in der New York Times mehrere Seiten[3].

Die Wissenschaftler, die sich mit Rüstungs- und Strategiefragen beschäftigt haben (das sind in den USA viel mehr als in der Bundesrepublik), sehen die destabilisierenden Folgen des Versuchs, ein Verteidigungssystem aufzubauen, besonders, wenn es im Weltraum stationiert ist. Sie sind sehr kritisch und bringen ihre Argumente in die Vorlesungsreihen und Seminare zu Rüstung und Frieden ein, die es inzwischen an 150 bis 200 Universitäten der USA als reguläre Lehrveranstaltungen gibt. An vielen Universitäten beschäftigen sich Forschungsgruppen mit der aktuellen Aufrüstung und Möglichkeiten der Rüstungskontrolle. In mehreren dieser Gruppen arbeiten Naturwissenschaftler, einige von ihnen haben vorher an höchsten Stellen der Regierung Rüstungsforschung geleitet oder waren als Wissenschaftsberater tätig.

Ich möchte beispielhaft das »Center for International Security and Arms Control« an der Stanford University bei San Francisco vorstellen, das von dem Physiker Sidney Drell (gleichzeitig Direktor des Linearbeschleunigers SLAC) geleitet wird. Ihm gehören Wissenschaftler, Politiker und Journalisten an, einige Wissenschaftler aus Rüstungsbetrieben sowie leitende Personen des Lawrence Livermore National Laboratory (des aktivsten Atomwaffenlabors der USA, s. u.). 1984 erschien hier eine Analyse der »Strategic Defense Initiative«[4]. Im April 1985 hat das Center in einer

Studie Empfehlungen für die US-Regierung gegeben: Festhalten am ABM-Vertrag von 1972, d. h. kein Aufbau landesweiter Raketenabwehrsysteme und keine Tests von Komponenten zur Weltraumraketenabwehr. Reine Forschung auf diesem Gebiet solle im Umfang von 2 bis 2,5 Mrd. US-$ pro Jahr weiterbetrieben werden, um Sicherheit gegen eventuelle sowjetische Durchbrüche zu haben. Dies wird als Kompromiß von allen Mitgliedern des Center getragen und hat auch seine Wirkung im Kongreß. (3 Mrd. US-$ sind inzwischen für das Jahr 1986 bewilligt worden; das ist zwar eine große Steigerung gegenüber 1,4 Mrd. US-$ von 1985, liegt aber deutlich unter den vom Verteidigungsministerium beantragten 3,7 Mrd. US-$. Für die nächsten Jahre waren Steigerungen um je ca. 1 Mrd. US-$ geplant, so daß ein Einfrieren der Mittel auf 2,5 Mrd. US-$ pro Jahr das SDI-Programm empfindlich behindern würde.)

»SDI« ist auf fachliche Zuarbeit der Universitäten und auf politische Unterstützung der Wissenschaftler angewiesen. Um beides zu organisieren, wurde eine spezielle Abteilung »Innovative Science and Technology« gegründet. Deren Leiter, James Ionson, hatte am 29. März 1985 mehrere hundert Universitätspräsidenten aus den gesamten USA eingeladen. Pro Jahr sollen 100 Mio. US-$ an Forschungsgruppen in Universitäten und an kleine Firmen ausgeschüttet werden. Dies sind die Themenbereiche, für die man sich bis Ende Mai 1985 mit einem informellen, bis Ende August 1985 mit einem formellen Antrag bewerben sollte:

- Verläßliche fortgeschrittene elektronische Systeme
- Natürliche Umwelt strategischer Verteidigung
- Kombinieren von Strahlen hoher Leistung durch nichtlineare Optik
- Satelliten-Laser-Netzwerke
- Optische Sensoren
- Chemische Laser mit kurzen Wellenlängen
- Fortgeschrittene Beschleuniger-Konzepte
- Fortgeschrittene elektrochemische Stromquellen
- Laser mit ultra-kurzen Wellenlängen
- Überlebensfähigkeit optischer Sensoren
- Theorie der integrierten Aufspürung, Bewertung und Kommunikation
- Fortgeschrittene gepulste Energiequellen
- Theorie der Freie-Elektronen-Laser
- Fortgeschrittene Materialien und Strukturen
- Weltraum-Wissenschaft und -Technologie
- Computer mit ultra-hoher Rechengeschwindigkeit
- Weltraum-Energiequellen und -Energieumformung.

Einige dieser Themen sind auch wissenschaftlich eine Herausforderung. Das mag mit ein Grund gewesen sein, sie für die Hochschulen anzubieten;

ein anderer könnte sein, daß sie wegen etwas größerer Anwendungsferne nicht derselben strengen Geheimhaltung unterliegen müssen wie die SDI-Entwicklungsprojekte in den Rüstungsfirmen.

Das SDI-Büro möchte die Hochschulen aber auch im parlamentarischen Mittelbewilligungsprozeß benutzen: Der erwähnte Leiter der Abteilung »Innovative Science and Technology«, Ionson, sagte, »dies Büro versucht, dem Kongreß etwas zu verkaufen. Wenn wir sagen können, dieser Mensch bei MIT wird Geld bekommen, um diese oder jene Forschung zu machen, das ist etwas, was wir verkaufen können.«[5] Nach Bekanntwerden dieser Äußerung hat am erwähnten, renommierten »Massachusetts Institute of Technology« (MIT) eine Reihe von Gruppen eine Resolution zur Unterschrift ausgelegt, sie sich gegen diese Benutzung des MIT in der politischen Auseinandersetzung wandte. Ein Plakat hing aus, es gab 800 Unterschriften. Der Präsident des MIT, Paul Gray, sagte in seiner Rede vor den 1700 Absolventen des Jahrgangs 1985 und vor 7000 Gästen am 3. Juni 1985 unter Bezugnahme auf die akademische Freiheit und die Unabhängigkeit des MIT: »Der Leiter des SDI-Büros für Innovative Wissenschaft und Technologie hat vorgebracht, daß die Teilnahme von Universitätsforschern an Projekten, die aus dem SDI-Budget finanziert werden, dem Programm Prestige und Glaubhaftigkeit verleiht und den Kongreß beeinflussen wird, großzügiger in der Mittelzuteilung zu sein. Die Auswirkung dieser manipulativen Bemühung, implizite institutionelle Zustimmung einzuheimsen, wird besonders dadurch verstärkt, daß SDI sehr umstritten ist und Aspekte der öffentlichen Politik ungelöst sind.«[6] (Mit dem gleichen Argument der Unabhängigkeit des MIT wandte er sich anschließend gegen eine von vielen Gruppen verlangte Loslösung von MIT-Kapital von Firmen, die mit Südafrika Geschäfte machen.)

Im Fall einer zweiten angesehenen Hochschule, des Californian Institute of Technology Caltech in Pasadena (bei Los Angeles), hatte die SDI-Organisation in einer Pressemitteilung behauptet, ein Konsortium von Universitäten, unter ihnen Caltech, würde für SDI optische Hochgeschwindigkeits-Computer entwickeln. In Wirklichkeit hatte ein Mitarbeiter im Elektrotechnik-Institut einen Halbjahresvertrag von einem Forschungsinstitut erhalten, das selbst Auftragnehmer für SDI ist. Die Hochschule wußte nichts von der Verbindung zu SDI. Ein Sprecher von Caltech sagte: »Caltech als Teil eines Konsortiums aufzuführen impliziert, daß es an einem größeren SDI-Projekt teilnimmt. Aber Caltech war nicht einmal an irgendeiner Diskussion über Forschung beteiligt.« Der Präsident von Caltech, Marvin Goldberger, beschwerte sich in einem Schreiben an den SDI-Direktor Abrahamson über »grobe Falschdarstellungen«.[7]

An einigen Universitäten ist das Angebot angenommen worden. Schon 1984 wurde an der Carnegie-Mellon University in Pittsburgh mit 100 Millionen US-$ der Air Force ein neues Institut für Software Engineering eingerichtet. Ziel ist es, Probleme beim Schreiben sehr großer Computerprogramme zu lösen, wie sie auch für SDI-Waffensysteme nötig sein werden. Einige Professoren werden Genehmigungen zum Umgang mit Geheimdokumenten »auf höchster Stufe« erhalten, damit sie die dringendsten Software-Probleme des Pentagon beurteilen können. Am Georgia Institute of Technology haben sich die Forschungsmittel des Pentagon seit 1976 verneunfacht. Diese Universität beantragt sogar für manche Studenten die Genehmigung für Geheimforschung. Um die Geheimhaltung der Militärforschung nicht zu gefährden, werden nur wenige ausländische Studenten zugelassen.[8]

An anderen Universitäten jedoch hat die Aufforderung, sich um SDI-Mittel zu bemühen, andere Folgen gehabt. Der Software-Experte David Parnas an der kanadischen University of Victoria, der für 1000 US-$ pro Tag die SDI-Organisation in Fragen der Computer-Schlachtenführung beriet, trat im Juni 1985 von diesem Posten zurück. Er begründete das in mehreren Artikeln; er folge nicht politischen, sondern wissenschaftlichen Überlegungen. Die für SDI angegebenen Ziele könnten nicht erreicht werden, weil Software prinzipiell immer fehlerbehaftet sei.[9] Ausgehend von der University of Illinois in Champaign-Urbana, der Cornell-University in Ithaca (Bundesstaat New York) und dem MIT in Cambridge hat sich eine landesweite Bewegung entwickelt, die SDI-Forschung zu boykottieren. In ihrem Aufruf schreiben die Naturwissenschaftler, das SDI-Programm sei »grob irreführend, gefährlich und enorm teuer«. Sie befürchten, daß der Zwang zur Geheimhaltung die akademische Freiheit beeinträchtigen werde. Sie werden weder SDI-Mittel beantragen noch annehmen. Bis Mai 1986 haben sich dieser in der Geschichte der USA bisher einmaligen Aktion mehr als 6500 Wissenschaftler angeschlossen, darunter 15 Nobelpreisträger und die Mehrheit der Professoren der 20 besten US-Universitäten.[10]

Die nationalen Kernwaffenlabors – Forschung, Politik, zuweilen Skepsis

Die Nuklearwaffen der USA werden in zwei Großforschungszentren entwickelt. Das eine ist das Los Alamos National Laboratory in Neu-Mexiko, das 1942 für die Entwicklung der ersten Atombombe gegründet wurde. Das zweite, das Lawrence Livermore National Laboratory bei San Francisco, wurde 1952 auf Betreiben Edward Tellers gegründet, dem die Entwicklung der Wasserstoffbombe in Los Alamos nicht schnell genug voranging. (Inzwischen verlangt die Witwe des Kernphysikers

E. Lawrence wegen der Rolle, die das Labor bei der Aufrüstung spielt, daß die Benennung nach ihrem Mann rückgängig gemacht wird.[11] Hier findet man viele Wissenschaftler, die an SDI-bezogenen Projekten arbeiten. Das spektakulärste ist sicherlich die Entwicklung des Kernexplosions-gepumpten Röntgenlasers, also die »Kernwaffe der dritten Generation«, die Reagans Auftrag, »Kernwaffen überflüssig und unwirksam zu machen«, ad absurdum führen würde. »Die »O Group«, die diese Forschung macht, besteht vornehmlich aus jungen Physikern, die manchmal bis 30 Stunden ohne Unterbrechung arbeiten. Sie sehen einen starken moralischen Antrieb in der Idee, Waffen statt Menschen zu zerstören. Rüstungskontrolle hat in ihren Augen nichts genützt, daher müßten jetzt neue Techniken das Problem lösen[12]. (Aber auch hier beginnt die kritische Diskussion, Folgen zu zeigen: Nach dem Erscheinen des Buches »Sternenkrieger«, das die Arbeitsweise dieser Gruppe bis ins Persönliche hinein beschreibt, ist der für die Entwicklung des Röntgenlasers wohl wichtigste theoretische Physiker, Peter Hagelstein, 1986 aus dem Labor ausgeschieden und an das MIT in Cambridge zurückgekehrt.[13]) In Livermore finden sich die wohl aktivsten öffentlichen Befürworter von Weltraumraketenabwehr, gerade auch mit Nuklearwaffen. Als erster ist Edward Teller zu nennen, der mit nunmehr 77 Jahren immer noch politisch aktiv ist. 1985 wurde er von hiesigen Rüstungsbefürwortern zweimal in die Bundesrepublik geflogen, um unsere Politiker, Militärs und Industriellen auf SDI-Kurs einzuschwören. Nach der Wehrkundetagung im Februar sprach er im Juni 1985 – zusammen mit dem SDI-Chef Abrahamson und Unterstaatssekretär Richard Perle aus dem US-Verteidigungsministerium – im Offizierskasino Köln-Wahn unter Ausschluß der Öffentlichkeit vor dem »Deutschen Strategie-Forum«. (Hier wurden auch Ideen zu einer »Europäischen Verteidigungs-Initiative« vorgetragen, mit der eine Abwehr gegen Mittel- und Kurzstreckenraketen der UdSSR entwickelt werden soll[14].) Besonders als Befürworter hervorgetreten ist auch Tellers Schützling Lowell Wood, der die Röntgenlaser-Gruppe in Livermore leitet. Beide sind seit Jahrzehnten gute Verbündete des rechtskonservativen Lagers in den USA. Damit hört es dann aber auch schon fast auf. Einer der stellvertretenden Direktoren des Livermore Laboratory, Michael May, hat als Mitglied des erwähnten Center for International Security and Arms Control an der Stanford University dessen Empfehlungen zur Beibehaltung des ABM-Vertrags mitgetragen. In seinem Zeitschriftenaufsatz machte er klar, daß ein vollständiger Schutz gegen Atomraketen mit allen heute vorgeschlagenen Techniken nicht möglich sein wird. Bevor ein Abwehrsystem stationiert werden sollte, müßten erst die Auswirkungen auf die strategische Stabilität geklärt werden.[15] Ähnlich äußert sich der Assistent Director for Arms Control des Labors,

Paul Brown. Die Leitung des Labors ist aber in jedem Fall für Fortsetzung und Ausweitung der Forschung bei Livermore und nimmt jede neue Mittelzuweisung gerne entgegen. Insbesondere ist das Management bei Livermore entschieden gegen einen umfassenden Atomteststopp, der auch unterirdische Kernexplosionen verbieten würde. (Etwa 10% des Personals ist direkt mit den Testexplosionen beschäftigt[16]. Die Weiterentwicklung von Sprengköpfen und die Entwicklung des Kernexplosions-gepumpten Röntgenlasers müßten bei dem Testverbot gestoppt werden.) Die Leitungen der Labors von Los Alamos und Livermore haben schon eine Tradition im Argumentieren gegen einen vollständigen Stopp aller Atomtests[17]; leider hatten sie bei den entscheidenden US-Politikern bisher noch jedesmal Erfolg.

Im Livermore Laboratory gibt es einige wenige Aktivisten, die seit langem für einen umfassenden Teststopp und gegen weitere Aufrüstung eintreten. Hugh DeWitt, der dort seit 27 Jahren arbeitet, ist der exponierteste Vertreter der internen Opposition; er wendet sich häufig an Journalisten und macht sie auf die aktive Rolle des Labors bei der Verhinderung von Rüstungskontroll-Verträgen aufmerksam. Diese Form von Meinungsfreiheit gibt es in Forschungsinstituten des Militärs nicht, sie verdankt sich der Tatsache, daß die Labors von Los Alamos und Livermore von der University of California für das Energieministerium betrieben werden. Der Vertrag darüber muß alle fünf Jahre erneuert werden. Auch 1985 gab es eine – allerdings wieder erfolglose – Kampagne an der Universität mit dem Ziel, der Kernwaffenentwicklung den akademischen Glorienschein zu entziehen.

Daß Livermore nicht einfach auf Aufträge hin Waffen entwickelt, sondern durch eigene Forschung einen Vorlauf schafft, um mit ständig neuen Ideen Militärs und Politiker zur weiteren Finanzierung des Labors (und damit zur Fortsetzung der Aufrüstung) zu bewegen, ist der Grund, weshalb sich eine besondere Gruppe der Friedensbewegung speziell um dieses Labor kümmert: die Livermore Action Group in Berkeley. Seit 1981 organisieren diese Leute gewaltfreie Aktionen im Umfeld des Labors sowie auf einem Testgelände. Die Gruppe ist inzwischen die größte gewaltfreie Aktionsgruppe der USA. Bei einem Friedens-Camp in Livermore selbst, im letzten Sommer, sind immerhin 16 der 7000 im Labor Beschäftigten zu Gesprächen herausgekommen, eine Zahl, die sich gering anhört, mit der die Gruppe aber für den Anfang sehr zufrieden war.

Wissenschaftler in Rüstungskonzernen

Die Wissenschaftler in den Forschungs- und Entwicklungsabteilungen der Rüstungskonzerne sind durch die Geheimhaltung gegenüber der Konkurrenz und dem potentiellen Gegner daran gewöhnt, sich nicht in der Öffentlichkeit zu äußern. Durch ihre Fachkenntnis verstehen viele, daß ein dichter Abwehrschirm eine Illusion ist, und sind daher skeptisch bis zynisch, wenn es um Reagans Ziel für SDI, nämlich den vollständigen Schutz vor Atomraketen, geht. Manche machen sich auch Sorgen um die strategische Stabilität. (Dies war nicht nur der Eindruck in persönlichen Gesprächen, sondern das wurde von allen Gesprächspartnern als vorherrschende Meinung derjenigen dargestellt, die überhaupt darüber nachdenken.) Wenn aber ihre Firmen Entwicklungsaufträge bekommen, werden sie die Arbeit machen, wie auch schon bisher. Die Begründungen dafür dürften denen hiesiger Kollegen in der Rüstungsforschung und -entwicklung ähneln. Und ihre Firmen sind in das von der SDI-Organisation veranstaltete Wettrennen um Verträge massiv eingestiegen – bei der Ausschreibung für 10 Projektstudien zur Systemarchitektur bewarben sich 1984 240 Firmen. Die 10 größten Empfänger von Mitteln aus dem SDI-Topf sind bekannte Rüstungskonzerne: Boeing, Lockheed, McDonnell Douglas, LTV, Teledyne, Rockwell International, TRW, Hughes, Avco, Litton[18]. In der Sonnabendausgabe der Los Angeles Times vom 2. Juni 1985 hatte TRW eine ganzseitige Anzeige, in der die Firma für die Bereiche Militär-Elektronik, Computer, militärische Weltraumsysteme, Hochenergielaser u. a. immer gleich im Plural Naturwissenschaftler und Ingenieure suchte.

Laser-Forschung

Einen guten Überblick über den weltweiten Stand der Laserforschung gibt die Conference on Lasers and Applications, die 1985 in Baltimore stattfand. Es nahmen 1700 Wissenschaftler teil, die meisten aus den USA. Wenn man ihnen auf die Konferenzabzeichen sah, konnte man feststellen, daß alle im Laser- und Optikgeschäft tätigen Rüstungsfirmen anwesend waren. Da die Entdeckung des Lasers gerade 25 Jahre her war, gab es mehrere Festvorträge von Pionieren der Laserforschung. Nur einer erwähnte militärische Anwendungsmöglichkeiten von Laser, und auch das nur in einer Nebenbemerkung. Eine Gruppe des Livermore Laboratory sprach über ihr geglücktes Experiment, einen Röntgenlaser mit der Laserfusionsanlage Novette zu erzeugen. Kein Wort über die gleichzeitig laufenden Experimente, einen Röntgenlaser für Weltraum-Raketenabwehr mit einer Kernexplosion zu zünden. Auch aus Livermore: Mehrere Vorträge über eine Pilotanlage zur Isotopentrennung mit Lasern. Ziel ist die billigere Herstellung von Uran-235 für Kernkraftwerke und von Plutonium-239 für Kernwaffen. Dieser Aspekt wurde ebenfalls nicht erwähnt. Das aktuelle Forschungsgebiet der optischen Phasenkonjugation, das für den Transport von Laserstrahlen durch die turbulente Atmosphäre wichtig ist, wird offensichtlich schon länger vom Militär gefördert. Einige Vorträge von Wissenschaftlern aus Rüstungsfirmen wurden zurückgezogen, weil das Verteidigungsministerium keine Genehmigung gegeben hatte.

Parallel zur Konferenz fand eine große Ausstellung von Optik- und Laserfirmen statt. Hier gab es u. a. einen Stand der Firma TRW, auf dem aber keine Produkte vorgestellt wurden. Der Stand hatte vielmehr den einzigen Zweck, Wissenschaftler zu werben. Auf meine Nachfrage wurde bestätigt, daß »american citizenship required« ist, d. h. daß es um Militärforschung geht. Auf derselben Ausstellung war ein Stand der Fusion Energy Foundation, die es auch in der Bundesrepublik, in Wiesbaden, gibt und die der obskuren »Europäischen Arbeiter-Partei« oder »Europäisch-Amerikanischen Partei« nahesteht. Sie sind die verbohrtesten Befürworter von Strahlenwaffen im Weltraum. Hier wurden – auf einer wissenschaftlichen Konferenz – Broschüren verteilt, Bücher verkauft und Unterschriften gesammelt. Mit einigen Forschern der Röntgenlaser-Gruppe des Livermore-Laboratory schien es ein freundschaftliches Verhältnis zu geben. Wer also ein bißchen aufpaßte, konnte es förmlich vor Rüstungsaspekten knistern hören auf dieser Laser-Konferenz, aber es wurde von niemandem offen angesprochen.

Denkfabriken

Das US-Verteidigungsministerium vergibt häufig Analyse-Aufträge an »Think Tanks«, Denkfabriken, von denen die RAND Corporation in Santa Monica (bei Los Angeles) die bekannteste ist. Sie wurde nach der Reagan-Rede sehr aktiv. Die Fragen sind: Wenn beide Seiten Weltraumraketenabwehrsysteme stationiert haben, gibt es dann einen Vorteil für die Seite, die in einer Krise zuerst zuschlägt? Ist somit eine Situation mit strategischer Verteidigung instabiler als die jetzige? Wie ist das Kostenverhältnis zwischen Angreifer und Verteidiger, d. h., ist das Hinzufügen von Offensivwaffen billiger als das Stationieren der zu ihrer Abwehr benötigten zusätzlichen Defensivsysteme? Ganze Arbeitsgruppen sind mit Computer-Modellen und Szenarien strategischer Konflikte beschäftigt. Auch hier sind keineswegs die meisten Wissenschaftler Verfechter einer umfassenden Raketenabwehr. Da ihre Studien im Auftrag des Verteidigungsministeriums erfolgen, werden sie in der Regel nicht publiziert und sind der öffentlichen Wissenschaft nicht zum Lernen oder zur Nachprüfung zugänglich.

Büro für Technologiefolgen-Abschätzung und seine Analysen
für den Kongreß

Seit 1972 gibt es das Office of Technology Assessment« (OTA), das auf Anforderung für den Kongreß der USA Studien zu Fragen der Auswirkungen moderner Technik erstellt (in neun Bereichen wie etwa Energie und Materialien, Internationale Sicherheit und Handel, Ozeane und Umwelt). 1984 veranstaltete das OTA ein Seminar zur Rüstungskontrolle im Weltraum[19]. Im selben Jahr erschien eine Studie über Raketenabwehr mit Strahlenwaffen im Weltraum; sie sagt: »Die Aussicht, daß heraufkommende ›Star Wars‹-Technologien ein perfektes Abwehrsystem... ergeben werden, ist so weit entfernt, daß sie weder für Erwartungen der Öffentlichkeit noch für die nationale Politik bezüglich Raketenabwehr als Grundlage dienen sollte.«[20] (Diese Studie wurde vom Verteidigungsministerium heftig kritisiert.) Das OTA hat ein Projekt über Neue Technologien zur Raketenabwehr aufgelegt, dessen Ergebnisse in zwei umfassenden Studien – Raketenabwehr und Anti-Satelliten-Waffen – (nach »Reinigung« und Freigabe durch Verteidigungsministerium und CIA) im September 1985 veröffentlicht wurden.[21]

Wissenschaftliche Gesellschaften

Die Fachorganisation der US-Physiker, die »American Physical Society«, hat eine Studiengruppe eingerichtet, die 1986 einen Bericht über Raketenabwehr mit Strahlenwaffen vorlegen soll. (Wegen Verzögerungen bei der Freigabe zur Veröffentlichung wird er erst später erscheinen.) Leiter des Projekts sind der Nobelpreisträger Prof. N. Bloembergen, Harvard University, und Dr. C. Patel, Bell Laboratories. Die »American Association for the Advancement of Science« (AAAS), die die renommierte Wissenschafts-Zeitschrift »Science« herausgibt – hier sind Wissenschaftler aus allen Fachrichtungen Mitglieder – unterhält ein »Komitee für Wissenschaft, Rüstungskontrolle und nationale Sicherheit«, das auch selbst Publikationen zur Rüstungskontrolle erstellt. Das Komitee hat auf der AAAS-Jahrestagung in Los Angeles im Mai 1985 fünf Tage lang je vor- und nachmittags Podiumsdiskussionen zu Fragen der Aufrüstung und Rüstungsbegrenzung veranstaltet. Themen waren z. B.: Star Wars und Weltraumwaffen, Weiterverbreitung von Atomwaffen, umfassender Atomteststopp: Warum nicht jetzt?, Wissenschaftler und Kernwaffen. Hier traten Regierungsvertreter wie der – inzwischen zurückgetretene – Chefwissenschaftler der SDI-Organisation, Gerald Yonas, oder Diplomaten wie der US-Unterhändler für den ABM-Vertrag 1972, Gerard Smith, sowie Natur- und Gesellschaftswissenschaftler auf. Der Physiker Sidney Drell, der das Center for International Security and Arms Control an der Stanford University leitet, hielt eine öffentliche Vorlesung, in der er SDI als illusionär und als destabilisierend kritisierte.

Wissenschaftler-Organisationen: Kritik, Information der Öffentlichkeit, politische Aktivität

Es gibt in den USA zwei nationale Wissenschaftler-Vereinigungen, die ausdrücklich politisch tätig sind. Die »Federation of American (anfangs: Atomic) Scientists« (FAS) wurde 1946 von Wissenschaftlern, die die Atombombe entwickelt hatten, gegründet und hat heute 5000 Mitglieder mit einem Büro in Washington. Daneben gibt es die »Union of Concerned Scientists« (UCS) mit 100 000 Förderern, die Büros in Washington und Cambridge (bei Boston) hat. Beide haben in ihren Washingtoner Büros Spezialisten eingestellt, die die Weltraumrüstung analysieren, Studien und Pressematerialien erstellen und Kongreßabgeordnete beraten. Die Organisationen publizieren Faltblätter, Broschüren und Bücher wie z. B. das Taschenbuch »Die Star-Wars-Illusion« der Union of Concerned Scientists, das von 14 prominenten Wissenschaftlern geschrieben wurde.[22] Die UCS hat 1983 einen Vertragsentwurf zum Verbot von Anti-Satelliten-Waffen vorgelegt. Für örtliche Wissenschaftler- und Friedensgruppen vertreibt die UCS einen Dia-Vortrag zur Weltraum-Militarisierung und Video-Bänder. Teile davon wurden in der Dia-Serie des bundesdeutschen »Forums Naturwissenschaftler für Frieden und Abrüstung« (Büro in Münster) verwendet.

Nationale Kampagne zur Rettung des ABM-Vertrags

Der Vertrag zur Begrenzung der Raketenabwehrsysteme (ABM-Vertrag) von 1972 ist das Kernstück der Rüstungskontrollverträge zwischen den USA und der UdSSR. Er verbietet landesweite Raketenabwehr; im Weltraum sind sogar schon Entwicklung und Tests von Abwehr-Systemen und ihrer Komponenten verboten. Sein Abschluß hat 1972 die erste Vereinbarung über die Begrenzung der strategischen Waffen (Bomber, U-Boot- und Interkontinentalraketen) SALT I ermöglicht. Im Gegensatz zu SALT I und SALT II (das dann von den USA nicht mehr ratifiziert wurde) ist der ABM-Vertrag unbegrenzt gültig, kann aber mit sechs Monaten Frist gekündigt werden. Es ist klar, daß das SDI-Programm Reagans diesen Vertrag früher oder später verletzen muß. Mit dem Aufbau von Raketenabwehrsystemen werden auch die Begrenzungen der strategischen Kernwaffen zusammenbrechen. Die »National Campaign to Save the ABM Treaty« hat sich zusammengefunden, um einen Zusammenbruch oder eine Erosion des ABM-Vertrags zu verhindern. Sie ist ein Zusammenschluß mehrerer Berufs- und anderer Friedensgruppen (unter ihnen auch die erwähnten Wissenschaftler-Organisationen FAS und UCS) mit 81 Wissenschaftlern, Diplomaten und Politikern. Die Kampagne hat eine genaue Analyse des ABM-Vertrags und der Gefahren für sein Fortbestehen herausgegeben.[23] Hier eine Auswahl der Trägerpersonen: Naturwissenschaftliche Professoren: Kurt Gottfried, Hans Bethe (Nobelpreis), Carl Sagan (alle Cornell University, Ithaca, New York); Sidney Drell, Wolfgang Panofsky (Stanford University); Henry Kendall, Kosta Tsipis, Victor Weisskopf (MIT). Von den Politikern sind der frühere Präsident Jimmy Carter und der ehemalige Verteidigungsminister Robert McNamara die Prominentesten. Unter den Diplomaten fallen Gerard Smith und Paul Warnke auf; Smith war 1969-72 Chefunterhändler der USA bei den Verhandlungen über den ABM-Vertrag, Warnke war US-Chefunterhändler bei den SALT II-Verhandlungen. Wie sehr muß ein Diplomat erschreckt sein über die Politik einer neuen Regierung, daß er sich quasi einer Friedensinitiative anschließt und sich massiv an die Öffentlichkeit wendet!

Konsequenzen

Die Haltung der US-Wissenschaftler zu Reagans »SDI«-Programm läßt sich so zusammenfassen: Diejenigen, die kein Geld für Rüstungsforschung bekommen, sind in der großen Mehrheit dagegen, wobei manche organisiert an die Öffentlichkeit treten, um diesen neuen destabilisierenden Aufrüstungsschritt verhindern zu helfen. Aber auch unter denjenigen, die direkt oder indirekt von Rüstungsgeldern abhängen, gibt es keine breite Überzeugung, daß »Star Wars« richtig sei und die USA vor Atomwaffen schützen könne. Nur eine sehr kleine Minderheit von Wissenschaftlern tritt in der Öffentlichkeit als Befürworter auf. Die Kritik der Mehrheit der Wissenschaftler hat in der informierten Öffentlichkeit eine Skepsis bewirkt, die bis in weite Teile der Machteliten hineinreicht.

Zu diesen politischen Faktoren kommt noch ein ökonomischer, die Grenze für weitere Erhöhungen der Staatsverschuldung und damit des Rüstungsetats, hinzu. Auch im Pentagon finden sich nicht nur SDI-Befürworter: Wenn weitere Erhöhungen für das SDI-Budget nur noch durch Verringerung anderer Posten im Verteidigungshaushalt aufgebracht werden können, wird in Luftwaffe, Armee und Marine der Widerstand wachsen; die Teilstreitkräfte werden nicht so leicht bereit sein, ihre handfesten Systeme für ein utopisches Projekt aufzugeben.

Wenn man fragt: Hat der massive Einspruch der besorgten Wissenschaftler etwas bewirkt?, so kann man feststellen, daß er mit dazu beigetragen hat, klarzumachen, daß die Vorstellung eines vollständigen Schutzes der USA und ihrer Verbündeten und damit die Vorstellung, Nuklearwaffen »unwirksam und überflüssig« zu machen, eine Illusion ist. Dieses Ziel wird nur noch vom Präsidenten und vom Verteidigungsminister vertreten (sowie aus Loyalität manchmal vom SDI-Chef Abrahamson); alle anderen Leute mit Fachkenntnis und Fähigkeit zum Nachdenken reden nicht mehr von der Abschaffung, sondern von der Verstärkung der Abschreckung. Wenn das die Bevölkerung weitgehend verstanden hätte, wäre auch die spontane Unterstützung für das SDI-Programm – wie sie durch Reagans Parolen von der Sicherheit vor Atombomben zunächst bei vielen entstanden ist – hinfällig.

Das heißt: Die politische Unterstützung für »SDI« ist in den USA gering. Befürworter finden sich nur am rechten Rand des politischen Spektrums. Sie geben sich zwar alle Mühe, materielle Fakten zu schaffen, die dann zu einer breiteren Unterstützung führen würden; der Punkt, ab dem das Programm eine solche Eigendynamik entwickeln würde, daß es praktisch nicht mehr zu stoppen wäre, ist aber noch lange nicht erreicht. Wenn die SDI-Kritiker innerhalb und außerhalb der Friedensbewegung der USA ihre Aktionen verstärken, ist es denkbar, daß mit den Präsidentenwahlen von 1988 das Weltraumrüstungsprogramm gestoppt und eine Rückkehr zur Rüstungskontrolle durchgesetzt wird. In den Jahren bis dahin kann durch den Kongreß eine Begrenzung der Ausgaben für »SDI« wirksam werden.

2. Schlußfolgerungen für die Wissenschaftler in der Bundesrepublik Deutschland

Haben Wissenschaftler eine besondere Verantwortung für ihre Ergebnisse? Die Antwort hierauf muß differenziert sein.[24] Grundlagenforschung liefert Erkenntnisse, die fast immer in beide Richtungen, für zivile oder militärische Zwecke, benutzt werden können. Der Entdecker eines

Naturgesetzes kann nicht verantwortlich gemacht werden für Anwendungen, die diese Gesetze benutzen – genausowenig, wie der Produzent eines Messers für einen damit begangenen Mord verantwortlich ist. Waffensysteme entstehen aber nicht aus Naturgesetzen, sondern müssen in einem immer aufwendigeren Prozeß von Wissenschaftlern und Ingenieuren konstruiert, entwickelt, erprobt werden. Wer hier mitarbeitet, trägt schon einen Teil der Verantwortung für eine spätere Anwendung oder für die aus der Stationierung resultierende Erhöhung der Kriegsgefahr. Ob Waffensysteme entwickelt, stationiert und eingesetzt werden, ist aber nicht die Entscheidung der beteiligten Wissenschaftler. Die Entscheidung fällt im politischen Raum, wirtschaftliche Interessen spielen eine Rolle usw.: Die letzte Verantwortung liegt bei der Gesellschaft und ihrer Machtstruktur – und alle Bürger haben eine Verantwortung dafür, was in ihrer Gesellschaft geschieht, vor allem dafür, was die Regierung tut. Insofern haben die Wissenschaftler genau wie alle anderen Bürger eine Verantwortung, dafür einzutreten, daß Aufrüstung gebremst wird, Geld von militärischen zu zivilen Projekten umgeleitet wird, Sicherheit vor einem Atomkrieg durch Verträge und Abrüstung gesucht wird statt durch Anhäufen von immer mehr Waffen.

Wissenschaftler haben aber doch eine besondere Verantwortung, die weiter geht als die der »normalen« Bürger: Ohne sie kann heute keine neue Waffe mehr entwickelt werden. Sie verfügen über die Fachkenntnis, die Wirkungen der Waffen zu verstehen. Sie können – aus der absehbaren Technikentwicklung – über mögliche neue Waffenarten viel früher Bescheid wissen als die Öffentlichkeit. Sie können die aus neuen Technologien resultierenden Veränderungen der strategischen Situation abschätzen (wie die Verkürzung der Vorwarnzeiten oder den Zwang zur Automatisierung von Entscheidungen bei Weltraumwaffen). Sie haben internationale Kontakte. Sie genießen in der Öffentlichkeit Ansehen, das helfen kann, falschen Behauptungen der Regierungen (z. B.: Es handele sich um »Nach«-Rüstung, »SDI« werde die Bevölkerung vor Atomwaffen schützen usw.) entgegenzutreten. Und: Sie haben mehr Möglichkeiten, ihre eigenen Kolleg(inn)en anzusprechen, besonders auch, mit den in der Rüstungsforschung tätigen Kolleg(inn)en eine Diskussion über die Gefahren der Aufrüstung zu führen.

Dieser Verantwortung gerechtzuwerden bedeutet, sich nicht nur um das eigene enge Fachgebiet zu kümmern, sondern die Verbindungen zu möglichen militärischen Anwendungen der eigenen Ergebnisse zu verfolgen. Werden ähnliche Forschungen auch vom Militär finanziert? Wissenschaftler sollten die Geschichte der militärischen Verwendung ihrer Wissenschaft kennen und Grundkenntnisse in der Funktionsweise und den Auswirkungen moderner Waffensysteme haben.

Bei der Wahrnehmung dieser Verantwortung fällt den Hochschulen eine ganz besondere Aufgabe zu. Das liegt erstens daran, daß alle zukünftigen Wissenschaftler diese Ausbildungsstätte durchlaufen. Wenn im Studium eine Grundlage für ein fundiertes Herangehen an die Frage der Atomwaffen und der Abrüstung gelegt wird, kann das nachwirken, wenn die Absolventen schon lange in Forschungszentren, in Software-Firmen oder in Industriebetrieben arbeiten. Der zweite Grund ist, daß an den Hochschulen Freiräume zur systematischen Beschäftigung mit diesen Fragen existieren, die es im Industriebetrieb (geschweige denn in der Rüstungsforschung) nicht gibt. Hochschullehrer können Seminare über neue Waffentechnologien veranstalten oder Vorlesungen über den Zusammenhang ihrer Wissenschaft mit der Aufrüstung anbieten. Es kann sogar gelingen, an Hochschulen Friedensforschungs-Abteilungen oder -Institute zu gründen. Für die Schaffung eines gemeinsamen »Bewußt-Seins für den Frieden« unter den Wissenschaftlern sind wohl die Hochschulen die wichtigste Stelle.

Die Wissenschaftler sollen gegen den Mißbrauch ihrer Ergebnisse zu Kriegszwecken und für die Anwendung im Interesse der Menschen eintreten. Sie können dieses Ziel nicht alleine erreichen; notwendig ist die Zusammenarbeit mit allen anderen Bürgern, die für den Frieden und gegen die Aufrüstung eintreten. Die Wissenschaftler können die Friedensbewegung nicht ersetzen, sie müssen einer ihrer Teile sein und haben als besondere Aufgabe, mit Dia-Vorträgen, auf Podiumsdiskussionen usw. in Volkshochschulen, Friedensgruppen, Kirchengemeinden, Gewerkschaften, Parteien, öffentlichen Medien usw. über die geplante Weltraumrüstung aufzuklären und ihre Gefahren aufzuzeigen, d. h. verharmlosenden Aussagen der Regierung entgegenzutreten.

Die Aktivität der Wissenschaftler und ihre Wirksamkeit in der Öffentlichkeit können verbessert werden, wenn sie sich in Organisationen zusammenschließen (wie in den USA die Federation of American Scientists oder die Union of Concerned Scientists). Erklärungen können dann im Namen vieler Mitglieder abgegeben werden, ein Büro kann den Versand von Materialien übernehmen, örtliche Gruppen können bei Publikationen unterstützt werden, aktuelle Informationen gehen den Mitgliedern zu, auch wenn sie nicht in einer Gruppe mitarbeiten. Für die Friedensbewegung, für Journalisten oder besorgte Politiker kann ein Zentrum für Anfragen entstehen, das qualifizierte Gesprächspartner und Referenten vermittelt. In der Bundesrepublik gibt es als Anfänge solcher nationaler Organisationen inzwischen das »Forum Naturwissenschaftler für Frieden und Abrüstung« (Büro in Münster) und das »Forum Informatiker für Frieden und gesellschaftliche Verantwortung« (FIFF) (mehrere Ortsgruppen) mit bisher etwa 300 bzw. 400 Mitgliedern. Als Kommunikationsorgan entwickelt sich der »Informationsdienst Wissenschaft und Frieden« (Redaktion in Bonn), der von 22 Personen aus den verschiedenen Bereichen der Wissenschaftler-Friedensbewegung herausgegeben wird. Die »Naturwissenschaftler-Initiative Verantwortung für den Frieden« war als Personenbündnis Veranstalter von bisher drei großen nationalen Naturwissenschaftler-Friedenskongressen und Mitveranstalter des ersten internationalen Kongresses »Wege aus dem Wettrüsten« im November 1986 in Hamburg.

Erste Wirkungen

Auf dem Naturwissenschaftler-Kongreß gegen die Weltraummilitarisierung in Göttingen im Juli 1984 wurde ein »Appell zur Verhinderung des Wettrüstens im Weltall« begonnen; ihm haben sich inzwischen weltweit 13 000 Wissenschaftler angeschlossen. Der in Göttingen vorgelegte »Vertragsentwurf zur Begrenzung der militärischen Nutzung des Weltraums« wurde im Bundestag diskutiert. In den Münchner Max-Planck-Instituten haben 350 Wissenschaftler erklärt, sie würden die Mitarbeit an SDI-Projekten ablehnen. Ähnliche Erklärungen wurden in anderen Großforschungseinrichtungen, von Informatikern und von über 1000 Beschäftigten der Münchner Siemens-Betriebe abgegeben.[25]

Unter anderem wegen der frühzeitigen Aktionen der Naturwissenschaftler ist die politische Lage in der Bundesrepublik ähnlich wie in den USA: Auch hier finden sich »SDI«-Befürworter nur am rechten Rand des politischen Spektrums, selbst in der Regierungskoalition gibt es skeptische Stimmen. Die großen Unternehmen sind nicht besonders enthusiastisch, die Gewerkschaften sind massiv dagegen. Wenn die Bundesregierung ihre eigenen Bedingungen ernstnehmen würde, z. B. daß der ABM-Vertrag kurz- und mittelfristig beachtet werden muß oder daß Instabilitäten vermieden werden müssen, dann müßte sie ihre Zustimmung zurückziehen. Eine solche offene Kritik des Juniorpartners würde den SDI-Kritikern in den USA starke Argumente liefern. Mitzuhelfen, eine solche Änderung der bundesdeutschen Politik zu erreichen, darin sehe ich die aktuelle Aufgabe der Wissenschaftler-Friedensbewegung in unserem Land.

Weltraumwaffen oder Rüstungskontrolle?

Die Menschheit steht vor einer historischen Weichenstellung. Entweder: Die Bewaffnung des Weltraums wird vorangetrieben, dann wird das bisherige Rüstungskontrollsystem weitgehend zusammenbrechen, ein Wettrüsten auf allen Gebieten wird stattfinden mit einer ungekannten Destabilisierung der strategischen Situation. Oder: Die bisherigen Verträge werden eingehalten, Lücken (vor allem bei den Weltraumwaffen) werden geschlossen, schließlich können die Atomwaffen reduziert werden. Die Weiche in die richtige Richtung zu stellen, erfordert eine breite und kontinuierlich arbeitende Friedensbewegung – und den Einsatz weiterer politischer Kräfte, die sich der Friedensbewegung nicht unbedingt zugehörig fühlen. Beides zu erreichen, dabei können die Wissenschaftler eine große Rolle spielen. Die Bedingungen sind günstiger als bei Pershing 2 und Cruise Missiles: Die Skepsis reicht bis in etablierte Kreise hinein, und der Entscheidungsprozeß ist noch am Anfang. Ein Wettrüsten im Weltraum kann noch verhindert werden.

DU-YUL SONG

Technologie-Imperialismus à la Japan: Mythos und Realität

Japanische Handelsoffensiven in den letzten Jahren, besonders in den Branchen der Elektrotechnik und Automobilindustrie, haben in Westeuropa nicht nur zur Bewunderung der japanischen Leistungsfähigkeit geführt, sondern auch Sorgen um die Zukunft der eigenen Industrie verursacht. Vor dem Hintergrund dieses beklemmenden Gefühls entstand die These, daß diese aggressiven Handelsoffensiven im Grunde nur unter der Regie des japanischen *Staates* möglich seien.

Diesem Verdacht und Vorwurf setzt die japanische Regierung als Gegenbeweis die *Liberalität* ihrer Forschungs- und Technologiepolitik entgegen: laut Statistik machte der Anteil der staatlichen Investition an der gesamten Investitionssumme für Forschung und Entwicklung in Japan nur 23,6 % im Jahre 1982 aus, während dieser Anteil in den USA im gleichen Jahr bei 46,7 % und im Jahre 1981 in der Bundesrepublik Deutschland noch bei 43,1 % lag.

Neben dieser mit Zahlen untermauerten »liberalen« Forschungs- und Entwicklungspolitik führt die japanische Regierung als weiteres Argument an, daß die japanische Forschungspolitik in erster Linie nicht an Militärforschung, sondern an *Zivilforschung* orientiert sei. Während der an militärische Zwecke gebundene Investitionsanteil des Staates an der gesamten Investitionssumme für Forschung und Entwicklung in den USA bei 16,4 % und in der Bundesrepublik bei 2,2 % lag, belief sich dieser Anteil in Japan auf nur 0,5 %.

Diese Behauptung liefert den hiesigen Kritikern einer Beteiligung am SDI-Forschungsprojekt eine Argumentationshilfe dafür, daß die Priorität der Zivilforschung nicht die Position der Westeuropäer im technologischen Wettlauf mit den Amerikanern und Japanern gefährde und daß die Militärforschung nicht unbedingt die notwendige Voraussetzung für die Beibehaltung der Spitzenposition in Wissenschaft und Technik sei.

1. Technik-Euphorie

Wir wollen nun untersuchen, ob die westeuropäische Vorstellung der re-
gulativen und normativen Funktion der japanischen Wissenschafts- und
Technologiepolitik von ihrem »liberalen« sowie »friedfertigen« Charakter mit der Wirklichkeit übereinstimmt. Zunächst einige wichtige Daten
zur japanischen Forschungspolitik:
- Im Jahr 1981 gab Japan für Forschung und Entwicklung insgesamt 5364 Mrd. Yen (53,6 Mrd. DM) aus, und der Anteil dieser For-
  schungs- und Entwicklungsausgaben am Bruttosozialprodukt (BSP)
  lag bei 2,1 %. Hingegen gab die Bundesrepublik im gleichen Jahr
  31,3 Mrd. DM aus. Der Anteil dieser Ausgaben am BSP lag bei
  2,7 %.
- Gemessen an den Ausgaben für Forschung und Entwicklung kommt
  der *Grundlagenforschung* in Japan, die überwiegend an den Universitäten durchgeführt wird, im Vergleich zur BRD und zu Frankreich kein
  großes Gewicht zu.
- In Japan sind ca. 300000 Menschen in Forschung und Entwicklung tätig, in der UdSSR 1378000, in den USA 540000 und in der Bundesrepublik 200000; diese Zahlen sagen freilich nicht viel über die Qualität
  der Forschung aus.
- Der Anteil der jährlichen Patentanmeldungen der Japaner in den USA
  und der Bundesrepublik, der einiges über die selbstentwickelte Technologie aussagt, macht ca. 10 % der jährlich angemeldeten Patente in
  diesen beiden Ländern aus.
- Im Technologiehandel ist Japan immer noch ein großes Einfuhrland.
  Sein Defizit im Technologiehandel mit den USA ist doppelt so hoch wie
  das der BRD.
  Erst seit Ende der 70er Jahre hat sich die Bilanz verbessert. Im Zeitraum von 1975–1982 importierte Japan die benötigte Technologie meistens aus den USA (66,2 %) und den Rest aus Westeuropa (Anteil der
  BRD: 6,3 %). Es exportierte hingegen seine Technologie meistens in
  asiatische Länder (42,4 %), aber auch in nordamerikanische (22,1 %)
  und westeuropäische (21,1 %).
- Außer bei der Eisen- und Stahlindustrie, die einen erheblichen Über-
  schuß ausweist, besteht ein großes Defizit im Technologiehandel,
  besonders in der Kommunikations-, der pharmazeutischen und Fahr-
  zeugbautechnologie (!).
- Die Überwindung der Energie-Engpässe, die Verbesserung des Lebensstandards und der kommunalen Einrichtungen sowie die Förderung einer kreativen und wissensintensiven Industrie werden als die
  dringlichsten Aufgabenbereiche eingestuft. Die Entwicklung von

Schlüsselindustrien der nächsten Generation (neue Werkstoffe, Biotechnologie und neue Bauelemente) wird hingegen erst nach 1990 anvisiert.

Betrachten wir nun die Rolle des Staates, auf die sich die These von der »liberalen« und »friedfertigen« japanischen Forschungspolitik stützt. In der Entwicklungsgeschichte der Wissenschaft und Technik nach der Meiji-Reform (1868) war der Staat immer die wesentliche Triebkraft der Innovationspolitik. Diese Tradition der Staatsintervention blieb im wesentlichen unverändert bis zur Mitte dieses Jahrhunderts. Das Devisen- und Handelskontrollgesetz war ein entscheidendes Instrument des Staates und überwachte den gesamten Technologietransfer mit dem Ausland. Erst seit Ende der 60er Jahre, als Folge des wirtschaftlichen Wachstums seit 1955, wurde der Technologietransfer in Japan »liberalisiert«; aber jeder Antrag auf neuen Technologieimport mußte trotzdem bis 1980 gründlich überprüft werden. Die »Liberalisierung« des Technologieimports seit 1981 bedeutet auch keineswegs den Abbau der staatlichen Kontrolle, sondern resultiert aus der Erkenntnis, daß die aus dem Ausland gewünschten Technologien immer weniger durch vertragliche Lizenzabrechnungen eingeführt werden können.

Der relativ niedrige Anteil der Ausgaben für Forschung und Entwicklung am gesamten Haushaltsvolumen (ca. 3 % in Japan gegenüber 4,5 % in der BRD und 5,6 % in den USA, im Jahre 1979) belegt keineswegs die wissenschaftspolitische Abstinenz des japanischen Staates. Die staatlichen Instanzen für Forschung und Entwicklung, vor allem das Bildungsministerium, das Amt für Wissenschaft und Technologie (seit 1956) und das mächtige Ministerium für internationalen Handel und Industrie (MITI), bestimmen in direkter oder indirekter Weise die konkreten Rahmenbedingungen unter der neuen pathetischen Losung »Errichtung der Nation durch Technik« (gijutsu ritkoku). Die vom MITI organisierte zweckorientierte Grundlagenforschung für die Entwicklung des Computers der 5. Generation, in der die acht größten Konzerne seit 1982 mit einem Investitionsvolumen in Höhe von ca. 12 Mrd. DM zusammenarbeiten, ist ein deutlicher Beleg für die tonangebende Rolle des Staates in der japanischen Wissenschafts- und Technologiepolitik.

Die Ideologie der nationalpolitisch orientierten Wissenschafts- und Technologieentwicklung kann zwar überall beobachtet werden, und man könnte im Sinne von Jürgen Habermas durchaus von einer »Hintergrundideologie« oder einer »Gattungsideologie« sprechen; aber die funktionale Sicht und die nationalistische Orientierung von Wissenschaft und Technik sind in Japan seit der Meiji-Reform ohne großen Widerstand und ohne Technik-Pessimismus, wie es ihn in Westeuropa gibt, angenommen worden.

Die Parole des »Spätzünders« Japan, »Nachholen und Überholen«, ist seitdem als konnotative Ausdrucksform einer allgemein akzeptierten Ideologie gültig geblieben.

Nach Beginn der wirtschaftlichen Wachstumsphase tauchte im Jahre 1956 zum erstenmal auch in Japan die Schumpetersche Konzeption der *Innovation* im »Weißbuch der Wirtschaft« auf. Damals wurde dieser Begriff sehr eng gefaßt und in der Tat mit dem Begriff einer *rein technischen* Erneuerung gleichgesetzt.

Die Schwer- und chemische Industrie, deren Technologie zum sehr großen Teil aus dem Ausland importiert wurde, leitete die Dynamik in der Nachkriegswirtschaft Japans ein. Die mit den Ölkrisen Mitte der siebziger Jahre einsetzende Strukturkrise des Kapitalismus hätte auch in Japan einer neuen Lösung bedurft. Doch diese neue Lösungsstrategie heißt hier wiederum technischer Fortschritt als neue Innovation. Vor diesem Hintergrund ist die groteske Ideologie einer »Errichtung der Nation durch Technik« zu verstehen.

In einem Ende 1981 veröffentlichten Bericht der MITI-Arbeitsgruppe »Neue Forschung und Entwicklung« wurde die Perspektive der japanischen Technologiepolitik folgendermaßen zusammengefaßt: »Unsere Nation mit ihrer Erfahrung der *friedlichen* Nutzung der Technologie spielt eine führende Rolle in der internationalen technologischen Innovation. Es wird erwartet, daß diese Rolle für die friedliche Nutzung der Technologie als universale Wohlfahrt durch unsere Nation auch in Zukunft gewährleistet wird. Um diese *Mission der Technologie*, die dem Frieden dient, zu verwirklichen, sollte unsere Nation die international führende Rolle in der weiteren Entwicklung der Technologie in Zukunft übernehmen.« (Hervorhebungen vom Verf.)

Diese schönfärberische Programmatik der japanischen Technologiepolitik wurde aber in einer Rede des Staatsministers über »die waffentechnische Zusammenarbeit mit den USA« (vom 14. 1. 1983) auf den Kopf gestellt: »Wenn wir an den jüngsten Entwicklungsstand der Technik in unserem Land denken, scheint es sehr wichtig, die technologische Zusammenarbeit mit den USA im Bereich der Verteidigung, zur Erhöhung der effektiven Leistungsfähigkeit des amerikanisch-japanischen Sicherheitssystems, zu intensivieren... Diese Zusammenarbeit dient weiterhin dem Frieden in Japan und dem Fernen Osten.«

Zwar ist der relative Anteil des Verteidigungshaushaltes am BSP in Japan noch niedriger als in den meisten NATO-Mitgliedsländern (ca. 1% in Japan gegenüber ca. 4% in den NATO-Ländern), doch steht Japan im internationalen Vergleich unter den Ländern mit dem größten Verteidigungshaushalt an 8. Stelle (USA, UdSSR, VR China, Großbritannien, Frankreich, Saudi-Arabien, Bundesrepublik Deutschland, Japan). Während China und Saudi-Arabien Militärtechnologie importieren müssen, ist Japan in der Lage, seine Militärtechnologie zu exportieren, wegen einer Verbotsklausel hinsichtlich des Waffenexports in der sogenannten »Friedensverfassung« freilich nur über den Umweg japanischer Firmenniederlassungen im Ausland.

Auch der Anteil der Kapitalausgaben im Verteidigungshaushalt, der das Kernstück des Haushalts ausmacht und hauptsächlich für die Anschaffung von Militärgütern wie Kampfflugzeugen, Militärforschung und militärischer Infrastruktur (z. B. militärische Flughäfen) bestimmt ist, ist im Vergleich mit den NATO-Ländern noch niedrig (22,4 % in Japan gegenüber 31,0 % in der BRD und 34,0 % in den USA im Jahre 1982). Die japanischen Militär-Industrie-Komplexe haben aber seit Jahren die Erhöhung dieses Anteils auf mindestens 30 % verlangt.

Nach einer langen Phase der Übernahme amerikanischer Militärtechnologie in Form von Lizenzbau (wie der Jagdflugzeuge F 15 und P 3C), vor allem durch Mitsubishi Heavy Industry, Kawasaki Heavy Industry und Ishikawajimaharima Heavy Industry, ist Japan nun in der Lage, eigene militärische Spitzentechnologie (verschiedene Kurz- und Mittelstreckenraketen SAM und SSM) zu entwickeln und sogar den amerikanischen Militär-Industrie-Komplexen seine neue Technologie anzubieten, wie die jüngsten Kooperationen zwischen Hitachi und NASA bzw. Nissan und Martin Marietta zeigen.

Die intensivierte japanische Militärforschung ist ohne Zweifel eine Folgeerscheinung der neuen *militärpolitischen* Option der Verantwortlichen in den USA und Japan, derzufolge Japan als zweite Wirtschaftsmacht des Westens nun seinen militärischen Aktionsradius bis auf das Gebiet westlich von Guam und nördlich der Philippinen ausdehnen soll.

2. More japanico

Laut einer Umfrage des »Atlantic Institute« (»Die Zeit« vom 31. 5. 1985) glauben rund die Hälfte der Befragten in den USA, 24 % in Japan und nur 12 % in der BRD, daß die Computer eher Arbeitsplätze schaffen als vernichten. Die Frage, ob und wie weit diese Zahlen unsere bisherigen Vermutungen über den Technikoptimismus in den USA und Japan bestätigen können, ist noch genauer zu untersuchen. Aber die häufig geäußerten Sorgen der westdeutschen Politiker über die Technologiefeindlichkeit der Westdeutschen im Vergleich zu den Amerikanern oder Japanern finden hier anscheinend eine Bestätigung. Vor allem ist die »positive« Einstellung der japanischen Arbeiter zur Einführung neuer Technologien wie Automatisierung, EDV- und Robotereinsatz von bestimmten politischen und wirtschaftlichen Kreisen hierzulande groß herausgestellt worden. Aber die unterschiedlichen Einstellungen der Arbeiter oder der Gewerkschaften zur modernen Technologie in der BRD und Japan sind Folgen unterschiedlicher Entwicklungsgeschichte und -strukturen der Industrie in beiden Ländern. Man darf diese Unterschiede nicht einfach auf die Probleme der subjektiven Einstellungen der Arbeiter oder der Gewerkschaften reduzieren.

Vor allem folgende Faktoren begründen die »positive« Einstellung der japanischen Arbeiter zur Einführung moderner Technologie:

– Die *innerbetriebliche* Mobilität ist wesentlich höher als in den anderen westlichen Industrienationen. Die Arbeiter werden ständig mit neuen Aufgaben im Betrieb betraut und stehen nicht so stark unter dem Spezialisierungszwang wie ihre westeuropäischen Kollegen.

– Die segmentierte Struktur der *Betriebsgewerkschaften* erschwert eine einheitliche überbetriebliche Strategie der Arbeiter gegenüber dem Gesamtinteresse des Kapitals.

– Auch die *duale* Struktur der Belegschaften erschwert eine einheitliche innerbetriebliche Strategie gegenüber dem Kapital: Weil nur Festangestellte Mitglieder der Betriebsgewerkschaften werden können, werden fast ⅔ der Belegschaft, nämlich die auf der Basis von Zeitverträgen arbeitenden Frauen oder Pensionierten, von der aktiven Mitwirkung an der betrieblichen Gewerkschaftsarbeit ausgeschlossen.

– Die Arbeitsteilung zwischen kapital- und technikintensiven Großbetrieben und vielen arbeitsintensiven Kleinbetrieben verteilt und dämpft auch den Rationalisierungsschock.

– Japan verfügt neben seiner Exportkapazität über einen sehr großen Binnenmarkt, ist deshalb weniger exportabhängig als die Bundesrepublik. Japanische Technologiepolitik hat also einen größeren Spielraum für die Vorbereitung forschungsintensiver Technologie.

Das im Sinne von Herbert Marcuse der Technik und Wissenschaft inhärente Herrschaftsmoment ist nicht nur durch diese Strukturelemente des japanischen Industriesystems, sondern auch durch die Denkweise der Japaner in ihrer »Lebenswelt« relativ verschleiert.

Anstelle des technokratischen Modells, nach dem eine soziale Welt vom Mensch-Maschine-System konstruiert wird, hat sich in Japan eher eine Ideologie von »sanfter« Technologie herausgebildet; die Zelle des Industriesystems, der Betrieb, und die politische Herrschaftsinstanz, der Staat, sind in Japan wie eine familiäre, sinnlich verfaßte, intime Lebenswelt aufgenommen worden. Die »traditionelle«, patriarchalische und

persönliche Herrschaftsform, die Max Weber der europäischen »rationalen« gegenüberstellt, wirkt so in paradoxer Weise dem System technokra-
tisch bedingter Rollensegmentierung der Individuen in der Industriegesellschaft entgegen.

Auch in der Ziel- und Programmfindung der Forschungs- und Entwicklungspolitik, auf der Basis persönlicher Konsultation von *Staat* (kan)
– *Wirtschaft* (san) – *Wissenschaft* (gaku), werden meistens komplizierte
tagespolitische Debatten bewußt ausgeklammert, um ein reibungsloses
Klima zu schaffen. Die Betonung der *Sachlichkeit* der Technik einerseits
und die Konsensfindung darüber innerhalb der *Nation* andererseits ent-
schärfen die herrschaftslogischen Argumente der Technik und Wissenschaft *und* deren Kritik, so wie sie die kritische Vernunfttradition[1] in Europa formuliert hat.

Da meistens nur die Absolventen aus wenigen elitären Universitäten in
die Ministerialbürokratie wie MITI rekrutiert werden, wirkt sich die japanische Staatsbürokratie als Träger der »fürsorglichen« staatlichen Instanzen effektiv auf die Wissenschafts- und Technologiepolitik aus. Die totale
Leistungsmeritokratie erhöht die Effizienz der staatlichen Einwirkung
und kann zielbewußt und tonangebend auf die Ideologie der »Errichtung
der Nation durch Technik« eingehen. Aber diese nahezu pathologische
Leistungsideologie begünstigt nicht unbedingt die Kreativität von Wissenschaft und Technik. Zwar mag es problematisch sein, wenn man mit
der Anzahl der Nobelpreisträger den Entwicklungsstand der Wissenschaft und Technik einer Nation beurteilt, aber sie kann uns mindestens
einige Orientierungsdaten über die Qualität der Wissenschaft in dem betroffenen Land liefern.

Während im Zeitraum von 1945 bis 1980 die USA 102 und die Bundesrepublik 13 Nobelpreisträger hatten, errangen im selben Zeitraum nur drei
Japaner den Nobelpreis.

Das Bildungssystem in Japan kann zwar Millionen Angepaßte produzieren, fördert aber nicht die Kreativen, die sich oft nicht an das herrschende
wissenschaftliche Sozialverhalten binden lassen. Die Mischung von sozialer Effizienz und individueller Leistung wird in Japan durch verschiedene
Sozialisationsagenturen von der Familie bis zur Schule systematisch vorbereitet. Aber die Kreativität ist ein Problem eigener Ordnung, denn das
wissenschaftliche Arbeiten im Gruppenzusammenhang wie in Japan bewährt sich keineswegs immer dann, wenn die Gruppe im Vordergrund
steht, sondern wenn sich wissenschaftliche Subjektivität gerade von solchem Gruppenzwang ausgehend gewissermaßen effizient befreit.

3. Natio ex machina

Das japanische Wort für »Technik« (gijutsu) stammt ursprünglich aus einer alten chinesischen Chronik der Frühen Han-Dynastie (202 v. Chr. bis 9 n. Chr.)[2] und bedeutet nicht bloßes handwerkliches Können, sondern die Kunst, die auf dem Erkennen der Ordnung der Dinge (Tao) beruht. In diesem Sinne können wir hier eine Parallelität zwischen der chinesischen und der aristotelischen Definition des Begriffs »Technik« finden, in der sich die *techne* von der handwerklichen Erfahrung *(empereia)* unterscheidet.

In der Tokugawa-Gesellschaft in Japan (1600–1868) gab es eine Arbeitsteilung zwischen der Wissenschaft, die vor allem die Kenntnisse der neokonfuzianischen Klassiker vermittelte, der Kunst der aristokratischen *Samurai*-Klasse, der angewandten Wissenschaft (z. B. Rechentechnik und Buchführung) und der breiten Erfahrung der *Kaufleute* (chonin). In den späteren Jahren dieser Tokuwaga-Zeit war es die Samurai-Klasse (vor allem deren untere Schichten), die insbesondere durch eine entmutigende wirtschaftliche Lage (Inflation) über ihre Zukunft beunruhigt war und daher die handwerklichen Berufe ausüben mußte.

Diese Samurai-Klasse war während und nach der Meiji-Reform sowohl politische als auch wissenschaftlich-technische Triebkraft der gesellschaftlichen Umwälzung. Die Vermittlung zwischen der wissenschaftlichen Abstraktionsfähigkeit und dem technisch-praktischen Können, die diese Samurai-Klasse leistete, erleichterte während der Meiji-Reform die Aufnahme der Wissenschaft und Technik aus dem Westen unter dem Motto »Tao im Osten, Technik im Westen« (tōdō seiki). In diesem synkretistischen Moment verbirgt sich ein Argument für die Unschuld oder die Instrumentarisierbarkeit von Technik und Wissenschaft, ein Argument, dessen Tradition sich in dem Technikoptimismus der Japaner noch immer manifestiert.

Obwohl die grausamen Erfahrungen in Hiroshima und Nagasaki und die ökologische Krise während der 60er Jahre auf den blinden Technikoptimismus mahnend eingewirkt und auch die friedenspolitischen und ökologischen Aktivitäten der Japaner sich inzwischen erhöht haben, hat die Technik als Ideologie jede selbstreflexive Distanz erschwert.

Wie der Pazifische Krieg, so liefert nunmehr der Handelskrieg mit dem Westen den Japanern einen Vorwand, für das Recht des Stärkeren bei der Entscheidung eines erbitterten Kampfes um die Macht einzutreten. Hierbei spielt eine Ideologie mit, die Wissenschaft und Technik aus dem Westen nicht nur als ein Instrumentarium, sondern auch als ein seelenloses Ding abqualifiziert und diesem eine totale Ästhetisierung vermittels der *japanischen Seele* entgegensetzt. So war z. B. die skandalöse Selbsttötung des japanischen Schriftstellers Yukio Mishima eine politische, rituelle und ästhetische Sublimierung der »Seele als Widersacher des Geistes«.[3]

Die Japaner als Inselbewohner haben ständig Angst, von der Außenwelt isoliert zu werden. Diese psychische Belastung stärkt allerdings die Binnensolidarität. Anders als die Offenheit eines Kontinents wie China hat der Insel*raum* Japan als eine »formale Bedingung der Vergesellschaftung« (G. Simmel) den eigenständigen sozialen Lebensraum entwickelt. Der enge Bewegungsraum (z. B. Wohn- und Straßenverhältnisse) zwingt dazu, die Haushaltsgeräte, wie Fernsehgeräte oder Waschmaschinen, so klein wie möglich zu halten.

In jeder Hinsicht ist die *Miniaturisierung* eine der Spitzenleistungen des japanischen Könnens. Es scheint mehr als ein Zufall zu sein, wenn eine andere chinesische Bezeichnung für Japan, *Wŏ* (japanisch: *Wa*), »klein« oder »Zwerg« bedeutet und schon in der Vergangenheit die verachtende Bezeichnung der Chinesen und Koreaner für die Japaner war. Sie findet sich bereits in einer vor dem Jahre 287 n. Chr. kompilierten chinesischen »Historiographie der Drei Reiche« (San Guo Ji).

Doch die Situation änderte sich grundlegend. Seit die Japaner im frühen 14. Jahrhundert Küstenplünderung und Seeräuberei betrieben, wurden sie von den Chinesen und Koreanern als *Wakō* (japanische Piraten) bezeichnet. Und als Japan als erste Nation Asiens seine rigorose Abschließungspolitik gegenüber dem Westen aufgegeben und westliche Technik und Institutionen übernommen hatte, wandelte es sich in eine imperialistische Macht gegenüber den anderen Staaten in der Region. Der »Asianismus«, dessen tiefe Spuren wir noch in verschiedenen Formen des »Ultra-Nationalismus« in Japan finden, ist ein ideologisches Instrument. Da angeblich alle Asiaten gegen den europäischen und amerikanischen Imperialismus auftreten sollten, wurde das aggressive Vorgehen des japanischen Imperialismus in dieser Region verschleiert. Die erneute skrupellose Ausbeutung der Länder in Asien durch die Wirtschaftsmacht Japan seit den 60er Jahren hat das alte Trauma wieder erweckt. Die technologische Abhängigkeit dieser Länder von Japan, in die fast die Hälfte des japanischen Technologieexports hineinfließt, hat großen Unmut über den »technologischen Imperialismus« Japans hervorgerufen. Von 18 hochindustrialisierten Ländern des Development Assistance Committee (Ausschuß für Entwicklungshilfe der OECD, seit 1961) war im Jahre 1981 der japanische Anteil an der gesamten Summe der technologischen Hilfe für die Entwicklungsländer nur 7,2 %, während dieser Anteil für die USA bei 16,2 % und für die Bundesrepublik bei 16,7 % lag.

Besonders leiden die sogenannten »Schwellenländer« in Asien (Südkorea, Taiwan, Hongkong und Singapur) unter der sehr restriktiven Politik des japanischen Technologietransfers (Betriebsgeheimnisse, Patentauflagen usw.), weil Japan angeblich den aus dem Technologietransfer resultierenden »Bumerangeffekt« befürchtet. Die strikte Beschränkung auf die Auslagerung konsumorientierter Endprodukte und einfacher Komponenten in diese Länder ist daher eine konsequente Strategie des japanischen Technologietransfers in dieser Region. Diese Überreaktion der Japaner ist besonders unverständlich, wenn man bedenkt, daß die staatlichen Ausgaben für Forschung und Entwicklung Südkoreas in einem Jahr so hoch sind wie die eines der größten Konzerne Japans.

Anders als die Asiaten, die intensive und längere Erfahrungen mit Tokio haben, haben die Europäer bis vor kurzem Japan als ein Exotikum betrachtet. Erst angesichts des erbitterten Handelskrieges während der andauernden Krisen in den kapitalistischen Metropolen wurde die »japanische Herausforderung« neben der Aggressivität der »Reaganomics« (z. B. Hochzinspolitik) ernstgenommen. Der japanische Premierminister Nakasone kündigte wegen der immer schärfer werdenden internationalen Kritik an den gigantischen Handelsüberschüssen Japans auf dem Bonner Gipfeltreffen im Mai 1985 Maßnahmen zur Handelsliberalisierung an. Doch das 1986 in Kraft getretene »Marktöffnungspaket«, in dem eine zwanzigprozentige Zollsenkung für mehr als 1600 Industrieprodukte (aber nicht für Halbleiter!) und 160 Landwirtschafts- und Fischereierzeugnisse vorgeschlagen wird, ist keineswegs ausreichend für eine Beseitigung der Ungleichgewichte im Handel.

Zwar hat es Westeuropa auf dem Weg der *dritten* industriellen technologischen Revolution wegen der Koordination und Konzentration der Kräfte und Mittel unter den vielstaatlichen Interessenkonflikten schwerer als die USA und Japan, doch liegt es nicht mehr weit hinter den Japanern oder den Amerikanern zurück.

Problematisch ist jedoch die in diesem Wettbewerbsrausch entstandene neue Ideologie, derzufolge die Spitzentechnologie allein über das Leben oder den Tod der Industrienation im kommenden Jahrhundert entscheidet. Diese technologische Vergötzung, von Erhard Eppler mit der lakonischen Formel »High Tech = High Tick« kommentiert, findet gerade in Japan ein ideales Feld. Die technologische Innovation dort wie hier ist jedoch bloß eine abhängige Variable. Gerade die Verabsolutierung technizistischer Lösungsstrategien für die Krisen des Kapitalismus verbaut die rechtzeitige Suche nach realistischen politischen Handlungsalternativen.

Die jüngste Ideologie des herrschenden Konservativismus in Japan, nämlich »die *politische* Großmacht« (seiji daikoku), ist im Grunde aus der Ideologie der »Errichtung der Nation durch Technik« abgeleitet. Die Dialektik von technischem Können und nationalpolitischer Herrschaftslogik vollzieht sich hier bewußt: Der *technologische Determinismus* ist in Japan zu einer neuen Ideologie geworden, die an die Stelle der politischen Ideologie des alten Nationalismus nunmehr die Einheit von Technik (als *deus ex machina*) und Volksgemeinschaft (als *deus ex natio*) setzt. Aber diese Ideologie der totalen Machbarkeit mißversteht nicht nur die Technik und deren prinzipielle Begrenztheit, sondern überschätzt auch die Rolle der Technik zur politischen Selbstregulation.

HANNS WIENOLD

Blicke der Macht

Sozialstatistik und empirische Sozialforschung als Staatsaktion

»Unser Auftritt im Lande des Lebendigen geschieht allmählich, ohne Ge-
dränge und nach bestimmten Zahlen, die zu dem Heer der Lebendigen
wie auch der Wiederabgehenden jederzeit ein regelmäßiges Verhältnis
haben... Kurz vor dem Eintritt in das Land der Lebendigen werden noch
einige gleichsam ausgemustert; das sind die Totgeborenen; doch geschieht auch dieses nach gewisser Proportion... Besonders aber sind bei
diesem Hervorgange aus dem Nichts diese beiden Stücke aller Aufmerksamkeit würdig, daß jederzeit gegen 20 Mädchen 21 Söhne kommen; so-
dann auch, daß die Haufen derer an das Licht kommenden jederzeit
etwas größer sind als derer, die wieder in Staub verwandelt werden.«[1] Der
»Enderfolg« dieser großen und allgemeinen Ordnung ist danach die »Ver-
mehrung der Einwohner auf der Erde«. Diese Ordnung ist für Süßmilch
(1707–1767) im Jahre 1741 eine schöne und vollkommene Ordnung. Sie
ist von seinem Vorbild, dem englischen Statistiker John Graunt
(1620–1674), in den Londoner Sterbe- und Geburtsregistern entdeckt
worden, »wie Kolumbus Amerika entdeckt hat«, »wodurch er den Grund
zu dieser Wissenschaft gelegt hat, die nicht nur ihren Liebhabern viel
Vergnügen gibt, sondern die uns auch zur größeren Erkenntnis des weise-
sten Urhebers dieser Ordnung der Natur ermuntert, ja die auch den Göttern der Erde, die zu Regenten der Menschen bestellt sind, *die ersten
Grundsätze der Staatswissenschaft zeigt*«.[2]
Die Ursprünge der modernen Gesellschaftsstatistik liegen nicht von ungefähr in der Analyse der Bevölkerungsbewegungen, der »politischen
Arithmetik« eines Graunt und William Petty (1623–1687), deren Sinn
ihre »Nutzanwendung für die Kenntnis des wahren Zustandes in Volk,
Land, Kapital und Handel usw., sowie für die Einheit und Macht der
Industrie und Sicherheit des Staates und das Glück jedes einzelnen« ist.[3]
Für den Ausbau der staatlichen Herrschaft zu einer abstrakten Macht, die
für die Durchsetzung einer neuen Ökonomie, nämlich der kapitalistischen Warenproduktion, auf anonymen Märkten sorgt, wurde die politische Arithmetik wichtig. Die kognitiven Voraussetzungen für die Heraus-
bildung abstrakt allgemeiner Herrschaftsstrukturen liegen genau in jenen
Formen des Umgangs mit sozialer Wirklichkeit, wie sie von der politischen Rechenkunst propagiert wurden. Diese praktisch-politischen Kon-

sequenzen der Bevölkerungsstatistik werden bei Graunt, Petty u. a. noch nicht genau ausgesprochen; erst Süßmilch entwickelt eine umfassende Gesellschaftsstatistik, auf deren Grundlage er eine Bevölkerungspolitik entwirft, die den Staat »volkreich« und damit »mächtig und vermögend« machen soll. So empfiehlt er u. a. als Mittel, die allgemeine Fruchtbarkeit zu erhöhen, Ehehindernisse aus dem Weg zu räumen und die Untertanen im Land zu halten.

Etwas früher als die »Göttliche Ordnung« von Süßmilch erschien 1729 angesichts der Verarmung und Entvölkerung des Landes bei gleichzeitiger »Überbevölkerung«, d. h. tiefem, anhaltendem Massenelend, eine bitterböse Schrift von Jonathan Swift mit dem Titel: »Bescheidener Vorschlag, wie man verhüten kann, daß die Kinder armer Leute in Irland ihren Eltern oder dem Lande zur Last fallen, und wie sie der Allgemeinheit nutzbar gemacht werden können«. Sie ist auch eine Satire auf die Vernunft der Statistik als »Staatswissenschaft«:

»Die Zahl der Seelen in unserem Königreich wird gewöhnlich auf anderthalb Millionen geschätzt. Darunter dürften nach meiner Berechnung etwa zweihunderttausend Paare sein, bei denen die Frauen gebärfähig sind. Von dieser Zahl ziehe ich dreißigtausend Paare ab, die ihre Kinder selbst zu erhalten vermögen... Weiterhin ziehe ich fünfzigtausend für die Frauen ab, die eine Fehlgeburt haben oder deren Kinder durch Unfall oder Krankheit im ersten Lebensjahr sterben. Es verbleibt dann noch ein jährliches Aufkommen von hundertzwanzigtausend Kindern armer Eltern. Die Frage ist also, wie diese Zahl aufgezogen und untergebracht werden soll, was... beim gegenwärtigen Stand der Dinge völlig unmöglich ist. ... Von einem sehr sachverständigen Amerikaner... ist mir versichert worden, daß ein junges, gesundes, gutgenährtes Kind im Alter von einem Jahr eine äußerst wohlschmeckende, nahrhafte und bekömmliche Speise sei, gleichviel, ob geschmort, gebraten, gebacken oder gekocht... Deshalb stelle ich es in aller Bescheidenheit der Öffentlichkeit anheim zu erwägen, daß von den bereits aufgerechneten einhundertzwanzigtausend Kindern zwanzigtausend für die Zucht zurückbehalten werden sollten; davon braucht nur ein Viertel männlichen Geschlechts zu sein, was mehr ist, als wir bei Schafen, schwarzen Rindern oder Schweinen dafür vorsehen... Die übrigen hunderttausend können, wenn sie ein Jahr alt sind, vornehmen und reichen Leuten im ganzen Königreich zum Kauf angeboten werden, wobei man die Mutter stets dazu anhalten sollte, sie im letzten Monat reichlich zu stillen, um sie fleischig und fett für eine gute Tafel zu machen... Ich gebe zu, daß diese Speise etwas teuer wird, und eben deshalb ist sie für Grundbesitzer besonders geeignet, denn da sie bereits die meisten Eltern verschlungen haben, steht ihnen gewiß auch das Anrecht auf die Kinder zu.«[4]

Swift benennt offen den Skandal der irischen »Überbevölkerung«. Die »ursprüngliche Akkumulation«, die Kapitalisierung der Landwirtschaft treibt die Bevölkerung vom Land und bildet jenes un- oder unterbeschäftigte Reservoir der nationalen und internationalen »Reservearmee«, aus dem die aufsteigende Industrie ihre Reihen füllen und die sie nach ihrem eigenen Gesetz bis zur Gegenwart immer wieder bilden wird. Die Sorge von Süßmilch für eine sich vermehrende Bevölkerung zur Steigerung des Reichtums des Staates, der bald der Reichtum der Bourgoisie sein wird, und der ironische Vorschlag Swifts, den gesellschaftlichen Reichtum durch »Vermarktung« überzähliger Kinder zu steigern, bilden zwar einen Gegensatz aber keinen Widerspruch.

Die Suche der ersten Statistiker und empirischen Sozialforscher im modernen Sinn nach den *Gesetzen*, die den an der Oberfläche chaotisch erscheinenden Bevölkerungsprozessen, in denen sich die neue Gesellschaft ankündigt, zu Grunde liegen, entspringt einem »sozialen Bedürfnis«, die »konfliktträchtige und zugleich undurchsichtige, von anonymen Kräften beherrschte Sozialstruktur der aufkommenden bürgerlichen Gesellschaft zu durchleuchten und zu verstehen«.[5] Die Gesetze der Statistik haben dabei von Beginn an einen Doppelsinn. Als empirische scheinen sie der Naturordnung anzugehören, als gesellschaftliche gehören sie der politisch-moralischen Ordnung zu. Zwischen beiden Ordnungen entwickelt sich ein für die bürgerliche Ideologieproduktion bedeutsamer und fruchtbarer Austausch. So sieht 1835 Adolphe Quetelet (1796–1874) in seiner »Moralstatistik« ausdrücklich eine »soziale Physik«. Mit naturgesetzlicher Notwendigkeit begehen die Bewohner eines Staatsgebiets, so entnimmt er es der Empirie, Jahr für Jahr eine bestimmte Anzahl von Verbrechen. Über die Beobachtung der »inneren Beschaffenheit« seiner Fälle gelangt er jedoch zu dem »wahrhaft sozialwissenschaftlichen Gedanken, daß jede Gesellschaft den Keim des Verbrechens in sich trage, daß es darum auch in der Macht der Gesellschaft gelegen sei, andere Wirkungen zu erzielen, weil ihr die Änderung der Ursachen anheimgegeben sei«.[6]

Wie für den Straftäter als moralisches und Naturwesen im Laufe des 19. Jahrhunderts die Problematik seiner Zurechnungsfähigkeit, von Normalität und Schuld vor den Gerichten immer stärker in den Vordergrund rückt, so stellt sich anscheinend auch für die Gesellschaft insgesamt die Frage: Kann sie die Gesetze, denen sie folgt, selbst bestimmen, ist sie Herrin oder Sklavin der in ihr wirkenden Kräfte und Prozesse? Nach dem allgemeinen Bild, das die bürgerliche Gesellschaft von sich selbst entwirft, resultieren die Gesetzmäßigkeiten des bürgerlichen Lebens, seine Konjunkturen, Trends und Moden aus den Aktionen der Vielen, dem »freien Spiel der Kräfte«, deren Effekt sich scheinbar spontan einstellt, von dem die Apologeten jedoch behaupten, daß er dank jener (natürlich-göttlichen) ›invisible hand‹ zum Besten aller ausschlage.

Die »allgemeine Wohlfahrt« wie die »anonymen Kräfte des Marktes« und der »öffentlichen Meinung« sind bürgerliche Konzepte, die zugleich genuin statistische sind. Die statistische Selbsterforschung der Gesellschaft verspricht daher aufs natürlichste, die Transparenz der gesellschaftlichen Prozesse herzustellen, im Chaos die Ordnung erkennen zu können. Doch wer kann Subjekt dieser Selbsterforschung sein? Von wo aus vermag die Statistik auf die Gesellschaft zu blicken?

Für Süßmilch und die anderen Peuplisierungspolitiker des 18. Jahrhunderts ist die Statistik Teil, wenn nicht Grundlage der Staatswissenschaft, damit Teil des Staats, des Leviathans oder Behemoths. *Statistik ist Staatsaktion.* Der Erkenntnisprozeß als politische Aktion kann jedoch seinen Gegenstand nicht unberührt lassen. Die Statistik der Gesellschaft als Statistik der Bevölkerung ergreift diese selbst real und imaginär. Im Guten wie im Bösen bildet die Gesellschaftsstatistik das Glacis der befestigten Macht im Innern der bürgerlichen Gesellschaft und zugleich nach außen hin die Form ihrer Mystifikation und Anonymisierung.

1. Volksnummerung

»Die Durchdringung der Bevölkerung und ihre planmäßige Erforschung – das ist das innere Gerüst Nazi-Deutschlands; es fällt nicht leicht, hinter dem Bild der ausgebrannten Krematorien diese durchaus sensiblen Strukturen zu sehen und zu beschreiben.«[7] Muß die Totalität der faschistischen Herrschaft angesichts der inneren Verwerfungen, der konkurrierenden Machtzentren, der nie ganz unterbundenen Auseinandersetzungen in den Fabriken zum Teil als Wunschdenken der Nationalsozialisten, zum Teil als Exkulpation der Massen der Mitläufer aufgefaßt werden, womit nicht die Willkür und Radikalität der Repression und des Terrors, seine umfassende einschüchternde Wirkung abgeschwächt werden sollen, so zeigt andererseits die Entwicklung der staatlichen statistischen Erfassung der Bevölkerung einen totalisierenden, lückenlosen Charakter, der erst seit kurzem voll erkennbar ist. Die Errungenschaften auf den Gebieten des Meldewesens, der Ausweispflicht, der Volkszählungen mit einem riesenhaften Aufgebot von Zählern (1939 ca. 700000), der Einsatz neuester Hollerithmaschinen zeigen eine »Modernität« staatlicher Herrschaftsausübung, die später nur fortgeführt zu werden brauchte. Auch die in den letzten Jahren immer wieder vorgeschlagene Personenkennziffer für die Bürger der Bundesrepublik findet ihr Vorbild und ihre Begründungen bereits in der »Volksnummerung«, der Reichspersonalnummer, mit deren Einführung das System gegen Ende des Krieges beginnen wollte.

Die Staatsförmigkeit der Statistik ließ viele Beamte, die schon im Kaiserreich und in der Weimarer Republik ihren klassifizierenden und zählenden Aufgaben leidenschaftlich leidenschaftslos nachgekommen waren, ohne weitere Umstände sich den neuen Zielen der Durchkämmung und Säuberung des Volkskörpers einordnen. Die »Empirie des Volksfeindes« (O. Rammstedt) verschaffte einer sich mehr und mehr als empirische Sozialforschung ausrichtenden Soziologie, die für Groß-Deutschland praktisch werden wollte, einen Aufschwung, ganz im Gegensatz zur facheigenen Geschichtsschreibung nach 1945, und bescherte ihr eine Reihe von Lehrstühlen. Die Rezeption einer praxisorientierten und empirischen Sozialforschung »made in USA« konnte nach der Schlußfolgerung von Rammstedt deshalb in der Bundesrepublik so konflikt- und alternativlos erfolgen, weil sie im Faschismus sich bereits entsprechend ausgerichtet hatte.

»Schon ihrem Wesen nach steht die Statistik der nationalsozialistischen Bewegung nahe«, sagte 1940 Friedrich Zahn, Präsident der Deutschen statistischen Gesellschaft. Die SS-Führung (Himmler/Heydrich) unterstützte mit Nachdruck die Bevölkerungsstatistik, die insbesondere nach der militärischen Unterwerfung die Menschen im Osten Deutschlands in eine diffizile Hierarchie völkischen Wertes einzustufen begann und damit den Grund für die Erfassung und Aussonderung von Millionen legte, die in den Gaskammern ihr Ende fanden. Noch auf den Verladerampen wurden Statistiken geführt. Der statistischen Betrachtung der Gesellschaft haftet ein objektiver Zug von Menschenverachtung an.

Nicht zu übersehen ist die Verschmelzung des rationalen Kalküls mit scheinbar Archaischem. So kann der ins Übergroße getriebene Körper der faschistischen Monumentalplastik, die das wirkliche (chaotische, tanzende, lachende) Leben verleugnet, mit der Maschine eine tödliche Symbiose eingehen. Heroische Krieger, heroische Arbeiter und Mütter etwa umgeben Mussolinis »casa del lavoro«, Monument der Moderne, Sinnbild eines überweltlichen Rechenwerks, des Staats, das alles in einer Zahl zusammenfassen wird, in einer ungeheuerlichen Kette von Nullen.

Siegfried Koller, der mit der statistischen Erfassung der »Gemeinschaftsfremden«, der »Arbeitsscheuen« und »gewohnheitsmäßigen Schmarotzer am deutschen Volkskörper« die Gesamtbeobachtung der Bevölkerung zum Programm erhob und eine wesentliche Rolle im Programm der sog. Euthanasie spielte, ist ein Beispiel für die lange Reihe der Schreibtischtäter und Schreibtischmörder. Er wurde nach dem Kriege maßgebender Beamter im Statistischen Bundesamt und machte sich hier um den Ausbau z. B. der Familienstatistik und der Einführung des Mikrozensus verdient. 1963 erhielt er einen Lehrstuhl für medizinische Statistik in Mainz, von wo aus er mit dem »Krankenhaus-Informationssystem« ein »reformiertes Euthanasieprogramm« entwickelte.[8]

Der tüchtige Statistiker, der das Material für die »Wannseekonferenz«, »Judenagglomerationen« und »Mischlingsanteile«, zusammenstellte, Dr. Roderich Plate, Generalreferent für die Volkszählung 1939, wird in der Bundesrepublik Professor für landwirtschaftliche Marktlehre und darf seine Kenntnisse auf die Aufstellung von Agrarstatistiken verwenden. Solcher schrankenlose Sachverstand wird mit dem Großen Bundesverdienstkreuz ausgezeichnet.

Die minuziöse statistische Differenzierung und Kategorisierung von Personengruppen spielt eine zentrale Rolle in der Aussonderung und Vernichtung der Juden in Deutschland und Europa. Insbesondere die Volkszählung und Befragung von 1939 trug dazu bei, daß »am Ende des Jahres 1939... alle als jüdisch klassifizierten Bürger mehrfach registriert (waren), desgleichen diejenigen, die teilweise jüdischer Abstammung und mit einem Juden verheiratet waren. Lebensalter, Beruf, Einkommen, Wohnsitz, weitere Familienmitglieder, Fruchtbarkeit, Bild, Fingerabdruck, Handschrift waren in einer Weise erfaßt, die einerseits ausweglos und andererseits sauber und korrekt erschien«.[9] Die anlaufende Maschinerie der Vernichtung war exakt wissenschaftlich vorbereitet worden. Tausende ordentlicher Volksgenossen hatten hieran pflichtschuldigst als Zähler oder Karteiführer mitgewirkt, unauffällig und wirksam wie während der kurze Zeit später anlaufenden Deportation.

In seiner Schrift zum 100-jährigen Bestehen der zentralen amtlichen Statistik in Deutschland überspringt das Statistische Bundesamt die »Episode« der Judenerfassung und Vernichtung glatt. Die Frage nach der »Volkszugehörigkeit« in der Volkszählung 1939 hat scheinbar einzig »später bei der Vertreibung der Sudetendeutschen eine unerwartete Rolle gespielt«.[10]

2. Herstellung der Menschheit

Der Gegenstand der Statistik ist nie das einzelne Element, der einzelne Vorgang oder das Individuum, auch wenn es in der staatlichen Praxis der Erfassung der Bevölkerung zum Begriff der »Individualstatistik« kommt, sondern stets das Kollektiv, die (statistische) Population. Das Individuum gilt als Beobachtungseinheit, als Zähleinheit, Träger seiner Merkmale, verborgen unter der Maske seines Merkmalprofils, insgesamt eine als einzeln zu vernachlässigende Größe, dessen Gewicht direkt zur Größe der Population abnimmt. Die Aussagen der Statistik sind streng genommen stets Aussagen über »Kollektiv«- oder »Massenphänomene«, d. h. über die Form von statistischen Verteilungen in einer Population. Interessieren wir uns – statistisch – z. B. für die Sexualpraktiken in einer Population: Wir messen ihre »Gewichte« an der Zahl derjenigen, die sie ausüben. Die Subjekte, so sie solche sind, werden zum Gewicht ihrer Taten. Das »Normale« lastet schwer, die »Extreme« sind leicht. So gut wie sich die Täter auf die Taten verteilen können, so leicht sind die Taten über die Täter verteilt.

Jede Statistik basiert auf zwei Fundamenten: 1. der sorgfältigen Festlegung der untersuchten Population und ihrer Abgrenzung von anderen Populationen; 2. der Bestimmung des Merkmalraums, d. h. der Beobachtungen oder Meßoperationen, die an den Objekten vorgenommen werden sollen. Über diese Setzungen a priori erhebt sich die statistische Wirklichkeitskonstruktion. Wie die Fixsterne in der Nacht schrumpfen die Individuen zu qualitätslosen Elementen, die im leeren Raum stehen, dessen Dimensionen durch die Maße aufgespannt sind. In sich sind die Elemente nicht differenziert, opak, reiner Stoff, seriell, exemplarisch. ⊳ undurchsichtig, lichtundurchlässig

Die Einheit des Falles ist das kontingente Zusammentreten seiner Merkmale zu einem bestimmten Zeitpunkt, an einem bestimmten Ort, eine flüchtige Realisation des Möglichen, die, dem Täter ähnlich, einen Abdruck, ihre Daten hinterläßt. Die Bestimmtheit der Raum-Zeit-Koordinaten garantiert die Einmaligkeit des Falles. Doch sind Doubletten möglich, und eine simulierte Population ist statistisch so gut wie eine der Außenwelt entnommene.

Die Datenprofile sind unsere Schatten auf den Magnetbändern der Rechner. Alte Datenprofile sind wie kaum getragene Anzüge. Man hängt an ihnen, auch wenn sie aus der Mode sind. Hielt, nach Gottfried Benn, die Persönlichkeit des Zeitgenossen vor 40 Jahren solange, wie sein Anzug hielt, sagen wir 5–15 Jahre, so findet er heute in den Datenbanken neue Kontinuität. Die Statistik ist ein wahres Reich der Schatten.

Über diesen Schatten werden die Hierarchien der Gruppen und Klassen statistischer Zusammenfassungen errichtet. Bilden die im Raum zerstreuten Individuen die Ausgangskonstellation, so erscheint im Zuge der Zusammenfassungen zu den Klassen der Weltanschauung, des Alters, des Geschlechts, der Arbeit, in diesen Verkürzungen des Raumes als letzte und oberste Kategorie ihr Wesen selbst: die Einheit Mensch. Die Statistik ist so eine machtvolle Praxis der Erzeugung der menschlichen Einheit. Dies ist das Gemurmel der Computer und das Flüstern der statistischen Kompendien: Ihr seid alle eins, ihr seid alle Menschen, nichts als Menschen, nichts… Die Statistik stellt den Menschen her wie das allgemeine Wahlrecht den Staatsbürger.

3. Die Illusion vom totalen statistischen Blick

Nur wenige Statistiker verlieren sich in die Kontemplation jener Sternen-
muster der Datenkonstellationen, um aus ihnen direkt die Ordnungen
der Welt zu entziffern. Statt praktisch müßten sie melancholisch werden.
Nehmen wir daher wie sie die Datenmatrix zur Hand, bestehend aus n
Zeilen für die n untersuchten Objekte und k Spalten für die k Merkmale.
Diese Menge von n × k Informationen enthält die Welt, die der Statistiker
bescheiden seinen »Wirklichkeitsausschnitt« nennt. Das triviale, aber
praktische Ziel der Statistik, ihre Strategie der Bewältigung der Wirklichkeit ist nun nichts weiteres als die Suche nach einer (höchstmöglichen)
Reduktion dieser Informationsmenge unter bestimmten wissenschaftlichen oder außerwissenschaftlichen Fragestellungen, z. B. die möglichst
trennscharfe Zerlegung der wahlberechtigten Bevölkerung der Bundesrepublik in potentielle CDU- und potentielle SPD-Wähler.
Die Logik der Statistik ist trivial, einfach und bezwingend. Gleiches gilt
für den Computer, der ihr dient. Daran müssen wir uns gewöhnen, daß
es das Triviale ist, jene Ketten von Nullen und Einsen, die die Welt verwandeln und die sich unserer bemächtigen werden. Auf dem Boden der
Identität von Zähleinheit und Körper – »antreten, abzählen, eins, zwei,
eins, zwei, eins, zwei« – wird die Effektivität dieser Macht, der wir uns
beugen, sichtbar. Sie nimmt jedoch auch den Geist ein, der im Computer sein Abbild sieht. Die Statistik vereinigt zwei Blickrichtungen, die
aufs Ganze gesehen äquivalent sein mögen, jedoch nach vielfältigen
Zwecken und Institutionalisierungen soweit auseinandertreten können,
daß ihr gemeinsamer Ursprung kaum noch sichtbar bleibt: Die Vergleichung der Merkmale oder Variablen und die Vergleichung der Objekte
oder Individuen. Interessiert sich die Statistik für die Analyse der Variablen, verliert sie die Individuen scheinbar aus dem Blick. Auf der Suche
nach Korrelationen und Faktoren, die im Verborgenen die Datenkonfi-
guration hervorbringen, streift sie ins Allgemeine, sucht sie Unabhängigkeit von den räumlich-zeitlichen Zufälligkeiten. Hinter den Daten
erschafft sie eine zweite Welt der Strukturen, deren mögliche Erschei-
nungsform eben diese eine »Welt im Ausschnitt« ist. Die Individuen
werden zu Fällen allgemeiner korrelativer Gesetze, denen sie sich mehr
oder minder deutlich fügen. Als Monaden bergen sie identische Mechanismen, die der Statistiker im Staube der Streuungsdiagramme ent-
schlüsselt. Sozialer Kontakt und Selbstmordneigung, Länge des Schul-
wegs und Häufigkeit des Schulbesuchs, Einkommenshöhe und Konsum-
stil, Berufszugehörigkeit und Freundschaftswahlen, Vaterlandsstolz und
Verteidigungsbereitschaft werden noch einmal zu einem Netz geknüpft,
in dem wir uns erneut verfangen können.

Der zweite Blick der Statistik – gewissermaßen quer über die Datenmatrix – trifft auf das einzelne Datenprofil als einer Art »qualitativen« Nu-
cleus, der jedoch in der Vergleichung, in der Herausarbeitung des Allgemeinen sofort seiner Besonderheiten beraubt wird, subsumiert unter das
Typische. Geht der Blick von hier zurück auf das Individuelle, dann wird
dies zur Abweichung.

Das Auffällige ist auffällig in der Masse, die Extreme setzen scheinbar die
Durchschnitte voraus. Die gesellschaftliche Normalität entsteht unterm
Polizei-Blick. Mit diesem ist die Geschichte der Statistik eng verflochten.
Die Wissenschaft vom Verbrecher wie von der Verbrechensbekämpfung
ist im ausgezeichneten Sinne statistisch. Eine Erhebung des statistisch
Normalen zur Norm gehört zu jener Grundform bürgerlicher Ideologie,
die das Gesellschaftliche am Menschen zur Natur erklärt. Die Normierung von Schulleistungen am statistischen Modell der Normalverteilung
z. B. entspricht einer Bildungstheorie, die auf die »natürliche« Begabung
setzt, wissend, wessen Kinder die begabtesten sind. Nur in einer verrück-
ten Gesellschaft wie der unsrigen kann die Mehrheit selbst zur abweichenden werden.

Das Spiel des statistischen Blicks, der seine Datenwelt zu Faktorenstruk-
turen oder Typen umschöpft, schafft eine gesellschaftliche Tatsachen-
welt. Dieser Blick auf die Gesellschaft, gerastert durch die Datenmatrix,
ist nicht der Blick des Individuums. Es ist der Blick aus der Zentralper-
spektive, deren gesellschaftlicher Standort der Staat ist. Die Statistik
steht auf dem Standort des Staates, ist durchstaatlicht. Wer oder was immer Statistiken aufstellt und liest, wirft sich offen oder insgeheim zum
Staat auf.

Die institutionelle Untergliederung der empirisch-statistischen Sozialforschung in privatwirtschaftlich organisierte, universitär-wissenschaft-
liche und behördeneigene-administrative Forschung ist keine prinzipielle. Haben Forschungen keinen direkten staatlichen Auftraggeber
oder Adressaten, so doch häufig einen gedachten, der den Ergebnissen
seinen Sinn verleihen soll. Die Staatsorientierung großer Projekte der
Sozialforschung der letzten Jahre ist nicht zu übersehen. Hinzuweisen
wäre u. a. auf die Sektion »Soziale Indikatoren« der Deutschen Gesellschaft für Soziologie, das Projekt »Bürger und Verwaltung«[11], die vielfältigen Fragestellungen der Kommission für wirtschaftlichen und
sozialen Wandel mit insgesamt 140 Bänden[12], die Untersuchungen von
Klages u. a.[13] zum »Wertwandel« oder das Projekt der Fritz-Thyssen-
Stiftung »Objektive und subjektive Staatseffektivität«. Nicht unerwähnt
bleiben dürfen die Zentralisierungstendenzen in der empirischen Sozialforschung durch Datenarchive (z. B. das Zentralarchiv in Köln) oder
durch Versuche der Standardisierung von Forschungsinstrumenten z. B.

durch das Zentrum für Umfragen, Methoden und Analysen (ZUMA) in Mannheim.

Der Staat wird an vielen Stellen der Gesellschaft gedacht und hervorgebracht. Weder durchdringt er sie bisher vollkommen, noch ist er selber monolithisch. Der spezifische Sinn, den Behörden, Verbände, Parteien oder Konzerne aus der Analyse der gesellschaftlichen »Massenphänomene« ziehen, hat immer auch einen Aspekt der Durchstaatlichung. Die Entwicklung der Informationstechnologien, die Entstehung großer Datenbanken und ihre Vernetzung stellen heute auch eine neue staatliche Totalität her, real und imaginär. Vom Standpunkt der Macht aus gesehen, gelten für Statistikproduzenten und -konsumenten gleiche Bedingungen.

Das statistische Wissen hat kein individuelles Subjekt. Es ist für den einzelnen praktisch unbrauchbar. Es fungiert für ihn allein auf der imaginären Ebene der »Zusammenschlüsse« zu Massenphänomenen. Die reale Existenz der Kollektive, von denen die Statistik handelt, ist durchweg fraglich. In der Form homogenisierter Zähleinheiten entstehen sie erst unter dem Blick der Statistik, der der Blick des tatsachenschaffenden, planenden, administrativen Zugriffs ist. Der statistische Blick eröffnet jene Realitätsräume, die sich die totalisierende Planung träumt.

4. Wahrheit und Wahrscheinlichkeit

Der statistische Begriff der Streuung der Beobachtungswerte um ihren statistischen Schwerpunkt, der auch als die der Population eigene »zentrale Tendenz« bezeichnet wird, geht auf jene Zerstreuung der Individuen in Raum und Zeit, die unsere Freiheit zu sein scheint, ohne dieser Recht zu geben. Führen die zielbewußten oder zufälligen Bewegungen der Individuen, die die Statistik ergreift, erst jene »zentrale Tendenz« herbei, so scheint ihnen diese in der statistischen Darstellung insgeheim schon vorausgesetzt zu sein.

Daß die Verhältnisse, die die Menschen in der bürgerlich-kapitalistischen Gesellschaft eingehen, solche zu sein scheinen, die sich »hinter dem Rükken« geltend machen, müßte dem Gesellschaftsstatistiker vertraut anmuten. Die von ihm präparierten Strukturen werden von den beteiligten Individuen kaum gezielt hervorgebracht. Der Statistiker ist der Ästhet der gesellschaftlichen Ordnung wie der anomischen Individuen zugleich, die sich unter seinem Auge zu abstrakten Mustern verdichten und wie im Kaleidoskop bei jeder Drehung des Variablenbündels zu neuen Formen zusammenfallen.

Ist die Streuung des Individuellen, das beileibe keine Individualität ist, das Element, in dem sich der Statistiker bewegt, so ist er zugleich an der Eingrenzung, der Zerlegung dieser Streuung interessiert, an ihrer Aufteilung über ein Gitter von Kategorien, das, der Wirklichkeit appliziert, die identischen Individuen jeweils bei sich und getrennt von den übrigen versammelt. Als wahrer Empiriker entnimmt er diese Ordnung seinen Daten selbst, sucht er nach der besten aller Ordnungen. Hält der eine dies für statistisches »Erklären«, sieht ein anderer den »Ordnungsgewinn«, während ein dritter vor allem den ökonomischen Gewinn der Informationsreduktion, den die Streuungszerlegung verspricht, erkennt. Der Statistiker beginnt sein Werk mit der großen Vielzahl der Fälle und endet, wenn er erfolgreich ist, mit einer Handvoll Gruppen identischer oder ähnlicher Fälle. Nun ähnelt, wie man weiß, kein Fall dem anderen, so daß es dem Statistiker auch nicht um perfekte Ähnlichkeit zu tun sein kann. Er will praktische Ähnlichkeit. Die Information, das Datum wird unter dem Blick der Statistik selbst zu einer stochastischen Größe. Die Reaktionsparameter, die Antwortwahrscheinlichkeiten der Individuen und die Fehlerträchtigkeit der Erhebungsinstrumente verschränken sich unter der radikalen Forderung nach eindeutiger, objektiver Messung unauflöslich. Geht die empirische Sozialforschung auf das reine Faktum, isoliert, unverstellt, reproduzierbar, so wird ihr das soziale Faktum selbst undurchdringlich, unerkennbar, unverständlich. Nichts ist paradoxer und zugleich auskunftsreicher über den blinden Flecken im Auge der Sozialforschung als das »Validitätsproblem«, aufgeworfen in der Frage: »Messe ich tatsächlich das, was ich messen will?« Gibt es für die Sozialforschung nur ihren eigenen, instrumentellen Zugang zur sozialen Wirklichkeit, dann ist diese Frage nicht zu beantworten. Sie wird jedoch ständig entschieden. Der dauerhafte Zweifel an der Realitätstreue der produzierten Daten führt unmittelbar zum Dezisionismus.

Die prognostischen Fähigkeiten, die seit den dreißiger Jahren z. B. bei den US-Präsidentschaftswahlen trotz ihres spektakulären Versagens in der Dewey/Truman-Wahl (1948) von der statistisch-empirischen Sozialforschung immer wieder unter Beweis gestellt wurden, beruhen u. a. darauf, daß die Kollektive, auf die sich die Prognosen richten, real tatsächlich annähernd so gut »gemischt« sind, wie die Stichproben, die der Statistiker ihnen entnommen hat. Sie schließen sich nicht plötzlich entlang unerwarteter Linien zusammen oder werden durch unvorhergesehene Ereignisse polarisiert. Jedes Exemplar der Population ist ein »gutes« Exemplar seiner Art. Es realisiert sich gemäß dem ihm zukommenden stochastischen Impuls autonom, unabhängig und anonym. Die Wahlkabine, das Kaufhaus oder das Fernsehgerät sind nicht grundlos solche Stätten, auf denen die Statistik den Individuen ihre Melodie vorpfeift.

Die Aussagefähigkeit statistischer Analysen beruht andererseits auch auf der gegenteiligen Tatsache, daß die Gesellschaft in sich scharf konturiert ist, dauerhafte Strukturen der Ungleichheit, der Selbstrekrutierung der Eliten und der verschlossenen Zugänge zum Aufstieg, der kulturellen/ religiösen Milieus, der Sozialcharaktere, die an ihren Bildungsstätten immer aufs Neue reproduziert werden, besitzt, schlicht in hochgradiger Weise Klassengesellschaft ist, deren tiefe Spaltung, gemessen etwa an der Verteilung des Produktiveigentums, sich in keiner Weise abmildert. Ohne den Klassencharakter auszusprechen, bilden die Sozialforscher diese Klassenstruktur in ihren erklärenden oder prognostischen Größen ab. Beruf oder Tätigkeit, Bildung, Einkommen, Religions- bzw. Konfessionszugehörigkeit, Geschlecht, Familienstand, Alter, Größen, die den Weg kennzeichnen, den ein Mensch auf seinem Weg durch die sexistische Klassengesellschaft zurückgelegt hat, gehören seit jeher zu den Variablen, die für alles mögliche den größten prognostischen Wert besitzen. »Daß diese Merkmale von besonderer korrelativer Durchschlagkraft sind«, kommt daher, daß diese »Erklärungsvariablen des herkömmlichen Repertoires (der empirischen Sozialforschung, der Verf.) objektiv-dingliche Determinanten menschlichen Verhaltens miterfassen: ökonomische, biologische, organisatorische usw. ...« (Wilhelm Baldamus). Nicht theoretische Schärfe und methodische Spitzfindigkeiten verhelfen der statistischen Sozialforschung zu ihren Erfolgen, sondern ihre schlichte Anpassung an die auch dem (soziologischen) Alltagsverstand bekannten gesellschaftlichen Strukturen. So folgt die Sozialforschung um des Erfolges Willen auf ihre eigene undialektische Art der ansonsten heftig befehdeten Einsicht, daß das gesellschaftliche Sein das Bewußtsein bestimmt.

Beide, stochastisches und deterministisches Modell, haben praktisch nebeneinander in der empirischen Sozialforschung Bestand. Obwohl in ihren Annahmen gegensätzlich, treffen beide auf ihre Weise die Verfaßtheit der Subjekte unterm bürgerlichen Regime, die solche sein sollen, ohne es zu können. Die eingeschliffenen Alternativen, die der Meinungsforscher dem Individuum präsentiert, garantieren von vornherein die Wahrheit der Ergebnisse. »Ein real schon fragmentierter Sachverhalt wird mit einer Erhebungstechnik erfaßt, die zu diesem Gegenstand paßt wie der Deckel auf den Kochtopf«.[15] Unter der »methodologischen Äquivalenz von sozialistischer Wahlentscheidung und dem Kauf von Seife« (Paul F. Lazarsfeld) erscheint auch die Interviewsituation selbst als im sozialen Sinn genügend ernsthaft, um jene Entscheidungen mit den Stimuli der Skalen und Items angemessen reproduzieren zu können. (Diese Praxis der empirischen Sozialforschung hält zwar einer Methodenkritik nicht stand, ihre Oberflächlichkeit ist jedoch praktisch nicht

verkehrt, da Oberflächlichkeit überhaupt ein wichtiges Bindemittel unserer Verhältnisse ist. Die Erforschung der Wahrheit müßte die Subjekte zerstören.)
Warum sollte die Ehrlichkeit in Befragungen größer sein als die vor der Steuer? Und wissen die Individuen eigentlich, was sie tatsächlich meinen? Hier hilft entweder der statistische Fehler, der sich bekanntlich ausgleicht, oder ein erfahrener Interviewer, der nach einem Blick auf Sozialdaten und Wohnungseinrichtung den Fragebogen in der Regel allein ohne den Probanden »zutreffend« ausfüllen kann.

5. Die Empirie des Sicherheitsstaates

Mit der Vorverlegung des Sicherheitsstaates in das Vorfeld des Rechts, mit dem Ausbau eines Systems präventiver Verbrechens- und Störerbekämpfung, der seit Beginn der siebziger Jahre in der Bundesrepublik Deutschland angesichts eines drohenden Legitimationsverfalls der Herrschaftsformen forciert wurde, hat sich eine Verlagerung empirischer Sozialforschung ins Innere des Staatsapparats vollzogen, die eine Vertiefung und neue Qualität der Machtausübung mittels Statistik darstellt. Die Entwicklung der empirischen Kriminologie zu einer »Staatskriminologie« (Brusten) zeigt sich beispielhaft am Kriminalistischen Institut des Bundeskriminalamtes oder am Kriminologischen Forschungsinstitut Niedersachsen e. V. Ein Beispiel für die besondere Form der Wissenschaft und statistisch-empirischen Forschung, die sich hier entwickelt, ist das ehrgeizige Projekt des »Kriminalitätsatlas Bochum«, das aus Mitteln des Bundeskriminalamtes und des Wissenschafts- und Forschungsministers finanziert wurde und 49 Wissenschaftler und Praktiker damit beschäftigte, die Stadt Bochum kleinräumig mit einem Netz von Planquadraten zu überziehen, die durch sozialstrukturelle Indikatoren der Bevölkerung (z. B. Überalterung, Ausländeranteil etc.) wie durch statistische Kennzahlen über die Dichte von Straftätern und Tatverdächtigen gekennzeichnet wurden. »Dabei kann es ... nur darauf ankommen, nach Indikatoren für kriminelle Auffälligkeiten zu suchen, nicht nach Ursachen. Denn über die Ursachen wissen wir heute noch wenig, wir bekommen sie auch durch kriminalgeographische Arbeit wahrscheinlich nicht in den Griff.«[16] Was die Kriminalgeographie kann, ist in den Worten des ehemaligen Chefs des Bundeskriminalamtes Herold, »durch Lieferung von örtlichen und zeitlichen Kriminalitätsereignis- und -dichtewerten sowie deren Hochrechnungen ... die Polizeikräfte repressiv und präventiv zu der Zeit in der Stärke an die Orte zu lenken, zu denen zu dieser Zeit adäquate Polizeidichte gebraucht wird«.[17] Durch diese »Symbiose von

Kriminalistik und Kriminologie« wird die kriminalistische Tätigkeit selbst z. B. in Form der Rasterfahndung und der polizeilichen Informations- und Auskunftssysteme in den Rang einer wissenschaftlichen Disziplin gehoben, so erträumt es sich Herold. Die wissenschaftliche Bearbeitung der gesellschaftlichen Probleme und Widersprüche, die die Soziologie als Krisenwissenschaft für sich beanspruchte, löst sich auf in ein informations- und kontrolltechnologisches Problem. Jedoch sind auch hier intendierte, imaginierte und reale Wirksamkeit zu unterscheiden.

6. Das Indizienparadigma

Gewissermaßen unterhalb der Ebene der wissenschaftlichen prognostisch-präventiven Strategien des Sicherheitsstaates, die sich implizit oder explizit von Wahrscheinlichkeitskalkülen über Täter, Taten und ihre Dingfestmachung leiten lassen, gibt es weiterhin eine andere, der nicht nur die tatsächliche Dingfestmachung von Tätern, sondern auch die Verwaltung und insbesondere die Wiedererkennung einmal gefaßter oder verdächtiger Personen obliegt. Hier gelten nicht mehr abstrakt definierte Kollektive und Wahrscheinlichkeiten, sondern tatsächlich handelt es sich um das zu identifizierende, unverwechselbare Individuum, um eine Art von Individualität.

Die praktisch wichtigste Methode der Individualisierung von Personen, die des Fingerabdrucks, wurde von dem Anthropologen Francis Galton (1822–1911) propagiert, der sich bezeichnenderweise auch um die Entwicklung und Verwendung statistischer Methoden in der Vererbungsforschung verdient gemacht hat. Die formale Identität von Fingerabdruck und einer in die Haut geätzten Zählnummer unter dem Aspekt der Identifizierung ist nicht zu übersehen. Andererseits hat diese Sicherung von Spuren, die Identifizierung von Tätern und Opfern, auch noch Züge eines Qualitativen, die auch von einer noch so abstrahierenden Wirklichkeitserkenntnis und Wirklichkeitsbearbeitung anscheinend nicht vermieden werden können.

Zusammen mit ähnlichen Methoden in der Archäologie, der Kunstgeschichte, aber auch der Psychoanalyse faßt Carlo Ginzburg[18] die kriminalistische Spurensicherung zum »Indizienparadigma« zusammen, das neben der quantifizierenden Forschung eine eigene, möglicherweise subversive, methodologische Dignität besitzen soll. Das Indizienparadigma Ginzburgs stellt Wolfgang Bonß in eine Linie mit der »Monographie als einem subjekt- und situationsbezogenen Konzept der Empirieherstellung«[19], das nicht der »normal science«, die in der Nachfolge des »mechanistischen Weltbildes« von Galilei und Newton auf Quantifizierung und Verallgemeinerung setzt, folgt und seit Beginn der Sozialforschung im 17./18. Jahrhundert bemüht ist, sich neben dem statistischen Paradigma zu behaupten. Die monographische Form »qualitativen« Forschens wird häufig im Gegensatz zum quantitativ-statistischen Paradigma auch als »emanzipatorisch« bezeichnet, da sie die Eigenheit des Objekts als Subjekt respektiere. Dies kommt jedoch dieser Form nicht aus sich heraus zu. Vielmehr zeigt die Forschungsgeschichte von W. H. Riehl über den »Verein für Socialpolitik« bis zur Einbindung der »qualitativen Forschung« in sozialarbeiterische Gemeinwesenarbeit, daß hier keine prinzipielle Differenz zum Staat und seinen Absichten sozialer Pazifizierung und sozialen Krisenmanagements besteht. Nicht die Methode kann Emanzipation oder Subversivität garantieren, sondern nur die Subjekte dieser Methoden. Die entscheidende Frage für den Forscher ist in dieser Angelegenheit, ob er tatsächlich Subjekt seiner Forschung und des produzierten Wissens real und der Form nach ist.

7. Von der Denaturierung der Welterkenntnis

Die immanente Widersprüchlichkeit empirischer Sozialforschung ist besonders von denjenigen Soziologen und Sozialforschern eindringlich erfahren worden, die mit der Erhebung umfassender Daten über gesellschaftliche Prozesse und Probleme mit Hilfe empirisch statistisch-quantifizierender Methoden die Möglichkeit von Gesellschaftskritik und Gesellschaftsreform verbinden wollten. Das durch empirische Sozialforschung gewonnene Wissen wird von ihnen einerseits als notwendig für eine möglichst objektive Erfassung von Ist-Situationen empfunden, und diesem Wissen wird als solchem gegenüber einer als Spekulation empfundenen Sozialphilosophie und ideologieträchtigen pseudoempirischen Leerformeln (Topitsch) schon eine kritische Funktion beigemessen. Andererseits wird die Wirklichkeitssicht der statistischen Analyse durchaus als einengend und verkürzend empfunden. Die sozialreformerisch ausgerichtete Sozialforschung hat daher neben der Gewinnung von Massendaten auch immer Forderungen nach gleichzeitiger Erfassung von sozialen und situativen Kontexten, der Analyse von Strukturzusammenhängen in Fallanalysen und nach Zulassung der vielfältigen Erfahrungszusammenhänge und Interpretationen sozialer Wirklichkeit der hier als Subjekte begriffenen Untersuchungsobjekte gestellt. Die methodologischen Diskussionen im »Verein für Socialpolitik« sind von diesem Zwiespalt empirischer Sozialforschung in gleicher Weise erfüllt wie die Diskussionen um die sog. Handlungsforschung in den siebziger Jahren in der Bundesrepu-

blik Deutschland. Bis auf wenige »Radikale« ist man vom wissenschaftlichen Status wie vom Nutzen der quantifizierenden, statistischen Forschung überzeugt, muß andererseits, resignierend, die weitgehende Nicht-
vereinbarkeit der Perspektiven erkennen, ja zusehen, wie die Zentralper-
spektive der statistischen Analyse die zerstreuten Subjektperspektiven
praktisch ständig ins Abseits drängt.

Ein entscheidendes Moment in dieser Problematik ist zweifellos die
gesellschaftliche Position des empirischen Forschers selbst. Seine professionelle Position, seine materielle Grundlage und die materielle Grundlage seiner Forschung, insbesondere sein thematisch und zeitlich be-
grenztes Interesse an den untersuchten Fragen und Personen weisen ihm
im Untersuchungskontext immer eine singuläre Position zu. Er ist derjenige, der von »außen« kommt, der nicht bleibt, sondern wieder geht.
Sein Blick ist der »Tatsachenblick« (Bonß). Wie der Tourist die von ihm
betretenen Orte auf ihren Eindrucks- und Erinnerungswert befragt,
sucht der Forscher nach Erfahrung, die sich vom Kontext lösen läßt. Sie
soll als objektive oder intersubjektive quasi kontext- und situationsun-
abhängig verstanden werden können, d. h. wissenschaftlich mitteilbar
sein.

Diese systematische Brechung der wissenschaftlichen Erfahrung gilt
in den Gesellschafts- und Sozialwissenschaften allgemein. Helmut
Schelsky fordert vom Sozialwissenschaftler quasi als Sozialisationslei-
stung »eine wissenschaftliche Denaturierung der primären Welterkennt-
nis als Gesamthabitus des Denkens«.[20] Als besonders »denaturierend«
ist von vielen Generationen von Studenten der Soziologie die Einübung
in die Denkweise der Statistik empfunden worden, die nicht nur diszipli-
niert, sondern eine Ablösung von der primären Problemsicht, eine Ent-
problematisierung der einzelnen Schicksale und Leidenserfahrungen
verlangt, die auf andere Weise über die Beliebigkeit und Zufälligkeit der
serialisierten Informationen durch die Massenmedien eingeübt wird.
Die sprengende Wirkung des Einzelfalls, etwa des verhungernden Kin-
des in Äthiopien, dessen Augen den Zuschauer vorm Fernsehgerät mit
Schuld beladen und ihm zugleich seine Ohnmacht deutlich machen, darf
der Statistiker nicht mehr wahrnehmen. Unter dem Primat der durch
den statistischen Blick hergestellten Totale »kann man sich nicht bei jedem Fall aufhalten«. Diese Situation führt in vielen Fällen, wie der Ver-
fasser selbst häufig erfahren hat, zum Zynismus, zu strikter Entpolitisie-
rung der Arbeit und Eskapismus.

Beispielhaft zeigt sich diese Entwicklung an einem der prominentesten
Promotoren institutionalisierter Sozialforschung, dem Österreicher Paul
F. Lazarsfeld, einst Mitglied der sozialistischen Studentenbewegung und
der Sozialdemokratischen Partei, Mitverfasser der berühmten Studie

»Die Arbeitslosen von Marienthal« (1933) und später, in der amerikanischen Emigration, Leiter des »Bureau of Applied Social Research« an der Columbia-University, das für eine quantifizierende Sozialforschung, basierend auf einer staatlich-privatwirtschaftlichen Mischfinanzierung, Vorbild wurde. Lazarsfeld bezeichnet sich selbst als »Marxisten auf Urlaub«: »Von 9 bis 17 Uhr organisiere ich empirische Sozialforschung, und nach 17 Uhr politisiere ich.«[21]

Es wäre genauer zu untersuchen, welche Sozialisationsmomente die allseitige Verwendbarkeit des empirischen Sozialforschers für die Zwecke der Privatwirtschaft, der Administration oder des Militärs sichern. Ihr statistisches Arbeitsvermögen selbst dürfte den Personen nicht äußerlich sein. Ob Lesehäufigkeit oder Einschaltquoten, Akzeptanz von Kerntechnologie oder neuen gynäkologischen Verfahren, ob Verteidigungsbereitschaft oder neonazistisches »Gedankengut« das Interesse des Auftraggebers bildet, der empirische Sozialforscher findet sich stets als »nützlicher Idiot« herbei, Daten in den Rechner und wieder heraus zu bringen. Keine professionelle Ethik verhindert, daß sich die Datenpest ausbreitet, die Sch(m)utzflecken irrelevanter Daten immer dichter die Lebensverhältnisse überdecken.

8. Die Befragung der Wölfe

Die Sozialforschung verwandelt Meinungen in soziale Tatsachen. Durkheim fordert in den »Regeln der soziologischen Methode« (1895), die Meinung als »undurchdringliches« Ding zu behandeln, als Teil des sozialen Gesteins. Die Fabrik, in der diese Dinge gewonnen, geformt und verpackt werden, ganz wie Waren, ist die empirische Sozialforschung. Erst die auf dem Datenträger vergegenständlichte Meinung hat ihren gesellschaftlichen Wert. Die Befragten liefern nur den Rohstoff.

Die Ausforschung der Meinungen und des Bewußtseins, die in der Regel nicht unter der unmittelbaren Regie der Staatsbehörden durchgeführt wird, scheint nur deshalb für den einzelnen folgenlos, als sie nicht direkt mit staatlichen Sanktionen verbunden ist. Demjenigen, der seine Meinung preis- oder zum besten gibt, wird das zugesichert, was er verdient: Anonymität. Die Anonymität als Schutz entwertet zugleich die Meinung als politisch bedeutungslos. Die Herstellung »schweigender Mehrheiten«, die nur durch Umfragen zum Sprechen gebracht werden, basiert auf der Verantwortungslosigkeit des einzelnen für seine Meinung. Unter dem Schutz der Anonymität zeigen sich die Mitbürger so unfein, wie sie sein wollen: vorurteilsbeladen, gewaltsüchtig, intolerant und geschmacklos.[22]

Das »opinion poll« trennt die Minderheiten von den Mehrheiten. Wie im Staat die verschwindende Kraft des einzelnen zur Gewalt wird, die zwar von ihm ausgeht, über die er aber nicht verfügt, so fügt die Umfrage die einzelnen zu Mehrheiten und Minderheiten zusammen, deren konstitutive und bedeutungslose Teile sie sind. Dies ist ein Verhältnis der Macht, die Unterwerfung unter die Namenlosigkeit, die integraler Bestandteil der Herrschaft in der bürgerlichen Gesellschaft ist, deren Maxime lautet, daß es in ihr keine gäbe.

Das »Verfahren der Befragung von repräsentativen Querschnitten der Bevölkerung... erlaubt... gleichsam als Institutionalisierung einer plebiszitären Verfassungskomponente, die ständige Rückkopplung mit dem Souverän, dem Volk«.[23] Mit diesem Urteil überschätzen die Autoren allerdings die Wirkung der Meinungsforscher auf die Politik, da sich diese ihre Entscheidungen durchaus vorbehalten will. »Rechtzeitiges Erkennen von Trends und Entwicklungen, von Meinungs- und Stimmungslage setzt den Politiker instand, durch eine entsprechende Begleitung seiner Politik, die er für richtig hält, ... solchen Widerstand, solche Resistenz (gegen Atompolitik und Nachrüstung, der Verf.) abzubauen und dafür zu sorgen, daß eine Debatte... in einem halbwegs realistischen und rationalen (Rahmen) abläuft«.[24]

Elisabeth Noelle-Neumann sieht die Menschen mit einem »quasistatistischen Organ« ausgestattet. »In dem quasistatistischen Organ des Menschen könne man das Bindeglied sehen, das die individuelle und kollektive Sphäre verknüpft... die Fähigkeit des Individuums, in bezug auf Personen oder Verhaltensweisen oder Ideen die Relation von Zustimmung und Ablehnung in der Umwelt wahrzunehmen und die Veränderung, Zunahme oder Abnahme, und dementsprechend zu reagieren, nämlich sich möglichst nicht zu vereinzeln«.[25] Diese »Außenleitung« der Menschen in der sogenannten Massengesellschaft wird bei Noelle-Neumann anthropologisch gewendet und mit Nachahmungsinstinkten, die die »Massenbildung« bewirken sollen, in Verbindung gebracht: »Nachahmung, um dem anderen ähnlich zu sein, Nachahmung aus Isolationsfurcht«.[26] Der Mensch hat eine »soziale Haut« (Noelle-Neumann) und versinkt in zunehmendes Schweigen, wenn seine Meinung keine Bestätigung durch die Mitmenschen erfährt. »Das, was bei den Menschen auffallend als Forschungsthema vermieden wurde – Isolationsfurcht –, ist in der Tierverhaltensforschung ohne Scheu eingehend behandelt... Die Sprache ist jedenfalls unbefangen genug, und es bereitet uns keine Schwierigkeiten zu verstehen, was es denn wohl bedeute, wenn von dem ›Mit-den-Wölfen-Heulen‹ die Rede ist«.[27]

Die Verachtung, mit der Noelle-Neumann über die von ihr Ausgeforschten spricht, zeigt, von welcher Position aus sie sprechen will. In der Analyse des »Scharverhaltens« der sog. Massen weiß sie sich mit Konrad Lorenz einig: »Der Dohlenschwarm ist... eine Abstimmungsrepublik«.[28] Auf Rat der Meinungsforscher machten CDU/CSU im Wahlkampf 1983 mit Hilfe von Buttons und Aufklebern Front gegen die Schweigespirale.[29] Bereits den Nationalsozialisten hatte Frau Noelle geraten, die Massenbefragung zum Mittel der Massenpropaganda zu machen.[30]

9. Die Chance der Subversion

Die statistische Wirklichkeitsproduktion ist Form unseres »Gemeinwesens« wie die Technik Form des Gemeinwesens ist. Eine Kritik der Statistik muß daher notwendig eine Kritik dieses Gemeinwesens, d. h. des Staates sein, eine praktische Kritik der Statistik wäre eine praktische Kritik des Staates. Der Antwortverweigerer wird zum Feind des Staates. Er widersetzt sich nicht nur seiner Identifizierung. Sein Mißtrauen ist tiefer. Er spürt, wie ihm seine Wirklichkeit entzogen und er zum Schatten seiner selbst wird.

Die Gesellschaft nimmt mehr und mehr die Form eines riesigen, über sich selbst gebeugten Gehirns an. Der gesellschaftliche Erkenntnisprozeß wird zum gesellschaftlichen In-Formationsprozeß. Die in ihm transportierten Tatbestände, Konklusionen und Projektionen unterscheiden sich nicht mehr wesentlich von den »Realitäten«, für die sie stehen, die sie werden. Die Differenz von Zeichen und Bezeichnetem wird zu einem verschwindenden Moment im Prozeß der gesellschaftlichen Selbst-Reflexion als höchster Form der Durchstaatlichung.

Die informationelle Verwandlung und Formierung der Gesellschaft versucht die disparaten Elemente gesellschaftlicher Verfaßtheit und Erfahrung auszuscheiden, abzuspalten oder zu assimilieren. Zu nennen sind hier an erster Stelle die »alten« Antagonismen von Kapital und Arbeit und ihre Internationalisierung, die imperialistischen Gegensätze, das unglaubliche Gefälle zwischen der reichen und der armen Welt, die Umweltverschmutzung und Vergeudung von lebensnotwendigen Ressourcen durch die industrie-kapitalistische Reichtumsproduktion, das unterdrückende Geschlechterverhältnis, alte und neue Rassismen. Die »informationelle Gesellschaft« entsteht erst durch diese Antagonismen als machtvoller Versuch ihrer »Überwindung«.

Die »informationelle Gesellschaft«, deren integrale Bestandteile der statistische Blick und das statistische Kalkül sind, ist zugleich real und imaginär. Sie kann das, was sie abspaltet, nicht endgültig beseitigen, ohne sich selbst als Chimäre aufzulösen. Die Selbsterforschung der Gesellschaft muß sich zugleich selbst in eigentümlicher Weise verfehlen, da sie als widersprüchliches Objekt (Subjekt) bereits in der Konstitution der Forschung getilgt ist.

Die zwangsweise fingierte Welt wird als Realität verordnet und verabreicht. Gelingt dies nicht oder nicht weitgehend genug, eröffnet sich die Chance der Subversion. Hinter den Zahlenkolonnen, den Tabellen und Diagrammen der Volksmeinung ist die Angst vor der »Unregierbarkeit«, dem Narrenhaus des Alltags, jener chaotischen Menge von Kraftpunkten, die Bevölkerung heißt, deren Durchdringung die wahre Staatsaufgabe der Statistik ist, nur immer vorläufig gebannt.

ROBERT TSCHIEDEL

Die mißbrauchte Autorität der Wissenschaft

> Die Größe eines Wissenschaftlers
> liegt in dem, was übrigbleibt, wenn
> man ihm seine Wissenschaft weg-
> nimmt.
>
> Albert Einstein

Mit diesem Motto mißbrauche ich den Physiker Albert Einstein als Autorität für allgemeine Lebensweisheiten. Noch dazu habe ich den Satz ir-
gendwo abgeschrieben, weiß nicht mehr wo, und ich habe auch keine Lust
nachzusuchen, ob er stimmt. So etwas tut man nicht. Respektive, man
schreibt es nicht dazu, denn das untergräbt die eigene wissenschaftliche
Autorität, mit der man ja das folgende (als intimer Einstein-Kenner z. B.)
vortragen möchte:
Ein Mißbrauch der Autorität von Wissenschaft liegt dann vor, wenn wissenschaftliche Aussagen benutzt werden, etwas zu belegen, was sie nicht
belegen, oder wenn Wissenschaftler als Wissenschaftler Zeugnis für
etwas ablegen sollen, was sie nicht besser bezeugen können als jeder andere auch. Die Autorität von Wissenschaft wird benötigt oder eingesetzt
im Konflikt bzw. in der Kontroverse als Form der Konfliktaustragung
oder zur Vermeidung eines Konflikts von denen, die im Konflikt, in der
Kontroverse ihre eigene Position nicht (allein) mit anderen Mitteln
durchsetzen können oder wollen. Dabei geht es insgesamt, wie man heute
sagt, um die Herstellung von »Akzeptanz«. Daß dies häufig der Fall ist,
wem es nützt und wem es schadet, nicht, wie man legitimen von nicht-
legitimem Gebrauch der Autorität von Wissenschaft wissenschaftlich unterscheidet, davon handelt der folgende Text.
Als ich neulich einem Kollegen einen Termin absagte mit der Entschuldigung, ich hätte ein Manuskript über den Mißbrauch der Autorität der
Wissenschaft fertigzustellen, sah er mich erstaunt bis mitleidig an und
meinte, das sei doch wohl nur noch von historischem Interesse. Wir Wissenschaftstheoretiker oder -soziologen sollten uns lieber mit aktuellen
Problemen befassen. Und die lägen gerade darin, daß die Autorität der
Wissenschaft verlorengegangen sei: Mit der kritischen Einstellung gegenüber neuen Technologien sei der Wissenschaftsglaube obsolet geworden,
und – er lese eben Hofstadters »Gödel, Escher, Bach« und kenne Ca-

pra, Jantsch und Rifkin – es entstehe gerade eine völlig neue, ganzheitliche Wissenschaft, die die alten Glaubensformeln wie Kausalität, absolute Wahrheit etc. zu überwinden in der Lage sei. Und schließlich: Mißbrauch von Wissenschaft habe es immer gegeben; das liege in der Natur der Sache, in der »grundsätzlichen Ambivalenz« nämlich.

Das Mißverständnis, das in der zuletzt genannten Aussage meines Kollegen steckt, ist relativ leicht zu beheben: Es geht nicht um den Mißbrauch von Wissenschaft, also nicht um Rüstungsforschung oder Genmanipulation, auch nicht um »Arische Wissenschaft« oder »Deutsche Physik«. Das ist eine Frage für sich, wenngleich solche Mißbräuche in der Regel auch den Mißbrauch der Autorität von Wissenschaft einschließen. Es geht um den Mißbrauch der Autorität von Wissenschaft, und der ist zunächst einmal ganz unabhängig vom Inhalt der benutzten wissenschaftlichen Aussagen. Die mit der weiß bekittelten Autorität der Wissenschaft vorgetragene Zahnpastawerbung durch einen Zahnarzt ist nach der einleitenden Feststellung eher weniger mißbräuchlich als das mit dem Gewicht der Autorität eines Chemienobelpreisträgers vorgetragene Plädoyer für oder gegen die Straffreiheit der Abtreibung.

Die anderen Fragen meines Kollegen sind grundsätzlicherer Natur und lassen sich nicht einfach mit ja oder nein beantworten; sie führen uns mitten in das gestellte Thema.

1. Autorität der Wissenschaft

»In der wissenschaftlichen Sprache heißen solche Gelehrte Autoritäten, welche sich in ihrem Fach einen so wohlbegründeten Ruf erworben haben, daß ihre Stimme in bezug auf die Wahrheit und Sicherheit einer Angabe den Ausschlag gibt.« Dieser Satz, zitiert aus Meyers Konversations-Lexikon von 1885, dürfte auch heute noch etliche Anhänger finden, sei es für einzelne Wissenschaftler, sei es für Wissenschaft als Institution oder ein gesellschaftliches Subsystem. Wer eines Beleges bedarf, blättere durch eine beliebige Illustrierte und achte auf die Werbeanzeigen. Gleich nach angeblich schönen Frauen fallen – oft besonders dynamisch, nicht minder oft ein wenig weltfern dreinblickende – Männer auf, weiße Kittel, wissenschaftliche Apparate, mathematische Formeln, in den Werbetext eingestreute fachterminologische Sprachfetzen, Diagramme... Man wird davon ausgehen können, daß die Werbefachleute wissen, was sie tun, wenn sie uns auf diese Weise Zahnpasta oder Waschmittel, ein neues Auto oder was immer verkaufen oder uns auch nur sagen wollen, daß es viel zu tun gibt.

Diese Form der Werbung bedeutet allerdings noch keinen Mißbrauch der

Autorität von Wissenschaft, sondern sie besagt lediglich, daß Wissenschaft über ein bestimmtes Ansehen verfügt, das sie für Zwecke einsetzbar macht, die über Wahrheitsfindung in einem eng umgrenzten Fachgebiet hinausgehen. Voraussetzung dafür ist, und das gilt für Autorität ganz allgemein, daß es eine den Autoritätsanspruch einer Person, Gruppe oder Institution begründende Haltung von »Gehorchenden« gibt, die den von der Autorität ausgehenden Einfluß als rechtmäßig anerkennen, akzeptieren.

Wir lernen das bezüglich Wissenschaft nicht nur in den Werbe- oder sonstigen Medien. Wir lernen das schon in der Schule, belehrt durch diejenigen, die selbst eine wissenschaftliche Ausbildung genossen haben, an Wahrheiten, die in Büchern stehen, nicht erst seit Einführung der auf wissenschaftliche Propädeutik hin reformierten gymnasialen Oberstufe; und erst recht lernen es die, die selbst ein wissenschaftliches Studium absolvieren, explizit und per »hidden curriculum«, wie man wohl erziehungs-wissenschaftlich sagt. Und wir lernen das im täglichen Umgang mit den tausend Errungenschaften des wissenschaftlich-technischen Fortschritts.

Nach der Basis des Autoritätsanspruchs und des ihm entsprechenden Legitimitätsverständnisses kann man verschiedene Erscheinungsformen von Autorität unterscheiden. Autorität von Wissenschaft ist danach das, was wir gemeinhin als funktionale Autorität (Expertenautorität, Sachautorität, Fachautorität, technical authority) bezeichnen, und beruht nicht auf Macht, sondern auf einer besonderen gesellschaftlichen Wertschätzung von Wissen und Können, genauer auf dem Glauben a) an die Wahrheit und Sicherheit ihrer Angaben (s. o.), b) an ihre Neutralität und c) an die allgemeine Nützlichkeit solcher Wahrheitsfindung, wie sie die wissenschaftlich-technische Zivilisation um uns versammelt hat.

Wenn dieser Glaube nicht besteht, gibt es keine Autorität von Wissenschaft und kann es keinen Mißbrauch dieser Autorität geben. Daß dem inzwischen so sei, dieser Meinung war wohl mein Kollege. Und er steht damit nicht allein. Mein Hinweis auf den Gebrauch in der Werbung wird ihn kaum überzeugen, zumal er als Argument selbst den Glauben an die Autorität der Werbefachleute, also an wissenschaftlich fundiertes »Marketing« in Anspruch nimmt. Sehen wir also etwas genauer hin:

2. Mißbrauch der Autorität von Wissenschaft als Grenzüberschreitung

Nach gängiger vereinfachender Auffassung liegt legitimer Gebrauch der Autorität von Wissenschaft dann vor, wenn ein Wissenschaftler Auskunft über nach anerkannten Standards seiner Disziplin erarbeitete Forschungsergebnisse gibt. Er darf mögliche Anwendungen beschreiben, aber keine

Empfehlungen geben. Bei Vorgabe von Wertprämissen, die er in seinen Ausführungen anzugeben hat, kann er den aus seiner wissenschaftlichen Sicht »best way« formulieren. Mehr nicht.

Mißbrauch der Autorität von Wissenschaft besteht demnach in einer Art Grenzüberschreitung (Transgression) a) in ein fremdes Fachgebiet, b) in interdisziplinäre Bereiche oder c) in Werturteilsbereiche. Das kennen wir von Max Weber und denen, die ihm folgten, sei es im Werturteilsstreit oder im Positivismusstreit, aber auch heute noch.

Eine solche Grenzüberschreitung kann durch den Wissenschaftler selbst geschehen oder durch jemanden, der sie vornimmt, indem er von anderen produziertes wissenschaftliches Wissen auf diese Weise benutzt. Sie kann aber auch von den Rezipienten durch Umdeutung und Überschätzung einer wissenschaftlichen Aussage vorgenommen werden, ja sie kann eine solche Grenzüberschreitung geradezu herausfordern. So etwas geschieht täglich.

Antragsverfahren für Forschungsmittel z. B. erfordern solche Grenzüberschreitungen, wobei es wichtiger sein kann, den allgemeinen gesellschaftlichen Nutzen der zu erwartenden Forschungsergebnisse auszumalen als das disziplinäre Forschungsinteresse zu beschreiben. Zitationsunwesen, Formalisierungsunwesen und Quantifizierungsunwesen seien als weitere Stichwörter genannt, die darauf hinweisen, daß es Transgressionen gibt, die gar besonders reputierlich und eindrucksvoll sind und im wissenschaftlichen Sozialisierungsprozeß unter Strafe des Mißerfolgs eingeübt und abverlangt werden. Eine möglichst unverständliche Sprache kann auch dazugehören. Begleitforschung für oder gegen Gesamtschulen, wissenschaftlich fundierte Großversuche für oder gegen ein Tempolimit oder die wissenschaftliche Klärung der Ursachen des Waldsterbens – statt Auflagen zur Kraftwerksentschwefelung zu verhängen, die aus bestimmten politischen und ökonomischen Gründen allerdings unerwünscht sind –, all das sind Bereiche, in denen solche Grenzüberschreitungen praktiziert werden. Nach dem hier referierten Verständnis gehören aber auch Aufrufe von Wissenschaftlern gegen SDI oder das Gewicht der Gesellschaftskritik eines Sacharow dazu.

›Autorität‹ ist in dieser Vorstellung ein dreidimensionaler oder dreiwertiger Begriff: (1) jemand (der Wissenschaftler oder eine Gruppe von Wissenschaftlern oder Wissenschaft als Institution) besitzt Autorität (2) gegenüber jemandem (demjenigen, der die Autorität akzeptiert,) (3) hinsichtlich etwas (hinsichtlich seines Fachgebietes).

Die Grenzen sind im Wissenschaftssystem durch disziplinäre Einteilungen, methodische und wissenschaftstheoretische Standards markiert; und die Legitimation, sich innerhalb bestimmter Grenzen als Autorität zu bewegen, wird durch zumeist formelle (z. B. Verleihung der venia legendi)

Akte geregelt, die mit einigem Recht mit Initiationsriten verglichen worden sind, aber auch durch Preise, Funktionen, Vorsitze in wissenschaftlichen Gesellschaften, Zahl der Publikationen, Verlage, Drittmittel. Wissenschaftssoziologen haben das wissenschaftlich erhoben, publiziert, haben dadurch eine venia legendi erworben oder Vorsitze…

Von außen, also für denjenigen, der die Autorität akzeptiert oder akzeptieren soll, sind davon im wesentlichen Insignien sichtbar: der Professorentitel, die unverständliche Sprache, vielleicht habitualisierte Weltfremdheit bis Kauzigkeit.

Die genauen Kompetenzgrenzen und wissenschaftstheoretischen und methodologischen Normen und die Kooptationsregeln und -rituale (anders als etwa bei den Vertretern der technai im griechischen Altertum Homers) sind ihm, dem Laien, aber auch dem Kollegen aus einer anderen Disziplin, weitgehend unzugänglich. Er kann also Grenzüberschreitungen in der Regel nicht erkennen, d. h., er muß auch die Grenzziehung, die Definition des legitimen Anspruchsfeldes dem Wissenschaftler/Kollegen überlassen, sich darauf verlassen, daß dieser sich aufgrund von Integrität (»fachlicher Redlichkeit«) oder Sanktionsmechanismen in seinen Grenzen hält.

Die wissenschaftstheoretische und wissenschaftssoziologische Literatur ist voll von Vorschlägen für solche Normierungen und Sanktionen.

Schon die Übertragung des Autoritätsanspruchs von der Person auf die Institution – wenn also nicht einem bestimmten Wissenschaftler Autorität zugeschrieben wird, sondern der Wissenschaft – verwischt die internen Grenzen. Was bleibt, ist die Vorstellung einer allgemeinen, allen Wissenschaften gemeinsamen Wissenschaftlichkeit, die zumindest die Abgrenzung gegenüber Nicht-Wissenschaft sichern soll, gegenüber Scharlatanerie ebenso wie gegenüber Grenzüberschreitungen in Werturteilsbereiche. Sie muß die Regel von der Unzulässigkeit von Grenzüberschreitungen zumindest mitenthalten, wenn die skizzierte Vorstellung legitimer Autorität gewahrt bleiben soll. Damit ist sie Norm, nicht Wissenschaft in ihrem eigenen Verständnis.

3. Wissenschaftstheoretische Einwände

Das ist nur ein Einwand unter vielen, die man gegen die vielfältigen Versuche der Abgrenzung von Wissenschaft gegenüber Nicht-Wissenschaft vorbringen kann und vorgebracht hat. Hier ist nicht der Ort, sie auszubreiten. Es dürfte jedoch klar sein, daß ein für allemal gültige Wissenschaftlichkeitsnormen nicht aus einer selbst widerspruchsfreien und gleichermaßen wissenschaftlichen Meta-Wissenschaft, nicht aus der Wissenschaftsgeschichte und nicht aus Musterwissenschaften abgeleitet werden können. Dem deduktiv-nomologischen Verfahren der Wissenschaften, das sie nach heute verbreiteter Auffassung auszeichnen soll, liegt die generelle Hypothese zugrunde, daß jedes beobachtbare Faktum ein Fall sei, was aber nichts anderes heißen kann als: Fall eines allgemeineren Prinzips qua Theorie. Popper zu Ende gedacht heißt, daß wir nie mehr über die Realität sagen können, als unsere Theorien und Basissätze, die ja selbst Sätze »im Lichte von Theorien« sind, uns sagen, daß wir also keine Aussagen über die »Wirklichkeit an sich« machen können, sondern nur über das Verhältnis der über gleiche oder verschiedene Gegenstandsbereiche entwickelten Theorien zueinander.[1] Das ist nicht das Ende jeder Rationalität, sondern nur das Ende der Vorstellung einer in sich selbst ruhenden Rationalität, wie sie vielleicht Descartes vor Augen hatte, als er, damit die neuzeitliche Naturwissenschaft motivierend, forderte, es komme darauf an, nunmehr die Natur ebenso genau kennenzulernen, wie wir die verschiedenen Techniken (métiers) unserer Handwerker kennen.

Das von Hans Albert so genannte »Münchhausen-Trilemma«[2], in das gerät, wer für alles und immer wieder eine Begründung verlangt, und das Popper angeblich durchbrochen hat, ist nur auf die nächsthöhere Ebene verschoben worden. Nach Hofstadters erwähntem Bestseller mag der Hinweis genügen, daß das nach Gödel eigentlich niemanden, jedenfalls nicht den Wissenschaftstheoretiker, mehr hätte überraschen dürfen. Dies gilt um so mehr, nachdem sich herumgesprochen hat, was in der Vorbilddisziplin Physik seit mindestens fünfzig Jahren feststeht, daß, um es bildlich mit Bateson zu sagen, der Geist durch Landkarten und niemals durch ein Territorium beeinflußt wird, so daß seine Informationsaufnahme niemals irgend etwas über die Welt oder über sich selbst beweisen wird.[3]

Denn »eine Erklärung (ist) die Abbildung der Teile einer Beschreibung auf eine Tautologie, und eine Erklärung wird in dem Maße annehmbar, wie man bereit ist, die Bindeglieder der Tautologie zu akzeptieren. Sind die Bindeglieder ›selbstverständlich‹ (d. h. wenn sie dem Selbst, das man selbst ist, unbezweifelbar erscheinen), dann genügt einem die auf dieser Tautologie beruhende Erklärung. Das ist alles.«[4] Hierauf beruht die Möglichkeit der Konfliktualisierung von Wissenschaft ohne Verlust einer recht verstandenen Wissenschaftlichkeit, nur ist sie nicht mehr sakrosankt, da ja, wo sie in Zweifel gerät, auch die Erörterung denotativer Aussagen Regeln erfordert, womit die Regel mißachtet ist, daß die notwendige Bedingung wertfreier Wissenschaft die Möglichkeit ist, deskriptive und präskriptive Sätze grundsätzlich auseinanderzuhalten.

Andersherum ausgedrückt: Wenn im Konflikt (um seine gesellschaftlichen etc. Konsequenzen) der Erfolg von Wissenschaft nicht mehr als selbstverständlich akzeptiert wird, geraten letztlich auch die »Bindeglieder« der Tautologie in Frage. D. h., negative Konsequenzen wissenschaftlich-technischen Fortschritts erzeugen notwendig Zweifel an der Tautologie (ihren Bindegliedern), also daran, ob die bisher anerkannte Form wissenschaftlicher Problemlösung weiterhin als »selbstverständlich« gelten kann.

Das freilich nagt am Fundament der Autorität von Wissenschaft, denn gerade darauf, daß sie Wahrheit erzeuge aus sich heraus durch die nicht bewertende Beobachtung ihres Gegenstandes, daß sie neutral sei und deshalb auch technisch erfolgreich, beruht der Glaube an sie. Wenn sie nicht mehr selbstverständlich ist, dann gibt es zwei Lösungsmöglichkeiten: es bedarf entweder neuer Tautologien oder neuer gesellschaftlicher Problemlösungsstrukturen, in denen die alten Tautologien nicht mehr die zentrale Rolle spielen. Nun, die kritische Widerlegung einer liebgewordenen Ideologie bringt Ärger mit den Magiern, deren Autorität auf ihr ruht. Vielleicht sind deshalb diese Einsichten merkwürdig konsequenzenlos geblieben: für die Sozialwissenschaften, die immer noch verschämt den Methoden der Newtonschen Physik nachzueifern sich bemühen und erst langsam bemerken, daß sie in die falsche Richtung hasten; und für die gängigen und organisatorisch vollzogenen Vorstellungen des Verhältnisses von Wissenschaft und Sozialität, Wissenschaft und Politik. Alle hier auffindbaren realisierten Modelle gehen in ihrer Selbstrechtfertigung davon aus, daß Wissenschaft, und wenn auch nur in einem kleinen Teilbereich, etwa der Grundlagenforschung, autonom Wissen und Wahrheit erzeuge, die unter Anwendung von Wertmaßstäben ausgewählt (dezisionistische Modelle) oder als einzig richtige Lösung in der durch Sachzwang determinierten Problemsituation (technokratische Modelle) nachträglich zur Anwendung gebracht werden könnten. Sie ignorieren, daß die wissenschaftstheoretische Begründbarkeit der Zuweisung legitimer Autorität an die Wissenschaft durch Grenzziehung längst entfallen ist. Und die favorisierten neuen Modelle füllen nur neuen Wein in alte Schläuche.

4. Probleme mit der Realität der Theorie von der Grenzüberschreitung

Wer diese Argumentation für zu abstrakt hält, wende sich ruhig der anschaulichen Wirklichkeit zu. Auch hier macht die für die gängige Autoritätsvorstellung notwendige Grenzsicherung hinreichend große Schwierigkeiten. So ist es wohl in den seltensten Fällen so, daß der, der wissenschaftliche Problemlösungen nachfragt und sich dabei auf die Autorität der Wissenschaft verlassen können möchte, eine Frage überhaupt so formulieren kann, daß sie in der arbeitsteiligen Feinstruktur der Wissenschaften richtig gestellt wäre und den richtigen Fachmann fände. Vielmehr sind heute die Probleme, zu deren Lösung wissenschaftliche Expertise nachgefragt wird, in der Regel so komplex, daß sie von keinem Einzelwissenschaftler mehr beantwortet werden können. »Die uns bedrängenden Fragen des Lebens sind nicht nach dem Schema der Fachbereichs- oder Fakultätskompetenzen präformiert. Das Leben kümmert sich nicht um akademische Zuständigkeiten«, hat Fetscher das einmal formuliert.[5] Daran wird schon deutlich, daß die Übertragung der »Autorität des Wissenschaftlers« auf die Institution Wissenschaft gesellschaftliche Gründe hat, wie sie andererseits organisatorische Konsequenzen herausfordert. Das Team ist zum Beispiel eine Antwort, die interdisziplinäre Forschergruppe, neue Bindestrich-Disziplinen und ähnliches. Das aber stellt das Problem neu: wie müssen diese organisiert sein, allgemeiner: wie muß Wissenschaft organisiert sein, damit sie legitimerweise (und nicht mißbräuchlich, also grenzüberschreitend) Autorität beanspruchen kann?

Die radikalste Antwort lautet: es gibt keine legitime Anwendung der Autorität von Wissenschaft (mehr, wenn es sie je gegeben hat). Aber sie ist ohne Zusatz unbefriedigend, denn selbstverständlich sind wir alle darauf angewiesen, uns auf wissenschaftliche Aussagen verlassen zu können. Wie oft wir auch enttäuscht werden und ob wir das bedauerlich oder gar bedrohlich finden oder nicht, grundsätzlich können wir ohne Verläßlichkeit wissenschaftlicher Kompetenz heute nur noch wenige Probleme lösen, und sei die Problemlösung auch eingeschmolzen in ein Steckmodul, das mir den Bildschirm wieder herrichtet, mir den Text anzuzeigen, den ich gerade schreibe.

Und wie sollte der Wissenschaftler weiterforschen, wenn er sich nicht auf seine Kollegen verlassen könnte? Derzeit werden jährlich in Wissenschaft und Technik rund zwei Millionen Aufsätze in 100000 Fachzeitschriften veröffentlicht, dazu rund 10000 neue Fachbücher und noch einmal zwei Millionen Schriften der sogenannten grauen Literatur; das sind pro Arbeitstag 20000 neue Veröffentlichungen.

Und der Politiker, der z. B. im Bundestag über die Zukunft der Atomenergie mitentscheiden soll? Hören wir MdB Collet, der am 28. 4. 71 vor dem Deutschen Bundestag sagte: »Herr Präsident! Meine sehr verehrten Damen und Herren! – Ich habe mich zu Wort gemeldet, um dem Hohen Hause mitzuteilen, daß ich an der nun folgenden Abstimmung nicht teilnehmen werde. Lassen Sie mich dies kurz begründen. Ich weiß nicht, was auf diesen 213 eng gedruckten DIN-A-4-Seiten steht. Mancher (...) mag nun sagen: Dann hättest du eben die Drucksache lesen sollen. Nun, meine sehr verehrten Kolleginnen und Kollegen, hier ist die Sitzungsmappe dieser Woche, etwa 4500 Seiten...«.[6]

Die richtigere Antwort lautet: Es gibt keine legitime Anwendung der Autorität von Wissenschaft allein, will sagen: die sie aus sich heraus schöpft, autonom, und die sie als sakrosankt setzen könnte, ohne daß außerwissenschaftliche Instanzen, und sei es »nur« der technische Erfolg, hinzuzuziehen wären. Diese Antwort korrespondiert mit der These, daß Autorität von Wissenschaft kein kognitives, besser: kein wissenschaftstheoretisches, sondern ein im weiteren Sinne wissenschaftsorganisatorisches Problem ist.

Diese organisatorische Wendung des Problems führt uns zurück zum Zweifel meines Kollegen, ob denn Mißbrauch der Autorität von Wissenschaft überhaupt noch ein Thema, ob nicht vielmehr der Glaube an die Wissenschaft ohnehin durch die unseligen Konsequenzen moderner Technologie längst zerfallen sei.

5. Wissenschaftsfeindlichkeit?

Als im Mai 1976 Günter Haaf in der »Zeit«[7] über ein neues Phänomen aus den USA berichtete, genannt »anti-scientific movement«, schien die Wissenschaftswelt in der Bundesrepublik nach den Unruhen der Studentenbewegung gerade wieder einigermaßen in Ordnung. Wohl klagten Professoren wie Hermann Lübbe, daß das Vertrauen in die Verheißungen des wissenschaftlichen Fortschritts nachlasse: »Selbst in Deutschland geht das Prestige zurück, das mit dem Besitz des Professorentitels hier traditionellerweise verbunden war. Der Rechtfertigungsdruck, unter den gerät, wer für wissenschaftliche Zwecke Geld verlangt, wächst an.«[8] Doch erschien das eher als beleidigter Seufzer des von der Studentenbewegung gebeutelten Ordinarius.

Ganz in der Nähe seines Zürcher Seminars allerdings geschah Ernstes. In Wyhl am Kaiserstuhl stießen Polizei-Hundertschaften und Anti-AKW-Demonstranten aufeinander. Es folgten Seveso und Brokdorf, Gorleben und Harrisburg, Startbahn West und, und, und. Das Vertrauen in einen mit der technischen Entwicklung automatisch verbundenen sozialen oder humanen Fortschritt ging in weiten Teilen der Bevölkerung verloren. Und als Hermann Lübbe sich sechs Jahre später wieder zu Wort meldete[9], hatten die Demoskopen (wissenschaftlich, versteht sich) vermessen, was ihn bedrückte: Während repräsentativ befragte Jugendliche auf die Allensbacher Standardfrage, »Glauben Sie, daß die Technik alles in allem ein Segen oder ein Fluch für die Menschheit ist?«, sich 1966 noch zu 83 % für die Segensvariante entschieden hatten, waren es nach Lübbe 1980/81 nur noch 38 %. Industrie und Wissenschaftsverbände beklagten, die Spitzenposition der deutschen Forschung sei verlorengegangen, nicht zuletzt aufgrund von Forschungsfeindlichkeit.[10] Die Wirtschaft schlug Alarm, die Zahl der Studienanfänger in den naturwissenschaftlich-technischen Bereichen gehe dramatisch zurück, woraus der baden-württembergische

Wissenschaftsminister Engler für die Zukunft der Ingenieurausbildung gefährliche Risiken folgerte, »die die Leistungsfähigkeit unserer Industrie auf Dauer gefährden könnten«.[11]

Diese offensichtliche ökonomische war nur die eine Seite des Schocks. Frau Noelle-Neumann sah die veränderte Haltung zur Technik darüberhinaus eingebettet in den »großen Werte- und Meinungswandel, der Mitte der 60er Jahre eingesetzt hat«. Statt 66 % in 1967 glaubten 1981 nur noch 19 % der jüngeren Generation an den Fortschritt. Und zugleich gingen bürgerliche Werte wie Leistungs- und Risikobereitschaft, Arbeitslust usw. zugunsten von unmittelbarer Triebbefriedigung, Egalisierungsbereitschaft, Status-Fatalismus usw. zurück, was Karl Steinbuch schon 1977 zu der Frage veranlaßt hatte, ob wir vor dem Ende der liberalen Wirtschaft stünden, »weil sich nicht mehr genügend Menschen finden, welche die notwendige Arbeit, Fleiß und Askese einbringen«.[12] Damals erschien gerade Ingleharts aufsehenerregende Studie »The Silent Revolution«, die das Zunehmen der »post-materialist value types« besonders bei den jungen Leuten der westlichen Gesellschaften konstatierte.[13]

Ein neues Gespenst ging um in der Bundesrepublik und erschreckte die »Hüter des Abendlandes«: Wissenschafts- und Technikfeindschaft, gepaart mit »post-acquisitiven Werten«. Sollten doch die Neo-Marxisten recht haben, etwa Marcuse mit seinen bei den Römerberg-Gesprächen 1979 wiederholten Thesen, daß die konkrete Negation des quantitativen Fortschritts (auf dem der Kapitalismus beruht) sich nicht primär in der politisch-ökonomischen Basis (also nicht in der Arbeiterklasse, wie Marx sie verstand, noch gar in der Einheitsgewerkschaft) ankündigte, sondern darin, daß immer mehr Menschen aller Schichten und Klassen die Normen des kapitalistischen Systems in Frage stellten: puritanische Arbeit, menschliche Existenz als Produktionsmittel, bürgerliche Sexualmoral, Leistungsprinzip?[14] Und Wissenschaftsgläubigkeit, wie ich hinzufügen möchte. Lübbe jedenfalls hatte die Gegner (Marxisten, Sozialisten, Grüne) sofort identifiziert und die Mahnung an seine Kollegen formuliert: »Wir müssen mehr und vor allem verständlicher über Technik reden. Ein Teil des Unbehagens rührt von dem meist unglücklichen Verlauf der bisherigen Diskussion her. Technische Information wird die Kontroverse allerdings nicht entscheiden; wichtig ist vielmehr das Vertrauen in diejenigen, die für Technik und Wirtschaft verantwortlich sind.«[15] Nicht »kritisieren und negieren« hieß die Devise, sondern durchstarten zum neuen Boom mit einer neuen Elite und high tech!

Wir lernten neue Werbeanzeigen kennen, in denen Politik und science based industries diejenigen für den Glauben an die Wissenschaft zurückzugewinnen suchten, die ihn inzwischen verloren zu haben schienen: »Warum CDU wählen: . . . weil wir unsere Zukunft nur mit einer ideologiefreien Wissenschaft bewältigen.« Dazu das Foto eines asketischen Wissenschaftlers, hemdsärmlig mit Stirnglatze – vor einer undeutlich erkennbaren, aber offenbar mit Polit-Parolen beschmierten Wand.[16] »Forschung und Innovation halfen Bayer auch 1976, sich im Auf und Ab der Weltwirtschaft zu behaupten... Der wirtschaftliche Erfolg von Bayer garantiert auch für die Zukunft, daß weiter geforscht werden kann; denn nur durch Forschung können viele Probleme dieser Welt gelöst werden.«[17]

Oder 1978 – die gesellschaftliche Problemlage hatte sich ein wenig verschoben: »Forschung sichert Wachstum und Beschäftigung« – eine Anzeige von Hoechst.[18]

Hatte also tatsächlich, wie mein Kollege meinte, und um an Haaf anzuknüpfen, »Frankenstein« die ehedem gläubige Gemeinde so sehr verschreckt, daß ein Mißbrauch von Wissenschaft ohnehin am emotionalen Widerstand der »Säkularisierten« scheitern mußte, wenn es doch schon solcher Werbung bedurfte?

6. Der Glaube an die Wissenschaft ist im Grunde ungebrochen

Im großen und ganzen, das kann man heute sagen, waren die Werbekampagnen überflüssig, denn der Glaube an die Wissenschaft war – im entscheidenden Kern – nie zerstört. Und selbst Technikfeindschaft wird heute nur noch denen unterstellt, denen man auch sonst nichts Gutes zutraut. Schon 1982 konnte man in der Presse lesen: »Engholm: Keine Technikfeindlichkeit der Jugend. Bundesbildungsminister legt Untersuchungsergebnis vor.«[19] Und 1983 endlich: »Die Kassandrarufe sind schlagartig verstummt. ›Technikfeindlichkeit‹ der Jugend ist kein Thema mehr.«[20] Und Mitte 1985 konnte man dem neuesten »Stern« – mit der gebotenen Skepsis, versteht sich – entnehmen, daß bei einer repräsentativen Erhebung insgesamt und, was immer besonders wichtig ist, bei den jüngeren Leuten (16–44 Jahre), auf die Frage, welche Berufe sie am meisten beeindruckten, die Mehrzahl »Wissenschaftler/Forscher« genannt haben.[21] Wendezeit!

Wendezeit gab es übrigens auch noch in einem anderen Sinne:

Wer Sachbücher oder auch nur Sachbuch-Bestsellerlisten liest, wird sich erinnern: Capra, Rifkin, Haken, Jantsch, Prigogine, auch Hofstadter verkünden eine neue Wissenschaft, und wer der alten immer noch nicht wieder traut (eben diese rezipieren mit Eifer), kann auf diese neue hoffen, eine ganzheitliche, nicht kausale, sanfte, umweltschonende. Eine Erörterung dieses Phänomens ist im Rahmen meines Beitrags nicht möglich. Aber eine warnende Bemerkung erscheint angebracht: Was hier als neues

Weltbild verkauft wird, entspringt »harten« Verwertungsinteressen. Die Formulierung von Gesetzmäßigkeiten in selbstreferentiellen und selbstorganisierenden Systemen braucht die Prozeßsteuerung großtechnischer chemischer Industrie ebenso wie die neue Computergeneration mit »künstlicher Intelligenz« und die auf Mustererkennung angewiesene modernste Militärtechnik.

Die mit ihr angebotene neue Weltanschauung der neuen Wissenschaft entlarvt zwar die alte als Lug und Trug – so jedenfalls ihr Selbstverständnis –, aber sie setzt an ihre Stelle nicht die mitentscheidende Öffentlichkeit, sondern die neue Einheitswissenschaft, der man wieder glauben kann, zumal sie – ernst gemeint – sich sogar mit dem Tao verträgt und die allzulange verachteten Geistes- und Sozialwissenschaften gleich mit zu rehabilitieren verspricht.

Also doch keine Wissenschaftsfeindlichkeit, schlimmstenfalls zeitweilige Abirrungen? Eigentlich nicht einmal das, wenn man genauer hinsieht und z. B. die Kontroversen auf dem Höhepunkt der Auseinandersetzungen um die sogenannte friedliche Nutzung der Atomenergie betrachtet: Da verlangen die Politiker nach unabhängigen Obergutachten, da werden Legionen von Wissenschaftlern auf Unterschriftenlisten, bei Versammlungen, Anhörungen, Gerichtsverhandlungen für und gegen die Atomenergie aufgeboten; wenn Nobelpreisträger dabei sind, umso besser; da werden Wissenschaftler, die gegenteiliger Ansicht sind, der Unwissenschaftlichkeit geziehen, und da heißt es in einer Werbebroschüre der Elektrizitätswirtschaft, um nur ein Beispiel zu zitieren: »Bisher war die häufig öffentlich vorgetragene Kritik der Kernenergiegegner wenig sachlich und fachlich nicht fundiert. Bedenklich ist, daß die Kritik meist polemisch vorgetragen wurde und wird. Gestaute Emotionen, Halbwissen oder gar Unwissen und subjektive Glaubensbekenntnisse sind keine seriöse Basis für die qualifizierte Auseinandersetzung mit der Sache. Ernsthafte Wissenschaftler haben sich nicht auf die Seite der Gegner gestellt.« Das sind, einmal nachgezählt, 13 Vorwürfe der Unwissenschaftlichkeit in den wenigen Zeilen.[22] Jemanden, der nicht an Wissenschaft glaubt, wird man damit nicht umstimmen wollen.

Die Gegenwissenschaft bleibt Wissenschaft, strebt nach Wissenschaftlichkeit, Akzeptanz ihrer Autorität, ob Öko-Institut oder Friends of the Earth, Union of Concerned Scientists oder feministische Wissenschaft. Darin liegt nicht der Unterschied. Zwar werden, und das gilt für die ganze Kontroverse und für beide Parteien, die Aussagen des Gegners bestritten, aber nicht mit dem Hinweis darauf, Wissenschaft sei a) generell zu Wahrheitsfindung unfähig, b) grundsätzlich unfähig zur Neutralität oder c) generell schädlich in ihrer praktischen Anwendung, was alles ihr die Autoritätsgrundlage entziehen würde (s. o.). Solche Stimmen waren und

sind die Ausnahme.[23] Vielmehr wird dem Gegner in der Kontroverse eine
konträre, aber eben auch wissenschaftliche Position entgegengestellt.
Darüber allerdings, und darauf weist das Zitat auch hin, erhebt sich eine
Metakontroverse über die Gültigkeit der Aussagen, der eigenen und der
des Kontrahenten. Sie umfaßt als Hauptargumente das der Wissenschaftlichkeit und das der allgemeinen Nützlichkeit, welch letzteres selbst wieder
eine Metakontroverse provozieren kann über die wissenschaftliche
Gültigkeit der gegnerischen Behauptung über die allgemeine Nützlichkeit
seiner Position. Ingenieurwissenschaftliche Risikoanalysen etwa suggerie-
ren, daß vor solch wissenschaftlichem Maßstab die öffentliche Kontroverse zu verstummen habe, da die Allgemeinheit des Nutzens durch wissenschaftlich (also »asozial«) sakrosankt gemachte (validierte, fundierte)
Verfahren hergestellt werde. Die Erfahrung der Nichtentscheidbarkeit der
Kontroverse auf der objektwissenschaftlichen Ebene erzeugt eine Meta-
struktur, die jedoch nichts anderes im Sinn hat, als den soeben verloren-
gegangenen Autoritätsanspruch der Wissenschaften in der Wissenschaftlichkeit der eigenen Position wiederherzustellen oder/und Autorität aus
anderen Bereichen hinzuzugewinnen, die traditionell auch dazu taugen:
Philosophie, Religion, Judikative, notfalls mehrheitsdemokratische Verfahren. Genau diese »neue Mischung« taucht dann auch in organisatorischen Lösungsvorschlägen auf, die die Situation hervorgerufen hat.

7. Institutionalisierung von wissenschaftlichem Dissens?

Helga Nowotny hat vorgeschlagen, diese Situation mit dem Begriff »Institutionalisierung von Dissens« zu markieren. Sie sieht jedoch sehr klar – im
Schlußsatz ihres Buches –: »Die Institutionalisierung von Dissens wird
freilich um den Preis einer neuen schiedsrichterlichen Instanz erreicht
werden, der erneut die Aufgabe zukommen wird, zwischen wahren und
falschen Propheten – für wen? – zu unterscheiden.«[24] Hinzu kommt, daß
auch die vorgeschlagenen organisatorischen Lösungen nicht ohne die Autorität von Wissenschaft auskommen, sondern nur, wo diese nicht (mehr)
auszureichen droht, andere Legitimationsinstanzen hinzuzuziehen gezwungen sind.
Nicht, daß es wissenschaftlichen Dissens gibt, ist neu, Kopernikus und
Galilei oder die Patentstreitigkeiten des 19. Jahrhunderts belegen das Gegenteil. Neu ist, daß mit der zunehmenden Verflechtung von Wissenschaft
und Industrie und Wissenschaft und Politik u. a. seit Ende des Zweiten
Weltkrieges, wissenschaftsorganisatorisch-paradigmatisch eingeleitet mit
dem Manhattan-Projekt, nicht die Bedeutung des einen oder anderen
Forschungsergebnisses, sondern der Dissens selber an Gewicht gewonnen

hat. Die Stützung der Gegenexpertise auf gesellschaftlich konfliktfähig organisierte Protestpositionen erzeugt die soziale Bedeutung der Konfliktualisierung von Wissenschaft – nicht umgekehrt –, welche sich, und das ist offenbar einfacher als Münchhausens umgekehrte Variante, dadurch selber in den Sumpf stößt, daß beide Seiten Gefahr laufen, ihre gläubige Klientel einzubüßen. Der Atheist verzichtet nicht auf Religion, sondern auf Gott, und der Nihilismus selbst ist geeignet als Ersatzreligion.

Gerade die gesellschaftlich grassierende Nichtakzeptanz des bisher erfolgreich mit der Weihe der Wissenschaftlichkeit versehenen technischen Fortschritts hat vier grundsätzliche Reaktionsmöglichkeiten auf solche Nichtakzeptanz erkennbar werden lassen:

a) Die rechnerisch mehrheitsdemokratische Durchsetzung trotz Widerstands und nötigenfalls unter Einsatz polizeistaatlicher Mittel gegen diesen;

b) die Überredung durch Werbung, in der nach wie vor die Meta-Argumente Wissenschaftlichkeit und Allgemeinheit des Nutzens eine bedeutende Rolle spielen;

c) die Überzeugungsversuche, die insbesondere mit der Mitsprache (nicht Mitentscheidung) der Protestierenden experimentieren; und schließlich

d) Modelle, die versuchen, Mitentscheidung der Protestierenden über die traditionell verfaßten Möglichkeiten der Wahlentscheidungen und der Konsumentenscheidungen hinaus zu organisieren.

Für die erste Variante habe ich oben schon Hermann Lübbe zitiert, der die Rückgewinnung des Vertrauens reklamiert in diejenigen, die für Technik und Wirtschaft verantwortlich sind. »Technische Information wird die Kontroverse allerdings nicht entscheiden«, hatte er angemerkt. Leo Baumanns, Gehlen-Schüler, 1972–1975 Hauptgeschäftsführer der Konrad-Adenauer-Stiftung, Unternehmensberater, Standortuntersucher und Professor für Sozialpsychologie und Kommunikationswissenschaften an der International-College-University in Rom, sagt den Managern, warum das so ist: Der Mensch reagiert auf fremde Dinge (z. B. die moderne Technik) mit Ablehnung und Aggression (Identitätskrise). Wegen des Zerfalls der tradierten Wertordnungen findet er sich in der Welt nicht mehr zurecht (Orientierungslosigkeit). Seine Angst richtet er zur Entlastung auf beliebige Objekte der unverstandenen Welt (vagabundierende Angst). Da er aus neurophysiologischen Gründen mit den auf ihn einstürzenden Informationen nicht fertig wird, hat es keinen Sinn, ihn durch weitere Information von seiner Angst heilen zu wollen. Wer die Mehrheit hat – folgt daraus –, der soll sie durchsetzen, dazu genügen rechtsprinzipielle Erwägungen. Und wer keine Mehrheit hat, der soll sich nicht der Illusion hingeben, er könne jemanden überzeugen. Aber er soll auch nicht vorab aufgeben (Präventivkapitulation), sondern dafür sorgen, daß die Menschen wieder an ihn glauben.[25] Baumanns erklärt uns dies mit der unerschrockenen Arroganz der Wissenschaft, deren Legitimitätsverlust er offenbar in Richtung auf seine Leserschaft vernachlässigen kann, in seiner Argumentation gefolgt und unterstützt von E. K. Scheuch, der diese Gesellschaft gefährdet sieht durch eine »Politik des Opportunismus gegen solche Bewegungen wie die der ›Grünen‹«, die in »spinnerter« Weise »Mythen, Bilder, Gefühle, das Tierische, das Irrationale gegen die Verstandesrationalität und die lebenserfahrene Vernunft« stellen.[26]

Doch selbst konservative Politiker bevorzugen »aus guten Gründen« die Präventivkapitulation, vor der Baumanns und Scheuch so eindringlich warnen. So erklärt der niedersächsische Ministerpräsident Ernst Albrecht nach dem sogenannten Gorleben-Hearing in Hannover im März 1979 und nach dem Marsch von 80000 Demonstranten nach Hannover am 16. 5. 1979 im niedersächsischen Landtag: »Es kann nicht bezweifelt werden – jeder von uns weiß es –, daß im Laufe der letzten Jahre in weiten Kreisen unserer Bevölkerung die Angst vor den Risiken kerntechnischer Anlagen gewachsen ist. Obwohl es gesetzlich möglich wäre – und dies aus gutem Grund; ich betone das: aus gutem Grund –, hält die Landesregierung es nicht für richtig, eine Wiederaufarbeitungsanlage zu bauen, solange es nicht gelungen ist, breite Schichten der Bevölkerung von der Notwendigkeit und sicherheitstechnischen Vertretbarkeit der Anlage zu überzeugen.«[27]

Natürlich war das auch ein geschickter Schachzug zur Schwächung der ohnehin angeschlagenen Bundesregierung unter Helmut Schmidt, den er im Nuklearrat fragte: »Wollen Sie, Herr Bundeskanzler, mir wegen der Wiederaufarbeitung zumuten, daß ich auf Zehntausende schieße?«[28] Aber es war eben auch eine politische Reaktion auf Nichtakzeptanz, die zu überwinden man andere Strategien zu suchen hatte: solche, die der formal-demokratischen Legitimation eine offenbar wichtige zusätzliche Stütze verschaffen sollten, nämlich den verbreiteten Glauben, es sei in einem durch eine neutrale Instanz geprüften Sinne richtig so und allgemein nützlich. Zur Wiederherstellung einer Autorität ist also »Meinungsmache« gefordert, von der Ivan Illich einmal gesagt hat: »Die Glaubwürdigkeit des wissenschaftlichen Experten, sei er Ingenieur, Therapeut oder Manager, ist die Achillesferse des Industriesystems.«[29]

8. Zur politischen Funktion der Autorität von Wissenschaft

Der »Konflikt zwischen Wissenschaftlern ist die Fortsetzung eines Macht-konflikts mit wissenschaftlichen Mitteln«, schreibt Helga Nowotny[30], wo-mit sie zu Recht betont, daß es »eigentlich« um den Machtkonflikt geht, genauer: um die Durchsetzung der eigenen Position im Konflikt. Wenn es stimmt, daß der Glaube an die Autorität der Wissenschaft im Grunde ungebrochen ist, dann ist es wichtig, den »Priester« auf seiner Seite zu haben. Wer den Priester hat, hat auch die Gemeinde. Und wer das Geld und die Macht hat, der hat auch den Priester. Es gibt keine nennenswerte Forschung, die nicht staatlich oder durch die Industrie finanziert und kon-trolliert wäre. Und nur die Hochschulwissenschaft mag sich einbilden, sie bestimme weitgehend selbst die Richtung ihrer Forschung. Um diese »Freiheit der Wissenschaft« aufrechtzuerhalten, ist sie gezwungen, die diese Freiheit legitimierende Vorstellung von der Wertfreiheit der Wis-senschaft zu wahren und zu reproduzieren. Sie liefert damit die Ideologie, die sie selbst und die abhängigere Großforschung und Industrieforschung einsetzbar macht im Konflikt – einschließlich dieser Ideologie.

Schon der »Kleine Stowasser«, mein altes lateinisches Schulwörterbuch, gibt mir wichtige Hinweise, in welcher Richtung ich nach den Funktionen suchen muß: ›Autorität‹ kommt von lateinisch augere=wachsen machen, mehren, fördern, vergrößern, erhöhen, verherrlichen; auctoritas bedeu-tet sowohl Gewähr, Bürgschaft, Gültigkeit wie auch Rat, Gutachten und außerdem Eigentumsrecht. Der auctor ist der Mehrer der Glaubwürdig-keit; in der römischen Rechtspraxis ist er Bürge in einem Kaufgeschäft oder Vormund über ein Mündel. Beide Bedeutungen sind interessant im Zusammenhang mit der Frage der Autorität von Wissenschaft.

Der Bürge in einem Rechtsgeschäft ist zum einen Instanz, die die Glaub-würdigkeit mehren soll. Zum anderen übernimmt er aber auch Verant-wortung. Ihr allerdings entzieht sich Wissenschaft, indem sie die Last po-tentieller Folgen auf den Anwender überträgt: »Ein Wissenschaftler soll Wissenschaft betreiben. Er soll sie anwenden. Und seine Verantwortung ist, daß er das, was er geschaffen hat, mit allen Konsequenzen erklärt. Damit hört seine Verantwortung als Wissenschaftler auf«, formuliert Ed-ward Teller, »Vater der Wasserstoffbombe« und als Befürworter von SDI Berater des amerikanischen Präsidenten, in einem Interview.[31] Er formu-liert damit die gängige Vorstellung.

Der auctor will Mehrer der Glaubwürdigkeit bleiben. Er hat wohl auch nichts gegen das mit dieser Tätigkeit verbundene »Handgeld« (lat. aucto-ramentum). Das mit dem »Rechtsgeschäft« verbundene Risiko aber soll der Anwender tragen, der Industriemanager oder der Politiker, möglichst die Allgemeinheit. Jost Herbig hat diese Strategie am Beispiel der Sicherheitsrichtlinien für die Genforschung analysiert: Ziel der beteiligten Genforscher »war und ist: eine im Verlauf ihrer Forschung auftretende unbekannte neue Art von Gefahren, deren Größe zunächst nicht abschätzbar war, politisch und gesellschaftlich akzeptierbar zu machen, ohne die Entscheidung, ob oder unter welchen Bedingungen weitergeforscht werden dürfe, aus der Hand zu geben – kurz, die Risiken ihrer Forschung zu sozialisieren.«[32]

Diese Funktion hängt nicht nur über die Bedeutungsgeschichte des Wortes Autorität mit Vormundschaft und Eigentumsrecht zusammen. In Rom gab es den feierlichen Eigentumserwerb durch Handauflegen, das sogenannte mancipium. Die Entlassung aus der Abhängigkeit (insb.: den Sohn für selbständig erklären) ist entsprechend Emanzipation. Emancipare bedeutet aber auch: in fremde Gewalt geben (z. B. filiam) und überlassen, abtreten (tribunatum). Das hat wohl die Aufklärung übersehen, die den Menschen durch Bildung aus der selbstverschuldeten Unmündigkeit führen wollte, daß sie ihn nämlich damit in eine neue Gewalt überführte, ihn der Autorität von Wissenschaft unterstellte, wie wir das heute als Expertenherrschaft oder Technokratie erfahren.

Wir nähern uns damit der zentralen Funktion der Autorität von Wissenschaft, für die die Grenzüberschreitungsvorstellung nur dazu dient, einen Bereich abzustecken, der autonom und wertfrei sei, so daß die Nutzung als unbezweifelbare Religion leichter wird.

Der eigentliche Mißbrauch der Autorität von Wissenschaft liegt in der Entmündigung der an sie Glaubenden!

Während demokratische Autorität aus der Beteiligung der Gruppenmitglieder an der Bildung von Normen und Regeln, Übereinstimmung über den Zweck der Autoritätsausübung und der Interpretation des Legitimitätseinverständnisses als Erreichung des gemeinsam anerkannten Ziels entsteht, schließen Wissenschaftler und die, die sie als Autorität benutzen, gerade davon die Gruppenmitglieder aus, um sie so besser auch von anderen Entscheidungen ausschließen zu können. Das ist der harte Kern der aktuellen Elite-Propaganda. Sie handeln insofern autoritär im politischen Sinne, als sie dem Volke die Regierungsgewalt in bestimmten Bereichen entziehen. »Technisch-wissenschaftliche Entscheidungen können keiner demokratischen Willensbildung unterliegen«, bringt Schelsky[33] diese Funktion auf den Punkt.

Der antidemokratische Impetus der Technokratie beruht genau darauf, daß sie Bereiche absteckt, die demokratischer Willensbildung nicht zugänglich seien. In der durch »Sachzwänge« gekennzeichneten Situation folgt selbst, was Problem werden muß, aus dem schon Erkannten.[34] Solche Argumentation erklärt, um an das oben gezeichnete Bild anzuknüpfen, eine bestimmte »Landkarte« zur einzig möglichen und entzieht dem

Souverän die Orientierungsaufgabe und -möglichkeit, Politik als Mittel zum Zweck der Realisierung selbstgesetzter normativer Ziele zu verstehen und zu gebrauchen. Dann wäre pure Illusion, was A.-A. Guha schon 1976[35] eindringlich formuliert hat, daß es angesichts der »fast schon explodierenden Naturwissenschaften und der ›Beherrschbarkeit‹ der Natur längst nicht mehr« auf das Machbare ankomme, sondern existentiell auf das »Wünschbar-Notwendige«.

Dies ist allerdings inzwischen von der Maximierung des Nutzens zur Minimierung des Risikos verkommen, von einer Politik der Wohlfahrtserhöhung zur Risiko-Streuung, wobei ein entscheidendes Risiko die Nichtakzeptanz, der Unglaube, die Sinnfrage zu sein scheint. Denn im »technischen Staat« kann es keine vernünftige Sinnfrage mehr geben. »Die moderne Technik bedarf keiner Legitimität; mit ihr ›herrscht‹ man, weil sie funktioniert und solange sie funktioniert.«[36] Und wenn sie nicht mehr funktioniert, wird sie selbst noch zur Beseitigung des von ihr mitangerichteten Schadens dringend benötigt. Worauf es für die Machteliten dann ankommen muß, ist, den Glauben daran, daß dem so sei, zu hegen und zu pflegen. Das erklärt die Aufregung der Herrschenden, wo dieser Glaube bedroht erscheint.

Die Möglichkeit des Mißbrauchs der Autorität der Wissenschaft ist deshalb so groß, weil die derzeitige Vergesellschaftungsstufe von Wissenschaft als wissenschaftlich-industriell-politischer Komplex von aufeinander angewiesener Finanzierung und Legitimation erscheint, der dazu neigt, aufkommende Probleme nach eigenen Kategorien herauszupräparieren und gegen andere Einflüsse abzuschotten. Derjenige, der die Autorität der Wissenschaft gebraucht, definiert längst selbst, was wissenschaftlich sei; sei es über staatliche Prüfungsämter oder Wissenschaftspolitik, sei es gar durch Gerichtsurteile über Wissenschaftlichkeit oder Unwissenschaftlichkeit, oder sei es auch »nur« durch die Bestellung zum »staatlich anerkannten Sachverständigen«.

Die Expertokratie, in der die Formulierung dessen, was Problem werden darf, ebenso den Experten obliegt, wie selbst die Feststellung des Erfolgs oder Mißerfolgs als sogenannte Evaluationsforschung ihnen übertragen ist, muß geradezu auf Demokratie verzichten, die als irrationaler Eingriff der »Spinnerten« erscheint. Die dauernde Reorganisation dieses »Kartells« ist bestens geeignet, sich entwickelnden Widerständen zuvorzukommen.

»Das spezifische Kennzeichen des Experten«, schreibt Illich, »ist weder sein Einkommen, seine lange Ausbildung, seine besondere Aufgabe noch seine soziale Stellung. Was einzig zählt, ist die Vollmacht des Experten, einen Menschen als Klienten oder Patienten zu definieren, die Bedürfnisse dieses Menschen zu bestimmen und ihm ein Rezept auszuhändigen, das seine neue gesellschaftliche Rolle definiert.«[37] Daß es selbst eine Begräbniswissenschaft in den USA längst gibt, wen mag das noch wundern. Illich: »Die Pietät-Unternehmen sind erst dann eine Expertenzunft, wenn sie die Macht haben, gegen dein Begräbnis die Polizei einschreiten zu lassen, wenn du dich weigerst, dich von ihnen einbalsamieren und einsargen zu lassen.«[38]

CARSTEN KLINGEMANN

Das Individuum im Fadenkreuz der Gesellschaftswissenschaften

Der selbst verordnete Verzicht auf eine ungebremste Realisierung gesellschaftshygienischer Strategien, das fehlende Angebot und der mangelnde Bedarf an soziologischen Weltbildern und Großdeutungen bestimmen momentan die eher trübselige Gemütslage des universitären Massenfaches – bei gleichzeitiger emsiger Betriebsamkeit, wie sie der letzte Soziologentag im Herbst 1986 in Hamburg demonstrierte. So ist dann zur Abwechslung diesmal offen eingestandene Ratlosigkeit das dominierende Merkmal der – allerdings schon traditionellen – Beschwörung einer Krise der Gesellschaftswissenschaften. Selbstsichere Marschbefehle wie in den fünfziger und sechziger Jahren, als man den Durchbruch der Soziologie zu einer seriösen Wissenschaft mit lebenspraktischer Orientierung von dem Verbot der theoretischen Spekulation mit ihren systemkritischen Gelüsten erwartete, bleiben heute aus.

Auch der Elan der siebziger Jahre, als führende Repräsentanten diese Disziplin als treibende Kraft einer umfassenden Gesellschaftsreform anpriesen, ist verpufft. Allenfalls wird zaghaft die Hoffnung laut, durch eine Rückbesinnung auf die eigentliche Aufgabenstellung der Soziologie, ihre Rolle als Trägerin des gesellschaftstheoretischen Fortschritts, könnten das verlorene Selbstbewußtsein und die fehlende Fachidentität wiedergewonnen werden. Selbst die innerdisziplinären Kritiker »von links«, denen früher nachgesagt wurde, sie wollten das Fach als solches abschaffen, scheinen verstummt. Und die Überlegungen des letzten konservativen professionellen Anti-Soziologen, Friedrich H. Tenbruck[1], werden in den eigenen Reihen nur sehr ungnädig zur Kenntnis genommen, weil sie die allgemeine Malaise nur noch verschlimmern.

Warum dieser Fatalismus? Haben die Soziologen und insbesondere die empirischen Sozialforscher nicht die Gesellschaft nach ihrem Bilde geformt, wenn auch mit gewissen Nachteilen für den soziologisierten Menschen als Merkmalsträger? Oder ist es nicht zu einer ›Versozialwissenschaftlichung‹ aller Lebensbereiche und Handlungsbezüge gekommen, wodurch allerdings die Soziologen sich vielleicht selbst überflüssig machen könnten? Warum also professionelle Larmoyanz? Vordergründig sicherlich, weil in dem einen Fall die Durchsoziologisierung der Gesellschaft als deren Auslieferung an linke intellektuelle »Priester«-Kasten verstanden wird. Im anderen Fall wird nicht zu Unrecht vermutet, daß die Mitgestaltung oder Zurichtung von Lebensverhältnissen durch sozialwissenschaftliche Intervention – falls sie jemals stattgefunden haben sollte – nichts an den überkommenen Strukturen und Gewaltverhältnissen änderte oder im Gegenteil als deren Zementierung allein zu Lasten des Individuums ging. Die Selbstzweifel erwachsen aber wohl tatsächlich aus der Gewißheit oder auch nur Ahnung, daß auf lange Sicht mehr als die Bereitschaft zu kritisch-wissenschaftlicher Zeitdiagnose als Leistungsnachweis des doch recht voluminösen wissenschaftlichen Apparates erwartet wird. Diese Erwartung kann aber nur erfüllt werden, wenn soziologische Wissenschaftsprogramme praktische Folgen haben.

1. Diktat der Nützlichkeit

Den Druck, sich konkret für staatlich-politische Belange nützlich zu machen, verspürten Soziologen zu allen Zeiten. Was lag da näher als die Idee, ein die gesamtgesellschaftlichen Entwicklungsprozesse durch Beobachtung des individuellen Verhaltens kontrollierendes sozialwissenschaftliches Instrument zu erfinden. Die Vorstellung von einem gesellschaftssanitären »Frühwarnsystem« hegten bereits die Ahnväter deutscher Soziologie, Max Weber und Ferdinand Tönnies (»soziographisch-moralische Observatorien«). Der Kieler Soziologe und Schwiegersohn von Tönnies, Rudolf Heberle, der 1938 in die USA emigrierte, unterbreitete ein Jahr nach der nationalsozialistischen Machtübernahme den neuen Herren den Vorschlag der Einrichtung »soziographischer Beobachtungsstationen in allen deutschen Landschaften«, da gerade eine »autoritäre Regierung« über politische Grundhaltungen der Bevölkerung informiert sein müßte. Folgenlos wie Heberles Vorschlag blieben auch die gleichlautenden Pläne anderer regimefreundlicher Nachwuchs-Soziologen. Realisiert wurde die Idee eines exklusiven Frühwarnsystems ausgerechnet im Sicherheitsdienst der SS von Reinhard Höhn, dem ehemaligen Assistenten des Jenaer Soziologen Franz Wilhelm Jerusalem. Höhn begründete die von dem (in Landsberg gehenkten) Otto Ohlendorf fortgesetzte und mit einem riesigen Apparat von haupt- und nebenamtlichen oder freiwilligen Informanten, Spitzeln und Denunzianten ausgestattete »Lebensgebiet-Forschung« und »Lebensgebiet-Berichterstattung«, die zu jenen »Meldungen aus dem Reich« (17 Bände, 1984) zusammengefaßt wurden, die fast allen führenden Männern des NS-Regimes zugingen und von einigen (z. B. Goebbels) zur Entscheidungsfindung genutzt, von anderen als zersetzende Kritik und Defätismus scharf abgelehnt wurden.[2]
Erst in der Ära der sozialliberalen Koalition wurde der Gedanke der Ein-

richtung eines sozialwissenschaftlichen Frühwarnsystems im Dienst sozialpazifizierender Reformpolitik von führenden SPD-Politikern und dem damaligen Vorsitzenden der Deutschen Gesellschaft für Soziologie wieder propagiert. Auch hier wurde als wichtigste Funktion die Notlagen- und Aufruhr-Prophylaxe angegeben. Beides läßt sich nur erreichen, wenn das einzelne Individuum steuerbar wird. Der Frühwarn-Alarm wurde allerdings auch schnell wieder abgeblasen, wohl nicht zuletzt deswegen, weil man das Image der Aufklärungswissenschaft »Soziologie« nicht durch das Odium einer das Individuum anvisierenden Kontrollwissenschaft trüben wollte. Es hätte wohl eines Verdikts aus dem berufenen Munde eines für eine praktisch wirksame Soziologie plädierenden Fachvertreters, René König, nicht mehr bedurft: »Im Dienste des kommenden Polizeistaates wollten reaktionäre Kreise der Soziologie gar den Charakter eines ›Frühwarnsystems‹ vindizieren, um inneren Unruhen rechtzeitig zu begegnen«.[3]

Damit ist aber die Soziologie noch nicht aus dem Schneider. Der sozialwissenschaftliche Angriff auf das Individuum wird nur von anderen Bataillonen fortgesetzt, die sich elegant der fachwissenschaftlichen Anleitung zu bedienen wissen. Die Vision eines computergestützten Sonnenstaates des ehemaligen Chefs des Bundeskriminalamtes, Horst Herold, ist inspiriert vom gesellschaftstheoretischen Denken einer »richtigen« Ordnung des menschlichen Chaos und angewiesen auf die sozialwissenschaftliche Analyse der ›falschen‹ Verhältnisse und den Einsatz sozialtechnologischer Strategien und Instrumente. Auch wenn der eher bescheidene Ausläufer der soziologischen Frühwarnpläne, die »Allgemeine Bevölkerungsumfrage der Sozialwissenschaften«, das administrative Hilfswissen kaum in hinreichendem Umfang und Qualität liefern wird, da die Analysen im akademischen Arkanum sich an klassische kollektive Phänomene herantasten, ist in der Stellungnahme der Deutschen Gesellschaft für Soziologie zur Debatte um die Volkszählung noch etwas von dem alten gesellschaftsgestalterischen Willen spürbar.[4]

Der Verzicht auf gesamtgesellschaftliche Regelungskompetenz hat die quälenden Selbstzweifel an der konkreten Nützlichkeit sozialwissenschaftlicher Arbeit noch verstärkt. Diese lassen sich nur beseitigen, wenn die soziologische Analyse kollektiver Phänomene und Prozesse mit der Feststellung ›unordentlicher‹ Zustände oder bedrohlicher Entwicklungen gleichzeitig die am einzelnen ansetzenden Steuerungstechniken als politische Handlungsanweisung benennt. Konsequenterweise müßten dann auch positive Entwürfe einer ›richtigen‹ Ordnung vorgelegt werden: Der Sozialforscher als Gesellschaftsgärtner, der das ›Unkraut‹ dann aber jäten muß. Selektion lautet die Parole.

2. »Ausmerzende« Soziologie

›Vorbildlich‹ in seiner Konsequenz war der Hamburger Soziologe Andreas Walther Anfang der dreißiger Jahre. Es ist nur zu vernünftig, sozial
unangepaßte Familien oder Individuen zu definieren und »auszumer-
zen«, wenn sie als fehlerhafte Produkte prinzipiell erwünschter Grundstrukturen betrachtet werden. Andreas Walther, der im Gegensatz zur
etwas angestaubten deutschen Soziologie der zwanziger und dreißiger
Jahre eine moderne, am amerikanischen Vorbild orientierte Struktur-So-
ziologie vertrat, konnte die Praxisnähe seiner vordem chancenlosen groß-
stadtsanitären Pläne nach 1933 demonstrieren. Er trat am 1. Mai 1933
noch schnell in die Partei ein und nutzte geschickt die »rassenhygieni-
sche« Aufbruchstimmung, um seine Vorstellungen einer lückenlosen *Sozial*hygiene
voranzubringen. Walthers Projekt ist ein erhellendes Beispiel
für all jene symptomatisch-präventiven Sozialkontrollstrategien, die sich
ein jeweils zeitgemäßes Äußeres verschaffen. Hier nun standen sie im
Zeichen der rassenmythischen »Volkwerdung«. Ordnungsmodelle mit
anderen Vorzeichen stehen jederzeit zur Verfügung.

Im engen Kontakt mit den Hamburger Sozialbehörden führte Walther
mit bis zu zwölf akademisch ausgebildeten Mitarbeitern in den Jahren
1934/35 die »Notarbeit 51« durch, die von der »Notgemeinschaft der
deutschen Wissenschaft« (später: Deutsche Forschungsgemeinschaft) finanziert wurde. Dabei entwickelte er, konzeptionell und im Feldversuch
getestet, ein räumliches Raster »gemeinschädigender Regionen« der
Stadt Hamburg zur sozialwissenschaftlichen Anleitung eines alternativen
Modells zur herkömmlichen Flächensanierung von Slumgebieten. Es
ging ihm dabei um die Klärung des Zusammenhangs von Formen der
»Asozialität aller Art«. Diese sollten aber nicht nur als kollektive Erscheinungen, sondern zusammen mit ihren Trägern dingfest gemacht werden.
Durch die methodisch innovative Verknüpfung der umfangreichen perso-
nenbezogenen Datenbestände der Hamburger Behörden z. B. mit der
kartographisch fixierten Analyse des Wahlverhaltens sollte die präzise
»Entkernung« dieser Gebiete, d. h. die »Ausmerzung« der »gemein-
schädlichen Familien« ermöglicht werden, die man *vor* der Durchführung
von Sanierungsmaßnahmen isolieren wollte, um ihr Überwechseln in ›ge-
sunde‹ Viertel oder ihren Zuzug in andere Slumgebiete zu verhindern.
Dieses Verfahren sollte garantieren, daß die »gefährlichen Klassen«, die
Mischung aus sozialer Devianz und politischer Dissidenz, total erfaßt
würden. Damit hatte Walther seine bereits vor 1933 entwickelte Idee der
Sozialkartographie zu einem ausgeklügelten System des Datenabgleichs
entfaltet, das sehr hohe Effizienz versprach und von den Mitarbeitern der
Notarbeit 51, die im Anschluß an das Forschungsprojekt teilweise von

den Sozialbehörden übernommen wurden, bereits während der Feld-
phase durch Melden ›schädlicher‹ Personen im Vorgriff angewendet
wurde: Fortschritte einer praxisnahen Sozialforschung.

Andreas Walther war wohl einer der wenigen Soziologen, der ganz offen
die Rezepte seiner wissenschaftlichen Sozialhygiene auch exekutiert sehen wollte. Das Verfahren der analytischen Individualisierung der Be-
kämpfung aller Erscheinungsformen von sozial abweichendem Verhalten
ist allerdings auch heute noch üblich und zur Realisierung eines methodisch gesicherten Erkenntnisfortschritts auch unerläßlich. Die Untersuchung des Zusammenhangs von Suizid, Drogenkonsum, Alkoholmiß-
brauch und Sozialstruktur läuft z. B. stets Gefahr, einen ökologischen
Fehlschluß zu begehen. Der Vergleich der Ergebnisse auf Stadtteilebene
und kleinerer räumlicher Einheiten mit denen einzelner Straßenzüge ergibt, daß sich erst dort verläßliche Beziehungen zwischen beobachteten
Merkmalen behaupten lassen. Kombiniert mit einer Theorie des sozialen
Lernens von abweichendem Verhalten, folgt automatisch die Forderung
der administrativen Steuerung des individuellen Verhaltens.

Vielleicht wird auch in der Devianzforschung wie im Fall des staatspoli-
tischen Frühwarnsystems die Berührungsangst der Soziologen vor einer
Sozialkontrolle auf eigene Rechnung größer sein als der Wunsch, endlich einmal zu zeigen, was man wirklich leisten kann. Jedoch zeigt sich
auch diesmal die schon bei der kriminologischen Vision einer entsorgten
Welt aufgetretenen Idee von einem geordneten Zusammenleben, in dem
alle Übel präventiv oder sofort nach ihrem Auftauchen erledigt werden.
Das gesellschaftliche Böse ist ausgerottet, wenn keiner mehr seinen Ver-
lockungen erliegen kann. Bevor es soweit ist, muß es wiederum lokalisiert
und gegebenenfalls eliminiert werden. Wenn sich die sozialwissenschaftliche Profession verweigern sollte, hat ja inzwischen das Bundeskriminalamt eine eigene Forschungsabteilung. Der »Kriminalitätsatlas Bochum«, 1978 als Nr. 8 der BKA-Forschungsreihe erschienen, weist nicht
nur die Verteilung der Wohnsitze von Tätern, die Tatorte, räumliche Be-
bauung und zahlreiche soziale Tatbestände der Bevölkerung auf, sondern nimmt eine Einteilung des Gebiets bis hin zu Stadtvierteln und
Häuserblocks vor. Ein Sachverhalt, der in einem Leserbrief-Kommen-
tar[5] zutreffend mit dem nationalsozialistischen Blockwartsystem verglichen wird.

Fraglich ist, ob der Fortschritt bei den sozialwissenschaftlichen Kontroll-
konzeptionen nur eine notwendige Folge der Interessenlage bestimmter
forschungsfinanzierender politischer Instanzen ist. Vermutlich handelt es
sich um zwangsläufige, häufig nicht beabsichtigte Effekte der Fort-
schrittslogik sozialwissenschaftlicher Durchdringung konkreter Lebensverhältnisse. Entzaubert wird dabei weniger das Universum der Welten-

rätsel als die selbsternannte Entzauberungs-Disziplin. Skrupel sind also angebracht. Gut, wenn sie gerade jenen engagierten Sozialforschern kommen, die mit einem »subjektivitätsorientierten« Ansatz unwillkürlich auf das ungeschützte Individuum stoßen.

Im Anschluß an die selbstkritische Bilanzierung ihres durch einen politischen Auftraggeber finanzierten Forschungsprojektes über den Erziehungsalltag in Unterschicht-Familien, in dem als zentrales Ziel der Untersuchung die Problemsicht der Familien und Familienmitglieder thematisiert werden sollte, beunruhigt die Münchener Gruppe von Sozialforschern die »Beliebigkeit der Verwendungszusammenhänge subjektivitätsorientierter Forschung«. In dem Maße, wie die Integrationskraft sozialstaatlicher Maßnahmen schwindet, ist ein politischer Auftraggeber subjektivitätsorientierter Forschung auf Ergebnisse erpicht, die ihm präzise angeben, wo operativ zu intervenieren ist. Sein »Interesse an der Wirkungsgenauigkeit sozialstaatlicher Maßnahmen (geht) in ein Interesse an präventiver Kontrolle über«.[6] Die Autoren verweisen in diesem Zusammenhang auf die USA, wo im Rahmen der in der Jugendhilfe durchgeführten »Entkernungs-« und »Diversions-Programme« für straffällig gewordene Jugendliche die Familien bewußt als Normalisierungs- und Kontrollinstanz eingesetzt wurden. »Diese Programme werden auf dem modernsten Stand der familientherapeutischen Konzeptbildung entwickelt: Um Straffälligkeit zu erklären, gibt es keinen Rückgriff auf milieu-theoretische Ansätze oder auf Konstrukte der individuellen Schuld oder der Pathologie mehr, sondern es tritt ein Konzept familialer Beziehungskrisen an deren Stelle. Delinquenz wird interpretiert als Zeichen für die Hilfsbedürftigkeit der Familie.«[7]

Die Familie, die ›Keimzelle des Staates‹, wird automatisch zum Zielobjekt einer durch Methodenverfeinerung ihre Eingriffskapazität steigernden Sozialwissenschaft. Moderne theoretische Konzepte, die Entdeckung der »Lebenswelt« machen es möglich. Andreas Walther wollte vor fünfzig Jahren soziale Abweichungen und politische Dissidenz mit der ›Säuberung des Volkskörpers‹ von »gemeinschädigenden Familien« aus der Welt schaffen. Heute wird prophylaktisch in der Familie Normenbruch und unerwünschte Individualität behandelt. Ein Fortschritt? Sollten sich die akademischen Repräsentanten der Sozialwissenschaften diesem ihnen peinlichen Fortschrittsdruck entziehen, so ist bereits vorgesorgt. »Seit einigen Jahren haben nun die Justiz- und Strafverfolgungsbehörden ihre eigenen Forschungsgruppen aufgebaut, so beispielsweise im Bundeskriminalamt und beim Niedersächsischen Justizministerium. Diese Forschungsgruppen verfügen mittlerweile über rund 50 Mitarbeiter und einen Jahresetat von über vier Millionen Mark. Darunter arbeiten einige, wie beispielsweise die Gruppe im Bundeskriminalamt, mit lebensweltorientierten Ansätzen, allerdings unter der strikten Orientierung an den Erfordernissen der Kriminalitätsverhütung und -bekämpfung.«[8]

3. Objektivierung

Angesichts dieser Entwicklung wirken die Versuche in der derzeitigen Verwendungsforschung, einen »klinischen Soziologen« zu schaffen, der den Fundus an soziologischem Aufklärungswissen den ›Verwendern‹ nahebringt, nicht nur sprachlich, sondern lebensweltlich sehr aseptisch: »Das aus der unengagiert-distanzierten Perspektive der Sozialforschung gewonnene Wissen kann resistenzfrei, d. h., ohne verzerrende ideologische oder sozialtechnologische Umformungen, nun von jenen Handlungssubjekten rezipiert werden, die bereit und in der Lage sind, sich analog zur beobachtenden Einstellung des Sozialwissenschaftlers aus einer unmittelbaren lebensweltlichen Involviertheit in soziale Beziehungen herauszuheben, da die Erkenntnis dieser Beziehungen als strukturbedingten nicht primär an kognitive, sondern an handlungslogische Voraussetzungen gebunden ist.«[9] Hier müßte gefragt werden, inwieweit auch der mit einem solchen Über-Wissen auftretende »klinische Soziologe« nicht nur von den jeweils Betroffenen als Agent des Systems wahrgenommen werden muß, sondern als privilegierter Besitzer eines bedrohlichen Gegen-Wissens nicht objektiv als letzterem angehörig betrachtet werden muß. Völlig offen ist, ob die im folgenden vorgenommene Aufgabenstellung für den »klinischen Soziologen« den Anforderungen, denen sich handelnde Subjekte in einer konkreten Entscheidungssituation ausgesetzt sehen, überhaupt gerecht werden kann. Wissen über strukturelle Zusammenhänge ist bekanntlich kein brauchbares Handlungswissen. »Dieses advokatorische Verhältnis erfordert neben dem Fachwissen eine Kompetenz des Professionellen dafür, Verstehensprozesse interaktionell zu gestalten, um dem lebenspraktisch Betroffenen über eine situativ hergestellte distante Einstellung einen Erkenntnisprozeß zu aufgeklärteren Begründungen seiner Entscheidungen zu ermöglichen.«[10] Aufgeklärte Begründungen sind kein Kriterium für erfolgreiches Alltagshandeln. Die Anleitung zu lebenspraktisch richtigem Handeln resultiert nur in den seltensten Fällen aus der Kenntnis der Zusammenhänge und Funktionsprinzipien sozialer Systeme oder Gesellschaften, ausschlaggebend für den Erfolg ist die Erfahrung vor Ort oder ein guter Rechtsanwalt. (Und staatlich-politische Abnehmer von Hintergrundwissen warten nicht auf den »klinischen Soziologen«.) Der aufgeklärte, herrschaftskritische, advokatorische »klinische Soziologe« ist eine ebenso große Bedrohung für die

Lebenswelt wie sein administrativer Gegenspieler, der das Geschäft der Ordnung nur aus einem anderen Blickwinkel betreibt. Die Soziologie auf dem Wege zur Profession muß allerdings zwangsläufig in dieses Dilemma geraten. Die berufspolitisch vernünftige Idee eines advokatorischen Einsatzes der Disziplin betreibt die Entmündigung, die sie im Namen der Vernunft aufzuheben vorgibt. Darüber sind sich auch schon deren Protagonisten im klaren. Die »Klienten« haben eh schon lange ihre Handlungskompetenz eingebüßt. »Der ›klinische Soziologe‹ bleibt eine Forderung, die am ehesten realisierbar scheint in der Interaktion von Soziologen mit anderen Professionellen – sozusagen im Verfahren einer ›Sekundärverwissenschaftlichung‹, da hier wegen der Ähnlichkeit der Perspektiven eine relativ geringe ›klinische‹ Kompetenz gefordert ist. Im Umgang mit dem Einzelschicksal der Laien dürfte die Verwendung soziologischen Wissens als Beschaffung von Rationalität im Sinne von ›Aufklärung‹ eher umschlagen in eine therapeutisch gerichtete Herstellung von Verständigung in einer beschädigten Lebenspraxis, ohne daß die Chance entsteht, das Argument der strukturellen Sichtweise anzustrengen«.[11] Auf diese Sichtweise trifft zu, was in bezug auf die Vorstellung einer prinzipiell unpolitischen Naturwissenschaft, die erst mit ihrer Aneignung durch eine andere als die eigene gesellschaftliche Gruppe politisch werde, gesagt wurde. »Eine weitgehend akademische Linke mag an diesem Bild festhalten wollen, weil ihre gesellschaftliche Position prinzipiell nicht anders ist. Auch für sie ist Verfügung über den wissenschaftlichen Diskurs ein Stück Machtbeteiligung. Mit einer wirklichen Ablehnung des Bildes von der unpolitischen Wissenschaft könnte sie sich zugleich den Ast absägen, auf dem sie sitzt.«[12]

Verfügungsrechte über den wissenschaftlichen Diskurs besitzen, teilhaben an der wissenschaftlichen Weltdeutung oder Professioneller in Sachen Vernunft zu sein, ist gleichbedeutend mit der ständigen Gefahr, in Wahrheit unvernünftig zu handeln, so die bekannte Mahnung von Georges Bataille, da die ›Herrschaft der Vernunft‹ wiederum nur ein Gewaltverhältnis bezeichnet. In diesem Sinne machtbesessen sind Sozialforscher bereits dann, wenn es ihnen nur darum geht, Fortschritte auf dem Weg der Modernisierung ihrer Erkenntnismittel zu erzielen. Es wird deswegen bereits zu Recht eindringlich vor den Folgen der jüngsten Versuche gewarnt, das philosophische Konzept und praktische Kommunikationsmedium »Verstehen« zu einer sozialwissenschaftlichen Erkenntnistechnologie zu entwickeln, das noch die individuellsten Tiefenstrukturen des Bewußtseins aufdecken und manipulierbar machen soll.

»Nicht bedacht zu haben, was mit uns geschieht, wenn das Verstehen zur Methode verabsolutiert und der Wille zum Wissen übermächtig wird und auch vor dem menschlichen Bewußtsein nicht Halt macht, ist das gegenwärtige Hauptproblem der Hermeneutischen Wissenschaften. Sozialwissenschaftlich ausgedrückt: Ich habe den Verdacht, daß man unter dem Zwang durchzusetzender Reformen im Sozial- und Bildungswesen die möglichen Nebenfolgen einer Entwicklung nicht ernst genug genommen hat, die in letzter Konsequenz im Bereich der Forschung zur völligen Enteignung des Bewußtseins der Ausgeforschten und im Bereich des Handelns die totale Pädagogisierung und Therapeutisierung, d. h. die allgegenwärtige soziale Kontrolle und damit universelle Entmündigung zur Folge zu haben droht.

Die sich bereits deutlich abzeichnende Tendenz zum Staat der Psychokraten und Sozialuntertanen, einer zunehmend unentrinnbarer werdenden Betreuung liegt grundsätzlich betrachtet im Mißverständnis des Verstehens als einer Methode, die als Methode prinzipiell ebenso unstillbar und -befriedigbar ist wie die Logik technischer und instrumenteller Vernunft, die all ihre Gegenstände verdinglicht und somit verfügbar macht.

Der Wünschtraum, der sich hinter den mehr und mehr verfeinernden Methoden der ›Kommunikativen Sozialforschung‹ mit ihren Tiefeninterviews sowie einer sich durchsetzenden Praxis allgegenwärtiger Beratung verbirgt, sind Bewußtseinsformen, die wie ein aufgeschlagenes Buch vor den Augen des Forschers und Beraters liegen. Wenn endlich auch das letzte Deutungsmuster ausbuchstabiert, jede Form abweichenden Verhaltens rückstandslos begriffen und in ihrer psychischen und sozialen Bedingtheit ausgeleuchtet ist, dann, so steht zu hoffen, liegen die Bedingungen frei, die es einzelnen und vielen gestatten, sich selbst und anderen durchsichtig zu werden und sich und andere so zu verändern, daß das, was einst krank, fremd und anstößig schien, einmal gesund und genehm sein wird.«[13]

Die Gefährlichkeit dieser Tendenzen in den Sozialwissenschaften ist nicht zu unterschätzen, da sie eine lange Tradition haben und sich in Nachbardisziplinen im Zuge ihrer Versozialwissenschaftlichung, d. h. der Durchsetzung sozialtheoretischer Wert- und Normvorstellungen von einer guten Ordnung, eingenistet haben. Der vor den Nationalsozialisten geflohene Sexualforscher Magnus Hirschfeld wollte nicht nur noch im August 1933 »die Hitlerschen Experimente« in der Eugenik abwarten, da er ein Anhänger eugenischer Züchtungsideale war. Er experimentierte aus seiner Fortschrittsgläubigkeit heraus auch mit Menschen und überwies homosexuelle Männer zur einseitigen Kastration und zur Überpflanzung eines ›heterosexuellen‹ Hodens. Volkmar Sigusch, den es schmerzt, die »aufklärerische Haltung, die in Mythologie zurücksinkt, weil sie ihre eigene Zerstörung nicht erkennt«, gerade am verehrten Hirschfeld exemplifizieren zu müssen, sieht die Ursache dafür in dessen Mißtrauen gegen alle Metaphysik. Nur die aber hätte der Sexualwissenschaft selber die Augen öffnen können.

Wie sollte das eigentlich möglich sein: die Unvernunft der Triebe, die Anarchie der Lust zusammengesperrt mit Rationalität? Definieren, was undefinierbar ist? Einheit schaffen, wo Widersprüche herrschen? Auf unsere Vernunft ziehen, was dagegen opponiert?

Hirschfeld focht das nicht an, er handelte von den -ismen, -keiten, -lungen, -täten, also von den Sexualformen, die in den letzten Jahrhunderten gesellschaftlich fabriziert worden sind und die wir seither als vergegenständlichte mit dem neuen Ausdruck umfassen – Sexualität. Das Wort verschweigt nicht, worum es geht: dingfest machen. Das ist der gesellschaftliche Auftrag aller Sexualwissenschaftler seit dem Marquis de Sade, den Hirschfeld nicht unterlief.

Allerlei ›sexuelle Zwischenstufen‹, vorneweg die homosexuelle und die lesbische, wurden ausspioniert, zur Selbstpreisgabe angehalten, festgenagelt, in eine Identität gezwungen.«[14]

Auch hier zeigt sich, daß einzelwissenschaftliche Aufklärung aus durchaus lauteren oder idealistischen Motiven das Individuum gleichzeitig schutzlos macht gegenüber wohlmeinender oder offen repressiver Normierung. Dennoch soll dies nicht als Plädoyer für Mystizismus, Neue Gefühligkeit oder ein politisches Rollback mißverstanden werden. Die Erfahrungen mit den neuen Philosophen und ihren Jüngern sind noch zu frisch. »Mit lautem Kriegsgeschrei hat man die alten Gewalten der Rationalität, des Marxismus, der Theorie überhaupt durch die Vordertür hinausgeworfen und dabei zugelassen, daß durch die Hintertür noch ältere Gestalten eindrangen und die befreiten Gebiete okkupierten.«[15] Ein Rückgriff auf die resignative Attitüde des Weiter-Philosophierens trotz der »Dialektik der Aufklärung« wäre auch nicht zeitgemäß. Habermas' deutliches Wort zum schicken Theoretisieren gegen die Vernunft ist nur zu berechtigt. »Der Kreuzzug gegen eine zur Totalität aufgespreizte instrumentelle Vernunft nimmt selbst totalitäre Züge an.«[16] Es geht auch bei der Diskussion um die fachwissenschaftlichen Perspektiven der Soziologie um die Frage, »ob wir die Selbstkritik einer mit sich zerfallenden Moderne *fortsetzen* und ob wir innerhalb des Horizonts der Moderne selber von den Pathologien des verfügenden Denkens Abstand gewinnen können«.[17]

Die Soziologie ist dabei doppelt gefordert, da sie parallel zu dieser Aufgabenstellung ihr auf verfügendes Denken angelegtes Erbe bewältigen muß, denn seit »ihrer Entstehung als Einzelwissenschaft, die ihr methodisches Vorgehen reflektiert und nach trennscharfen Abgrenzungskriterien für spezifische sozialwissenschaftliche Gegenstandsbereiche sucht, trägt die Soziologie den Stempel des Restaurativen und der Begründung und der Wiederherstellung von Ordnung«.[18] Trifft es zu, wie Thomas Mathiesen meint, daß wir es gegenwärtig nicht mehr mit Vertrauens-, Ökono-

mie- und Sozialkrisen zu tun haben wie in früheren Phasen kapitalisti-
scher Entwicklung, auf die andere Fachwissenschaften Antworten finden
mußten, sondern mit einer »Kontrollkrise«, für die die Soziologie zuständig sei, dann sind die Aussichten allerdings trübe. »Im Zusammenhang
mit dem Bedürfnis nach allgemeiner Kontrolle bieten die Soziologen gegenwärtig ihre Dienste an. Mit ihrer Ausrichtung auf praktische Forschung sind sie gegenwärtig dabei, zu disziplinierten Kontrolleuren zu
werden.«[19]

Aus dieser Sicht wäre Tenbruck, der ansonsten die gesellschaftsprägende
Kraft der Sozialforschung überschätzt, die angeblich »nur mehr die Wirkungen ihres eigenen Tuns« erfasse, zuzustimmen, wenn er befürchtet,
daß die Menschen sich nicht mehr als ganzheitlich handelnde Subjekte
verstünden, sondern nur noch in ihren jeweiligen Rollen als Merkmalsträger. Sie haben sich daran gewöhnt, »sich selbst nicht mehr als Glieder
von irgendwelchen Beziehungen, sondern als Mitglieder, Vertreter und
Interessenten jener künstlichen Gruppen zu verstehen, welche die Sozialforschung als die gesellschaftliche Wirklichkeit vorführt. Die Umdeutung
des Menschen in Merkmalsträger, die Umfälschung der Wirklichkeit in
Merkmalsgruppen konstituiert heute das Gesellschaftsverständnis«.[20]

Dieser scheinbaren Zwangsläufigkeit soziologischen Erkenntniswillens
und erst recht jeder darauf ausgerichteten Professionalisierungsstrategie
muß entschieden entgegengetreten werden. »Verstehen und Heilen zum
Beruf zu machen, bedeutet, diese Tätigkeiten zu Instrumenten aktiver
Welt-, Selbst- und Fremdbeherrschung zu machen. Durchdringt dies
Denken dann auch noch die *Gesellschaftstheorie*, so ist der *Wille zur
Macht* nicht mehr zu verkennen.«[21] Nicht selbst auferlegte Ohnmacht lautet die Parole, sondern die alte Hoffnung der Auflösung von Herrschaft
durch aufklärende Gegenmacht ist die Leitidee.

JOACHIM WILLE

Wissenschaft im Gen-Rausch

> In unseren Tagen scheint jedes Ding mit seinem Gegenteil schwanger zu gehen. Wir sehen, daß die Maschinerie, die mit der wundervollen Kraft begabt ist, die menschliche Arbeit zu verringern und fruchtbarer zu machen, sie verkümmern läßt und bis zur Erschöpfung auszehrt. Die neuen Quellen des Reichtums verwandeln sich durch einen seltsamen Zauberbann zu Quellen der Not. Die Siege der Wissenschaft scheinen erkauft durch einen Verlust an Charakter. In dem Maße, wie die Menschheit die Natur bezwingt, scheint der Mensch durch andere Menschen oder durch seine eigene Niedertracht unterjocht zu werden. Selbst das reine Licht der Wissenschaft scheint nur auf dem dunklen Hintergrund der Unwissenheit leuchten zu können. All unser Erfinden und unser ganzer Fortschritt scheinen darauf hinauszulaufen, daß sie materielle Kräfte mit geistigem Leben ausstatten und das menschliche Leben zu einer materiellen Kraft verdummen.
>
> Karl Marx, Friedrich Engels
> *Werke, Bd. 12, S. 3 f.*

Die Anmeldung der Experimente war »einfach vergessen« worden. So lautete Anfang März 1986 der lapidare, gleichwohl vielsagende Kommentar eines Sprechers der Heidelberger Firma »Gen-Bio-Tec«, als durch einen Bericht der Frankfurter Rundschau bekanntgeworden war, daß die Firma gegen die Meldepflicht für gentechnische Experimente verstoßen hatte. Seit 1978 müssen Institute, Laboratorien oder Firmen, die Organismen gentechnisch verändern, also Lebewesen »herstellen«, die sonst in der Natur nicht vorkommen und die vom Bonner Forschungsministerium gefördert werden, eine Verpflichtung eingehen, diese Experimente an die »Zentrale Kommission für Biologische Sicherheit« (ZKBS) zu melden und zur Prüfung vorzulegen. Bei »Gen-Bio-Tec« freilich – Minister Riesenhuber hatte mit knapp einer Million DM unter die Arme der Forscher gegriffen – wollte sich das rechte Unrechtsbewußtsein nicht einstellen. Schließlich habe man die Experimente ja nachträglich noch angezeigt. Und außerdem habe Bonn gewußt, welche Art von Forschung man in Heidelberg betreibe. Man entwickele unter anderem blutgerinnungshemmende Arzneimittel durch Übertragung von fremden Genen auf Coli-Bakterien. Kein Grund zur Aufregung also?

Im November 1985 hatte die kalifornische Biotechnik-Firma »Advanced Genetic Sciences« einen – wie sich zeigte vorläufigen – Sieg gegenüber Umweltschützern und einer besorgten Öffentlichkeit davongetragen. EPA, die Umweltbehörde der USA in Washington, erlaubte der Firma, Freilandversuche mit von ihr künstlich erzeugten Mikroben durchzuführen, die Kulturpflanzen vor Frost schützen sollen (»frostban« und »iceminus« genannt). Dann aber erhielt die »fortgeschrittene« Wissenschaft aus Oakland bei San Francisco einen Dämpfer. 20000 US-$ Strafe und den Entzug der Genehmigung für den Versuch kostete das Unternehmen die durch die Washington Times bekanntgewordene Tatsache, daß es schon seit Februar 1985, also acht Monate vor Erteilung der Erlaubnis, Versuche mit »frostban« auf dem Dachgarten des Betriebsgebäudes unternommen hatte. Die EPA zog die Erlaubnis am 24. März 1986 zurück und verpflichtete die Gen-Techniker, Daten über das Verhalten von »frostban« im Gewächshaus zu liefern. Vorher könne in keinem Fall mit einer neuen Genehmigung gerechnet werden, wurde »Advanced Genetic Sciences« beschieden. Bei einer Anhörung im US-Kongreß hatte die Firma den Verdacht, ihre »frostban«-Bakterie habe in behandelten Bäumen zu Tumorbildung geführt, nicht ausräumen können. Kein Grund zur Panik?

1. Gen-Technik: erst am Anfang

Nicht einmal ein halbes Jahrhundert ist es her, daß Wissenschaftler der materiellen Seite des »Geheimnisses des Lebens« auf die Spur kamen. 1944 gelang dem US-Vererbungsforscher O. Th. Avery und Mitarbeitern der Nachweis, daß die sogenannte Desoxyribonucleinsäure (DNS), eine hochmolekulare organische Verbindung im Zellkern, Trägerin des Erbgutes, der Gene, ist. Avery konnte zeigen, daß sich bei der Übertragung von DNS einer Bakterie auf eine andere Bakterie Eigenschaften »verpflanzen« lassen, die dann an die Nachkommen der »neuen« Bakterie vererbt werden, also in deren Erbgut übergehen. Röntgenaufnahmen der Struktur kristalliner DNS und biochemische Mengenanalysen der DNS-Bausteine, damals vom heute zum vehementen Gentechnik-Kritiker konvertierten Erwin Chargaff gemacht, ermöglichten 1951 den Biotechnikern James Dewey Watson (USA) und Francis Crick (Großbritannien) die Erstellung eines Modells eines DNS-Moleküls als Doppelspirale (Doppelhelix).

Was als wichtigste genetische Entdeckung seit der Formulierung der Mendel'schen Vererbungsgesetze (1865) gefeiert wurde, Watson und Crick den Nobelpreis für Medizin einbrachte und heute die Biologie-Schulbücher der Fünfzehnjährigen ziert, war der Beginn einer überaus rasanten Entwicklung molekularbiologischer Forschung. Was in Chemie und (Atom-)Physik schon Jahrzehnte früher erreicht war, nämlich die Synthetisierung naturfremder Substanzen (»Kunst«-Stoffe und eine Palette zum Teil hochgiftiger »Nebenprodukte«) oder die Herstellung neuer Atome und Isotope vermittels Kernspaltung, schien auch in der Biologie plötzlich möglich: die Selbsterhebung des Menschen über die Natur und naturgegebene Grenzen. Eine gezielte Manipulation der Erbsubstanz erschien den Forschern möglich, die geplante Neuschaffung der Natur nach – idealistisch gesehen – den Bedürfnissen der Menschen, oder – weniger idealistisch gesehen – den Bedürfnissen der Menschen, die über die Bedürfnisse der anderen Menschen bestimmen können.

Ein Symposium des Schweizer Pharma-Konzerns Ciba Geigy im Jahr 1962, eine »Ideenkonferenz«, der viele hochrangige Wissenschaftler die Ehre gaben, belegte die Aufbruchsstimmung überdeutlich. Ethische Fragen über die Zulässigkeit genetischer Manipulationen, über das »Ein-bißchen-Gott-Spielen«, wurden nicht gestellt, die freie Verfügbarkeit nichtmenschlicher Natur vorausgesetzt. Als mögliches und durchaus erstrebenswertes Meisterstück aber stellten Wissenschaftler die gentechnische Optimierung des im Normalfall mit lästigen Schwächen behafteten Menschen, das »Gott-Spielen«, vor. Allen Ernstes wurde die Idee vorgetragen, Astronauten zur Verbesserung ihrer Aktionsfähigkeit im schwerelosen Raum Schwänze wie die von Gibbon-Affen »anzuzüchten«. Die genetische Information für die Ausbildung eines solchen »Greifwerkzeugs«, so die Vorstellung, könne man aus den Erbanlagen eines Affen entnehmen und dann den Astronauten-Embryos in die Keimbahn einbauen.

1962 freilich waren Voraussagen über das Einbauen fremden genetischen Materials noch Spekulation. Erst fünf Jahre später fanden verschiedene Forscherteams die wichtigsten Instrumente der Gen-Chirurgie, Restriktionsenzyme in der Zelle, die als »Skalpell« zum Zerschneiden der DNS zu benutzen sind, und Ligasen, die das neuerliche »Zusammenkleben« der DNS-Teile ermöglichen. 1976 gelang in Boston die Herstellung eines künstlichen Gens aus 126 Bausteinen. Und 1977 konnte der kalifornische Biochemiker Howard Goodman einen Erfolg verbuchen, der die Gentechnologie mit einem Schlag auch ökonomisch, sogar bei kurzfristigem Rentabilitätsdenken, interessant machte: Ihm gelang es, einer Coli-Bakterie, wie sie etwa im menschlichen Darm zu finden ist, das Gen einzupflanzen, das beim Menschen für die Produktion des Bauchspeicheldrüsenhormons Insulin verantwortlich ist. Die neu hergestellte Bakterie begann nun, sich ständig weiter vermehrend, selbst Insulin herzustellen. Die großtechnische Verwertbarkeit dieses Experiments lag auf der Hand (gentechnisch hergestelltes Insulin ist auf dem Markt, in der Bundesrepu-

blik hat Hoechst die Aufnahme der Produktion für die nahe Zukunft ange-
kündigt). Heute sind Molekularbiologen in der Lage, DNS-Bruchstücke
ganz verschiedener Herkunft, etwa von Bakterien oder Viren, aber auch
von höherstehenden Organismen, von Tieren etwa, miteinander zu ver-
schweißen, in eine »Wirts-Bakterie« einzubauen und das neugeschaffene
Leben so – durch die Zellteilung der Bakterie – zu vervielfältigen. Als
Schlagwort für dieses Vorgehen hat sich »DNS-Rekombination« eingebür-
gert. Befürworter und Kritiker der Gentechnologie sprechen von der Konstruktion von Lebewesen »nach Maß«, was suggeriert, man sei von den
Gesetzen der Evolution unabhängig geworden.

2. Erschrecken unterwegs und unerschrockenes Fortschreiten

In den siebziger Jahren, als der gentechnische Fortschritt immer deutlicher wurde, klinkten sich des öfteren Wissenschaftler aus. Ihnen waren
Bedenken gekommen, ob das, wozu sie fähig waren, angesichts der möglichen Gefahren auch zu rechtfertigen war. Ärger unter den Kollegen beispielsweise handelte sich Andrew Lewis ein, der 1971 die Erbanlagen von
Grippe- und Tumorviren zusammenbaute und dafür strenge Sicherheits-
maßnahmen forderte. Nur mühsam konnte er sich gegen den Vorwurf
durchsetzen, er behindere die wissenschaftliche Arbeit. Ein paar Jahre
später stoppte der renommierte US-Wissenschaftler Paul Berg Experimente, bei denen Krebsviren in Coli-Bakterien eingepflanzt wurden. Die
Gefahr, neue krebserzeugende, womöglich völlig resistente Krankheits-
erreger zu erzeugen, wog ihm schwerer als möglicher Gewinn an Erkenntnis und wissenschaftlicher Reputation. Auch ein Forscher der
US-Firma General Electric führte damals seine Arbeiten mit einer umge-
bauten Coli-Bakterie, die menschliche Exkremente in Methangas um-
wandelt, nicht fort. Die Aussicht darauf, was beim Eindringen der Bakterie in menschliche Verdauungsorgane passieren könnte, bewog ihn und
seine Mitarbeiter dazu, die Coli-Kulturen zu vernichten.
Besagter Paul Berg war auch der Initiator der in die Wissenschaftsgeschichte eingegangenen Konferenz von Asilomar (Pacific Grove, Kalifornien). 1975 trafen sich dort 140 Wissenschaftler, um die Gefahrenpoten-
tiale der »DNS-Rekombinationstechnik« zu erkunden und Mechanismen
einer (Selbst-)Kontrolle der Wissenschaftler zu finden. Berg hatte 1974
seine Kollegen in einem Brief an die US-Wissenschaftszeitschrift
»Science« aufgefordert, keine Gene in Mikroorganismen einzupflanzen,
die Menschen anstecken könnten, und damit unter den Genforschern
eine heftige Diskussion in Gang gesetzt. In Asilomar einigten sich die
Teilnehmer auf Mindest-Sicherheitsstandards bei ihrer Arbeit; für be-

stimmte, als besonders gefährlich erachtete Experimente, wurde sogar ein freiwilliger Forschungsstopp empfohlen. Zwei Tage nach Asilomar konstituierte sich eine Arbeitsgruppe der US-Gesundheitsbehörde, die erstmals verbindliche Richtlinien für die neue Technologie und entsprechende Forschung erließ. Dabei wurden die Prinzipien von Asilomar im wesentlichen übernommen.

In der Rückschau wird klar, daß Asilomar ein Glücksfall – und ein fast einmaliger Sonderfall – für diejenigen war, die verhindern wollten, daß Naturwissenschaften zu Geheimwissenschaften werden, die Forschung und Technikanwendung zur öffentlichen Sache erklären und der Öffentlichkeit ein Recht auf Kontrolle zusprechen. In den USA bildeten sich die ersten Bürgerinitiativen, an den großen Universitäten gewannen Kritiker einer ungehemmten Forschung an Gewicht. Der japanische Biochemiker Atuiro Sibatani, 1965 bis 1985 wissenschaftlicher Leiter bei der Forschungsorganisation des Commonwealth in Sidney, beschreibt die siebziger Jahre in der Gentechnik als Zeit des »Rechtfertigungszwangs«. Im damaligen Klima, als die schaurigen Prophezeiungen der Menschenzüchtung noch im Gedächtnis waren, hätten die Gentechniker und Molekularbiologen der Öffentlichkeit Rechtfertigung geschuldet. Auf beiden Seiten sei man einfach davon ausgegangen, daß die Experimentatoren und möglichen industriellen Verwerter der Erkenntnisse ihr Tun als ungefährlich beweisen müssen.

In den achtziger Jahren, so die Erfahrung des Japaners, sei es genau umgekehrt. »Selbstbegrenzung« und »Selbstkontrolle«, für die Asilomar stand, seien völlig aufgegeben worden. Da es in den Gen-Labors und in den ersten kommerziellen Produktionsstätten bisher nicht zu einem größeren Unfall, zumindest nicht zu einem nachgewiesenen, gekommen sei, man keine neuen »Epidemien« erlebte und über Spätfolgen keine Aussagen gemacht werden können, müßten heute die Kritiker der Gentechnologie die Existenz oder Wahrscheinlichkeit von Gefahren nachweisen – während die Befürworter einfach »drauflos« forschten oder forschen ließen, zum Teil unter deutlich gesenkten Sicherheitsstandards. »In manchen Labors ist Sicherheit heute Zufall«, berichtete Sibatani im März 1986 auf einem wissenschaftlichen Symposium in Heidelberg. Seine lapidare Einschätzung: »Wir sind in einer bösen Situation.«

Tatsächlich ist der Übergang zwischen der Selbstkritik der Wissenschaftler von Asilomar und der Goldrausch-Mentalität ihrer Nachfolger in den achtziger Jahren fließend. Schon im ersten halben Jahr nach Asilomar formierte sich unter den US-Wissenschaftlern eine Opposition gegen die angebliche Selbstbeschneidung durch den Asilomar-Kodex. Der Ansicht, die Gefahren der neuen Technologie seien bei weitem überschätzt worden, schien sich nach und nach auch die US-Gesundheitsbehörde anzuschließen. Sie lockerte innerhalb von fünf Jahren die Sicherheitsrichtlinien so sehr, daß die ursprüngliche Absicht eines präventiven Schutzes der in den Gen-Labors Arbeitenden und der Bevölkerung kaum noch zu erkennen war. Weiter wurde die Allgemeinverbindlichkeit der Leitlinien aufgehoben. Sie galten dann nur noch bei staatlich finanzierten Projekten und wurden privaten Labors und Firmen als freiwilliger Verhaltenskodex »anempfohlen«. Grundsätzlich aber krankte die Gesundheitsbehörde daran, daß sie zu keinem Zeitpunkt über die gesetzlichen Mittel zur Durchsetzung ihrer Gentechnik-Politik hatte.

3. Gene Meets Money

»Da sitzen wir in einer Kapelle am Rande des Ozeans dicht gedrängt um einen verbotenen Baum der Erkenntnis und versuchen, ein paar neue Gebote zu erschaffen – nur der verdammte Moses ist weit und breit nicht in Sicht.« Auf Moses zu warten, ein Teilnehmer von Asilomar sah sich und seine Kollegen so, kam in den Jahren nach 1975 außer Mode. Etwas kam dazwischen: 1976 setzte in den USA die Kommerzialisierung der Gentechnologie ein; damals entstand die erste Firma, die sich ausrechnete, man könne mit der gezielten Neuschaffung der Natur im Labor auch Profit machen. Legendär ist die Geschichte vom Gang des Unternehmens »Genentech« nach Wallstreet im Jahre 1980: Innerhalb von zwanzig Minuten stieg der ursprünglich auf 35 US-$ angesetzte Kurs auf 89. Die finanziellen Hoffnungen, die die Gentechnik auslöste, stellten das bisher Dagewesene in den Schatten. Niemals vorher hatten die Firmen so schnell solche Mengen an Kapital mobilisieren können. Diese besondere Attraktion ließ auch viele Wissenschaftler nicht kalt.

Die Gentechnologie unterscheidet sich von anderen Technologien besonders auffällig dadurch, daß zwischen den Ergebnissen der sogenannten Grundlagenforschung und ihrer profitablen, auch im großtechnischen Maßstab sinnvollen Anwendung nur ein kleiner Schritt liegt. So stellte sie mit der Möglichkeit, das menschliche Insulin-Gen in eine Bakterie einzuschleusen, die bisherige, aufwendige Insulin-Gewinnung (aus Tierorganen) um auf einen billigeren, rationalisierten großtechnischen Prozeß. Was also lag näher, als daß sich die Wissenschaftler selbst um die finanzielle Verwertung ihrer Arbeiten kümmerten? Die Wissenschaft war viel unmittelbarer als vorher zu einer Produktivkraft geworden.

Die wirkliche »Gründerzeit« der US-Genindustrie, nach vereinzelten Firmengründungen in den siebziger Jahren, datiert in die erste Hälfte der achtziger Jahre. 1981 gab es eine Handvoll Gen-Firmen in den USA, 1982 waren es 194, von denen viele bereits in der Gewinnzone arbeiteten. 1985 zählte man sogar 350 Firmen. Interessant ist dabei, daß viele der Biotech-firmen direkt aus den Universitäten entstanden, wofür das US-System der privaten Hochschulen wie maßgeschneidert ist – ganz im Gegensatz zu dem der staatlichen Finanzierung einer (im Idealzustand) unabhängigen und wertneutralen Forschung und Lehre in der Bundesrepublik Deutschland. Schätzungen besagen, daß beispielsweise die Universitäten Stanford und die Hochschule von Kalifornien in San Francisco aus zwei von ihnen gehaltenen Patenten im Bereich der Gentechnologie eine Milliarde US-$ einnehmen werden. Eine neue Untersuchung zeigt denn auch, daß in einigen Forschungsbereichen der Prozentsatz an Hochschul-Wissenschaftlern, die an der kommerziellen Verwertung der Gentechnologie beteiligt sind, 50 % oder mehr beträgt. Die Tendenz, so wird berichtet, sei weiter steigend. Auch der »Vater« von Asilomar, Paul Berg, dies sei am Rande angemerkt, ist heute Aktionär einer Gentech-Firma und hat offensichtlich seinen Frieden mit der neugeschaffenen Natur geschlossen.

Von Umweltschützern und anderen besorgten Beobachtern der Wissenschaftsentwicklung in den USA, aber auch manchen offiziellen Stellen wird die Problematik dieser Entwicklung besonders darin gesehen, daß die Forschung an den Universitäten einseitig ausgerichtet wird (auf schnelle Verwertbarkeit) und die Zahl der von der Industrie unabhängigen Experten, die auch in der Beratung der Politiker arbeiten könnten, immer mehr schrumpft. Daß dies heute auch für die Bundesrepublik zutrifft, wird weiter unten zu zeigen sein.

Obwohl die Börsennotierungen der Gentech-Firmen in der Zwischenzeit wieder auf realistischere, gleichwohl hohe Werte zurückgegangen sind, besteht kein Zweifel darüber, daß in den achtziger Jahren der Boom der neunziger Jahre vorbereitet wird. Die verhältnismäßig kleinen Gentech-Firmen (in den USA entsprach eine Gesamt-Investitionssumme von 2,5 Milliarden US-$ bis 1983 nur 5000 neuen Arbeitsplätzen) sorgen – zumeist im Auftrag von Großkonzernen (wie Eli Lilly, Dupont, Monsanto, Kodak) – für die patentreife Neuschaffung von Mikroorganismen, Pflanzen oder Tieren und die Übersetzung dieser Arbeiten in großtechnische Abläufe, wie sie in der Produktion anzuwenden sind. Schätzungen der Industrie über den Weltmarkt für gentechnisch hergestellte Produkte, über-euphorisch, wie sie sein mögen, zeigen, welche (finanzielle) Anziehungskraft der »industriell-wissenschaftliche Komplex« in Zukunft ausüben wird. Für 1985 war ein Umsatz von 3,75 Mrd. US-$ (rund 10 Mrd. DM) angepeilt. (Man bedenke, daß das erste gentechnische Produkt, Insulin von Eli Lilly, erst 1982 auf den Markt kam.) 1990 sollen es schon 35 Mrd. US-$ sein (110 Mrd. DM) und im Jahr 2000 144 Mrd. US-$ (450 Mrd. DM).

Die bundesdeutsche Industrie beobachtete die Entwicklung jenseits des Atlantiks in den siebziger und Anfang der achtziger Jahre zwar mit Interesse, verhielt sich jedoch, was finanzielles Engagement und gezielte Forschung anging, abwartend; die herausragendste Aktivität war die Überweisung von 300 000 US-$ des Chemiekonzerns Bayer für eine Professorenstelle am renommierten Massachusetts Institute of Technology (MIT). Das Bundesforschungsministerium, damals noch unter sozialdemokratischer Regie, betonte zwar die Zukunftsträchtigkeit der Gentechnologie, machte sie praktisch aber nicht zu einem Hauptschwerpunkt ihrer Forschungspolitik.

Ende 1981 aber gab es Alarm. Mit der Entscheidung der Hoechst AG, 50 Mill. US-$ in ein Forschungsinstitut der Harvard-Universität zu stecken und sich damit für zehn Jahre Teilhabe an den Forschungsergebnissen zu sichern, begann auch in der Bundesrepublik der Gen-Rausch. Dieser war immerhin so stark, daß er führende Politiker wie den Bonner Minister Riesenhuber oder den baden-württembergischen Ministerpräsidenten Späth zu glühenden Verfechtern und Förderern der »Zukunftstechnologie« machte und sogar imstande war, das Postulat von der wertfreien Wissenschaft und das Idealbild des unabhängigen Wissenschaftlers zu zerstören. Angesichts der breiten Palette völlig neuartiger oder gentechnisch bedeutend billiger herzustellender Produkte war die Angst, den Einstieg zu verpassen und Schlußlicht unter den Industrienationen zu werden, zu groß geworden, als daß man »veraltete« Idealbilder und Schranken beachten konnte.

Nach dem Heidelberger Biologen und kritischen Beobachter der Entwicklung Ruben Scheller (»Das Gen-Geschäft«) hatten die Großkonzerne beim Versuch, Anschluß zu gewinnen, vor allem drei Probleme:

1. Sie waren überfordert, die gewaltigen finanziellen Mittel für die interdisziplinäre Forschung und Entwicklung bereitzustellen, die die Gentechnologie erst möglich machten. Für Abhilfe soll der Staat sorgen: Er muß mit Steuermitteln einspringen, und die Gentechnologie muß zur gesamtgesellschaftlich nützlichen Sache erklärt werden.

2. Sie verfügen nicht über das notwendige »Know-How«, dieses findet sich vielmehr an den Universitäten und in den Instituten. Also kauft man sich nach US-Muster direkt in Universitäts- und Forschungsinstitute ein und verlangt, daß sie ihre – vornehmlich durch Einsatz öffentlicher Gelder gewonnenen – Erkenntnisse zur Verfügung stellen, richtet »Wissenschaftsunternehmen« ein, die Stipendien und Forschungsaufträge vergeben und macht sich so »den öffentlichen Wissenschaftsbetrieb untertan«.

3. Die klassische Verbindung zwischen Grundlagenforschung und industrieller Anwendungsforschung und Verwertung durch Industriefinanzierung einzelner Universitätsprojekte, Beraterverträge, Patentnutzungsrechte usw. ist zu schwerfällig, behindert die schnelle Kommerzialisierung des Wissens und letztlich die Konkurrenzfähigkeit. Zur Lösung dieses Problems wird der Transfer durch »marktwirtschaftliche« Umstrukturierung des öffentlichen Forschungswesens beschleunigt.

Mit dieser Strategie hatten die führenden Pharma- und Chemiekonzerne der Bundesrepublik bemerkenswerten Erfolg. Dieser wirkt um so größer, wenn man die sonst beklagte Schwerfälligkeit und das Beharrungsvermögen der Universitätsstrukturen zur neuen Dynamik ins Verhältnis setzt. Mit der Industrie kam die Bundesregierung überein, vier Zentren zur gentechnologischen Grundlagenforschung an Universitäten einzurichten, die aber ausdrücklich nicht deren Selbstverwaltungen unterworfen sein sollten. Gegen einen verhältnismäßig geringen Obulus – bei gleichzeitig hohen finanziellen Einsätzen der öffentlichen Hand – erkauften sich BASF, Hoechst, Bayer, Schering und Wacker Chemie das Recht, über Forschungsziele und Stellenbesetzungen an den »Gen-Zentren« in Heidelberg, München, Berlin und Köln maßgeblich mitzubestimmen. Bis zur Unterzeichnung des wahrhaft revolutionären Vertrages über ein universitätseigenes Genzentrum in Heidelberg unter der Beteiligung der BASF im April 1982 brauchte es nur wenige Monate. Scheller kommentiert: »Damit war für die Konzerne das Eis gebrochen. Einer Aufteilung der Universitäten an die jeweiligen Chemiekonzerne stand nichts mehr im Wege. Der Staat übernahm die Rolle des Koordinators.« So finanzieren Schering und das Land Berlin das Zentrum an der Universität Berlin, Bayer hat sich in Köln beim Max-Planck-Institut für Züchtungsforschung eingekauft, Hoechst (trotz US-Engagement) und Wacker sind mit der Universität München und den Max-Planck-Instituten ins Geschäft gekommen. Die Umgestaltung des hiesigen Universitätswesens nach US-amerikanischem Vorbild, wie sie von einer von Späth eingesetzten Expertenkommission vorgeschlagen wurde (öffentliche Forschungseinrichtungen bieten Technologie an, »Transferfirmen« machen sie marktfähig, die Wirtschaft ist Technologieempfänger) hat damit eingesetzt und scheint kaum noch aufzuhalten zu sein. »Anwendungsorientierte Genforschung« heißt das Zauberwort, mit dem Bundesforschungsminister Riesenhuber der bundesdeutschen Wirtschaft einen Innovationsschub ermöglichen will (so steht es im Biotechnologie-Programm von 1985).

Daß dabei den Universitäten einiges von ihrer »universitas litterarum«, der Gesamtheit der Wissenschaften, abhanden kommen könnte, gibt – vielleicht unfreiwillig, aber um so deutlicher – folgendes Zitat aus dem

Heidelberger »Unispiegel«, dem Organ der Universitätsleitung, vom Dezember 1984 zu verstehen: »Die Gesamtbilanz, so steht zu erwarten, dürfte doch ein deutliches Plus aufweisen. Ein Unternehmen, das sich 600 Jahre am Markt halten konnte, hat sicherlich nicht nur Flops produziert und sein Innovationspotential deutlich bewiesen.« Und weiter: »Im Sommersemester schließlich geht es um ›Innerbetriebliches‹: Die verschiedenen Wissenschaftsbereiche werden daraufhin überprüft, was sie bisher geleistet haben, wo sie heute stehen, wie es weitergehen soll. Wo stagniert der Umsatz, wo ist er rückläufig, wo lohnt es sich zu investieren?« Laut Scheller sind von den acht genehmigten Forschungsbereichen der Universität Heidelberg, die ihren Ruf aus ihrer langen geisteswissenschaftlichen Tradition bezieht, fünf naturwissenschaftlich-medizinische, darunter vier molekularbiologische, die alle in das Forschungskonzept der BASF passen: Herz-Kreislauf, Krebs, Nerven und allgemeine Genetik.

4. Nicht nur für die (Hoch-)Schule, für das Leben...

Die Überzeugung, gentechnologische Grundlagenforschung ließe sich unter den herrschenden Umständen noch völlig wertfrei und ohne Rücksichtnahme auf eine mögliche oder unmögliche Verwertung des Erkenntnisgewinns betreiben, läßt sich nur sehr schwer aufrechterhalten. Das Beispiel Heidelberg, ohne Zweifel das fortgeschrittenste in der Bundesrepublik, läßt Zweifel daran aufkommen, ob eine (auch) kritische Auseinandersetzung des Wissenschaftlers mit seiner Forschung und ihren Folgen gewünscht oder möglich ist. Aufschlußreich ist in diesem Zusammenhang die Ausbildung des Wissenschaftlernachwuchses. Schon während der Studienzeit wird die Information über denkbare oder reale Gefahren der Gentechnologie und die durch sie angestrebte Umwälzung von Technik, Produktion und Gesellschaft weitestgehend ausgeblendet. Der offizielle Lehrkanon sieht in vielen Fällen eine entsprechende Lehrveranstaltung überhaupt nicht vor, obwohl doch die umfassende Ausbildung des jungen Wissenschaftlers im Sinne eines »studium generale« und die Fähigkeit, Querverbindungen zu anderen Disziplinen (Volkswirtschaft, Soziologie, Ökologie) ziehen zu können, dem – freilich nur mehr gering geachteten – akademischen Ideal näher käme als die Erzeugung von reinen Spezialwissenschaftlern.
Freilich widerspräche eine solche Allgemeinbildung, die Zweifel säen könnte, die wissenschaftliche Übung der Kritik neu vermittelte, den handfesten Interessen der Industrie. »Bei den Doktoranden und Studenten besteht ein echter Gen-Rausch«, berichtete Scheller – der es verdient, hier erneut zitiert zu werden, da er als ehemaliger Heidelberger Student

über Informationen aus erster Hand verfügt – auf dem schon genannten Symposium. Arbeitszeiten von 70 Stunden pro Woche und mehr in den Labors und bei der Auswertung der Experimente seien gang und gäbe, der Konkurrenzdruck enorm hoch. Sogar kritisch eingestellte Wissenschaftler machten dabei mit, da sie, am unteren Ende der Hierarchie befindlich oder als Student oder als Doktorand, auf Stipendien angewiesen sind. Er selber habe die Erfahrung machen müssen, daß die Sicherheitsforschung, also die Aufklärung über mögliche Gefahren bei der Manipulation von Erbanlagen, etwa von krankheitsauslösenden oder krebserzeugenden Viren, systematisch abgeblockt werde. Für ein von ihm vorgetragenes Projekt zur Risikoabschätzung habe es »leider« keinen Laborplatz gegeben, während für industriell verwertbare oder direkt von der Industrie vorgeschlagene Forschungsarbeiten »die letzte Ecke freigeräumt« werde.

Die Arbeitsbedingungen der angestellten Wissenschaftler in Genzentren und den sogenannten Transferfirmen (so im Heidelberger »Technologiepark«, in dem auch die oben erwähnte Firma »Gen-Bio-Tec« ihren Platz hat) sind, dem US-Modell entsprechend miserabel. Dreiviertel der Arbeitsverträge für Wissenschaftler werden jeweils auf zwei Jahre befristet, eine Verlängerung winkt nur bei guten Leistungen. Aber auch das Fortbestehen einer »Transferfirma« ist vom schnellen Erfolg am Markt abhängig. In Heidelberg werden die Mietverträge im »Park« nur über fünf Jahre abgeschlossen, auch hier ist bei mangelndem Erfolg, dem Ausbleiben eines von den Konzernen oder anderweitig verwertbaren Produkts, die Kündigung möglich. Die Gefahr, daß Sicherheitsvorkehrungen von überarbeiteten und einem Bewährungszwang ausgesetzten wissenschaftlichen Angestellten um des Erfolges willen mißachtet werden, wächst damit ganz beträchtlich.

Scheller: »So rekrutiert der wissenschaftsunternehmerische großindustrielle Komplex aus der wissenschaftlich-technischen Intelligenz ein sprunghaft anwachsendes akademisches Proletariat aus Studenten, Diplomanden, Doktoranden und Jungwissenschaftlern, das einen immer größeren Anteil der Forschungs- und Entwicklungsarbeit der Konzerne übernimmt. Die Konzerne lagern Zehntausende von potentiellen zukunftsträchtigen Arbeitsplätzen kostensparend in die voll flexibilisierten und staatlich subventionierten öffentlichen Forschungseinrichtungen und Transferfirmen aus – weltweit.« Dazu ein Zitat von Professor Franke, einem Mitbegründer der Transferfirma »Progen«, über die Verhältnisse in den USA: »... in diesen jungen US-Firmen (herrscht) ein Geist ..., den ich mir manchmal im öffentlichen Dienst hier wünschen würde: Weil diese Mitarbeiter wissen, daß sie alle in einem Boot sitzen, sind sie bestrebt, Projekte wirklich mit ›full power‹ durchzuziehen.« Ob »full power« aber die richtige Einstellung zur Gentechnologie ist?

5. Sicherheit, wie sie sie meinen

Daß gentechnische Experimente für den Experimentator oder die Umwelt gefährlich sein können, weiß man zumindest prinzipiell seit der Diskussion der siebziger Jahre, besonders seit Asilomar. Sowohl in den USA als auch in der Bundesrepublik (mit Verzögerung) wurden die von staatlichen Stellen erlassenen Sicherheitsvorschriften allerdings in mehreren Schritten gelockert. Mit der fünften Novellierung der Richtlinien der »Zentralen Kommission für Biologische Sicherheit« (ZKBS), die Riesenhuber durchsetzen will, noch bevor die eigens vom Bundestag eingesetzte Enquête-Kommission über Chancen und Risiken der Gentechnologie ihr Votum abgegeben hat, soll der Großteil der bisher anzeige- und genehmigungspflichtigen Experimente freigegeben werden. Darunter fällt die Erleichterung der Fermentation im großindustriellen Maßstab und die Freisetzung gentechnisch manipulierter Organismen.

Das Hauptargument für die Lockerung der Vorschriften, wonach bisher ja keiner der für möglich erachteten Unfälle mit Krankheitserregern passiert beziehungsweise nachgewiesen sei, ist wenig überzeugend. Erstens ist die »Erfahrung« mit den »neuen Lebewesen« gerade in der Bundesrepublik relativ gering, beschränkt sich auf wenige Jahre. Zweitens sind auf dem Gebiet der Gentechnologie fast keine fundierten Risikostudien durchgeführt worden, die Aufschluß darüber geben, ob mit theoretisch vorhandenen Gefahren etwa bei der Arbeit mit Krebsgenen, mit krankheitserzeugenden Viren oder mit Bakterien, die sich auch im menschlichen Körper vermehren können, bei der bewußten oder ungeplanten Freisetzung manipulierter Organismen (Laborunfälle, Feuer, mechanische Einwirkung) auch in der Praxis gerechnet werden muß. Eine Beruhigung, die daraus erwächst, nichts über die Gefahr zu wissen, ist aber eine Schein-Beruhigung und zeugt von der Fahrlässigkeit der politisch Verantwortlichen. Unter den herrschenden Bedingungen auf die Selbstkontrolle der Wissenschaftler und Konzerne und die Kontrolle der Genfirmen und Konzerne untereinander zu vertrauen (wie das Riesenhuber allen Ernstes tut: »Aber alle Unternehmen beobachten sich gegenseitig. Jeder paßt auf, daß sein Partner und Konkurrent sich keine unfairen Vorteile dadurch verschafft, daß er Richtlinien extensiv interpretieren würde. Und ich glaube, das ist ein vorzügliches Maß an Selbstkontrolle.«), grenzt an fatale Naivität. Wie wenig Interesse an einer Aufklärung der Gefahren der revolutionären Technologie besteht, belegt das Schicksal der Forschungsgelder, die die Deutsche Forschungsgemeinschaft (DFG) kürzlich für einschlägige Risiko-Abschätzungsarbeiten bereitstellte: Niemand wollte sie haben. Risiko-Analysen durchzuführen, bringt offensichtlich nur wenig wissenschaftliches Prestige ein, da durch sie der ungehemmte

Fortgang der Forschung behindert werden könnte. Im Lebenslauf eines Wissenschaftlers bleibt so etwas offensichtlich ein schwarzer Fleck, ein Manko bei Einstellungsgesprächen.

Was hinter der von Riesenhuber als vordringlich eingeschätzten Lockerung der Sicherheitsrichtlinien steckt, ist eindeutig. Die Industrie ist jetzt auch hierzulande soweit, mit ersten Produkten in das Gen-Geschäft einzusteigen. Sie erwartet, daß ihre Bedingungen nicht schlechter, sondern eher besser als die der Konkurrenten im Ausland sind. Die Vereinfachung des Genehmigungsverfahrens zur Einrichtung von »Bakterienfabriken« (wie der von Hoechst für Insulin) entspricht dem Zeitplan der Industrie. Für schwerwiegende Bedenken, die sich darauf stützen, daß durch die neue Quantität (vom Reagenzglas zum Reaktor) neue Risiken auftauchen, bleibt dabei offensichtlich kein Platz. So wäre zu erwägen, daß bei großtechnischen Anlagen zwangsläufig über die Jahre undichte Stellen entstehen und Unfälle weitaus verheerender sein könnten als im Laborbetrieb. So wäre zu erwägen, daß durch eine fehlerhafte Zusammensetzung im Nährmedium des Reaktors unbekannte und giftige Substanzen entstehen könnten, die mit dem Endprodukt zum Verbraucher kommen.

Daß das Verhalten der »vergeßlichen« Firma »Gen-Bio-Tec« in Heidelberg oder der kalifornischen »Advanced Genetic Sciences« in Bonn als Warnsignal verstanden wird, ist eine – unter der derzeitigen Leitung des verantwortlichen Ministeriums freilich schwache – Hoffnung. Die bisherige Neigung zum »laissez faire« ist gefährlich, fördert die Ansicht, es handle sich bei der Übertretung der Vorschriften nur um Kavaliersdelikte. Die Weigerung, strengen Sicherheitsrichtlinien überhaupt Gesetzeskraft zu verleihen, ihre Übertretung unter Strafe zu stellen und mit Produktionsverboten zu belegen, war, wie die Entwicklung zeigt, ein Fehler. Mehr als der Entzug der Bonner Forschungszuschüsse kann beispielsweise »Gen-Bio-Tec« nicht passieren. Der 1978 zugunsten der freiwilligen Meldepflicht (also Selbstkontrolle) fallengelassene Ansatz eines Gentechnologie-Gesetzes wäre wiederaufzunehmen. Das ist eine Minimalforderung.

In Asilomar war klargeworden, daß Wissenschaftler, die der Industrie nahestehen oder selbst in die Verwertung gentechnischer Erkenntnisse einsteigen wollten, sich am stärksten gegen eine Reglementierung der Gen-Forschung wehrten. Nichts spricht dafür, daß der neue wissenschaftlich-industrielle Komplex eine Garantie für Selbstkontrolle geben könnte.

Wie schwer es Wissenschaftlern fallen kann, ein gesellschaftliches Mitspracherecht zu akzeptieren, wird an einem aktuellen Beispiel aus der vom Ex-Präsidenten des Bundesverfassungsgerichts, Ernst Benda, geleiteten Arbeitsgruppe über Reagenzglasbefruchtung, Genomanalyse und

Gentherapie deutlich. Dem Kölner Genetik-Professor Walter Doerfler gingen die im Abschlußbericht vorgeschlagenen geringfügigen Einschränkungen der Forschung schon viel zu weit: »Aus mangelndem Verständnis gegenüber naturwissenschaftlicher Arbeitsweise glaubte die Arbeitsgruppe, über Richtung und Bedeutung zukünftiger Entwicklungen in Biologie und Medizin abstimmen zu können . . . Für jeden Naturwissenschaftler ist klar, daß zukünftige Neuerungen nicht voraussagbar sind.« Über Forschungen an menschlichen Embryonen, die beispielsweise bei der Befruchtung im Reagenzglas »übrig«bleiben, und für Genübertragungen auf menschliche Keimzellen, womit vorher nicht vorhandene Eigenschaften in das Erbgut gebracht würden (gedacht ist hier an die Therapie von Erbkrankheiten), sollten nur »Expertengremien (eventuell die Ethikkommission der Bundesärztekammer) entscheiden«. Und zusammenfassend äußert sich Doerfler in seinem Sondervotum: »Es besteht kein Grund übereilter Gesetzgebung. Man kann die weitere Entwicklung in Ruhe und mit kritischer Aufmerksamkeit abwarten . . . Auch in anderen Ländern ist man behutsam vorgegangen und hat die Forschung gesetzgeberisch nicht eingeschränkt.«

6. Das Ende der Evolution?

Ist es nicht schon zu spät, »öffentliche Wissenschaft« zu betreiben, die Öffentlichkeit an der Abschätzung von Nutzen und Risiken einer so grundlegend neuen Technik zu beteiligen? Die Propagandamaschine, die dem Bürger die unendlichen Vorzüge der Neuschaffung der Natur im Labor einbläuen soll, läuft auf vollen Touren. Ministerreden, Regierungsbroschüren, Geschäftsberichte, Illustrierten, Krankenkassenheftchen, Wissenschaftsmagazine preisen die Vorzüge.

Ein Bakterium, sonst wohl nicht zu viel nütze, bekommt plötzlich Appetit auf das hochgiftige Dioxin. In genügender Menge ausgesetzt, verleibt es sich die berüchtigten Moleküle ein und befreit Chemiekonzerne, Umweltminister und besorgte Zeitungsleser von der Beklemmung, der Geist, den man fahrlässigerweise rief, sei nie wieder in seine Flasche zu zwingen. Ein anderes Bakterium, von der Natur bloß zu niederen Aufgaben vorgesehen, lernt, aus gewöhnlichem Erdöl Eiweiß zu machen, erlöst die sogenannte Dritte Welt vom Hungerproblem. Eine Nutzpflanze, die sich heute mühselig aus dem Boden mit Stickstoff versorgt und Dünger braucht, atmet ihn demnächst gleich aus der Luft ein und schützt so die Umwelt. – Solche Prognosen, die Beispiele wären beliebig zu vermehren, zeigen im besten Falle eine Seite der Medaille. Der Wissenschaftler wäre offensichtlich überfordert, sollte er neben seiner eigenen Arbeit noch

Sorge dafür tragen, daß seine Erkenntnisse nicht unter dem alleinigen Gesichtspunkt der Profitmaximierung, sondern unter dem der Nützlichkeit für die Menschen, sozialer Ausgewogenheit und ökologischer Unbedenklichkeit angewandt werden. Dioxinfressende Bakterien beispielsweise könnten bewirken, daß das Prinzip der Vermeidung von Umweltschäden noch weiter zugunsten der »Umweltreparatur« an Bedeutung verlöre. Die Gewinne aus umweltschädlicher Produktion würden privatisiert, die Reparaturkosten sozialisiert. Eiweißgewinnung aus Rohöl könnte gleichfalls nur an den Symptomen einer ungerechten Weltmarktstruktur und der von den Industriestaaten betriebenen Ausplünderung der Dritten Welt kurieren, ohne die Ursachen anzugehen (von der Schmackhaftigkeit einer solchen Diät einmal abgesehen). Bei dem Projekt der »Pflanze, die von Luft lebt«, schließlich ist bis heute unsicher, ob die relativ komplizierte neue Erbinformation überhaupt »einzubauen« ist, außerdem wird die Frage gestellt, ob die neue Fähigkeit des Stickstoff-Einbaus nicht den Gesamt-Energiehaushalt der Pflanze so verändert, daß Einbußen – beispielsweise beim Ertrag – zu erwarten sind. Grundsätzlich stellt sich wieder das Problem, daß die hohen Forschungs- und Entwicklungskosten in Zusammenhang mit dem Patentschutz für gentechnische »Züchtungen« die Anwender, also die Bauern, in noch größere Abhängigkeit von den Konzernen brächte.

»Immanente« Kritiker der Gentechnologie gehen davon aus, daß die neue Technik unter den herrschenden Verhältnissen die Ausbeutung des Menschen und der Natur auf die Spitze treiben würde, daß aber prinzipiell Gentechnik wertneutral ist und zum Segen der Menschheit eingesetzt werden könnte (freilich nicht im Rüstungsbereich). Wie die Entscheidung etwa zwischen der »Erschaffung« einer herbizidresistenten Pflanze, die den Absatz sogenannter Totalherbizide steigern würde, und der einer schädlingsresistenten Pflanze, an der Chemiekonzerne sicher weniger Interesse hätten, ausfiele, gäbe demnach Auskunft über die Reife des gesellschaftlichen Systems. Auch führen diese Kritiker an, daß bestimmte Arznei- und Diagnosemittel (beispielsweise ein Impfstoff gegen die Immunkrankheit AIDS) eben überhaupt nur gentechnisch herzustellen sind und ein völliger Verzicht auf diese Technologie unnötige Schmerzen und frühzeitigen Tod bedeutet.

Wer das Prinzip der »offenen Wissenschaft« gutheißt, den Elfenbeinturm nicht vom Kommerz schleifen lassen, sondern der öffentlichen Diskussion zugänglich machen will, wird allerdings auch viel grundsätzlichere Positionen in Betracht ziehen müssen. Arnim von Gleich, ehemaliger wissenschaftlicher Koordinator der Bundestagsfraktion der Grünen für den Bereich Umwelt, beispielsweise hält die »Konstruktion von Organismen durch gezielte Manipulationen an ihrem Erbgut« für eine ganz neue

Qualität im Umgang mit dem Lebendigen, »die sich vor allem darin zeigt, daß nicht mehr Tendenzen oder Latenzen in der Natur selbst aufgegriffen und weitergetrieben werden (wie bei der herkömmlichen Züchtung, der Verf.), sondern daß die Natur betrachtet wird als ein Arsenal von untereinander unverbundenen Teilen, die man beliebig kombinieren kann«. Und weiter: »Die Veränderungen, die hier auf einen Schlag und über Artgrenzen hinweg vorgenommen werden, sind einfach zu groß. Hier findet sozusagen der Übergang von der ›geregelten‹ zur ›gesteuerten‹ Evolution statt, und es ist mehr als fraglich, ob der Mensch die dafür nötige Weisheit besitzt.« Der rigorosen Position, auf die Gentechnologie solle zugunsten einer mit natürlichen Organismen arbeitenden, »sanften Biotechnologie« verzichtet werden, haben sich im politischen Bereich bisher nur die Grünen angeschlossen.

Schwerwiegende evolutionstheoretische Bedenken gegen die Neuschaffung der Natur meldet unterdessen das Wissenschaftler-Ehepaar Christine und Ernst von Weizsäcker an. Gentechnologie schränkt danach eines der wichtigsten Prinzipien der Evolution ein, das der »Fehlerfreundlichkeit«. Dazu abschließend ein kleiner Exkurs: Evolution, so Weizsäcker, braucht (genetische) Mutationen (also Fehler), Auslese der der Umwelt am besten angepaßten Individuen und, »genauso wichtig«, Isolation. Weizsäcker: »Wenn der ›Tüchtigste‹ sich weltweit schrankenlos durchsetzen würde, man denke etwa an einen tödlichen Parasiten, dann würde die bis dahin erreichte Zivilisation schlagartig zerstört. Isolation ist besonders fehlerfreundlich. Sie dient der Vielfalt, dem Überleben der ›weniger Tüchtigen‹ – und damit der Vorsorge für unerwartete Herausforderungen. ›Fehler‹ heute können ›Tüchtigkeit‹ von morgen sein.«

Die menschliche Zivilisation habe einen »zunehmend erfolgreichen Krieg« gegen den Evolutionsfaktor Isolation geführt (»Schnupfenviren, Ratten, Weizen und Homo Sapiens gibt es jetzt überall«). Was Zivilisation damit schon an genetischem Potential verdrängt und ausgerottet habe, sei kaum zu ermessen, befindet Weizsäcker. Die Gentechnologie aber könne diesen Prozeß noch wesentlich beschleunigen. »Primitiv gedachte und angewandte Gentechnologie« bedeute eine sprunghafte Beschleunigung des Erreichens von vom Menschen festgelegten Zuchtzielen (oft bei Bakterien, Viren, Pflanzen, Tieren oder sogar Menschen), eine neuerliche dramatische Verminderung genetischer Vielfalt. So könne es beispielsweise irgendwann nur noch eine »Super-Weizen-Sorte« geben oder eine »Super-Kuh«, die sich veränderten Umweltsituationen nicht mehr anpassen können und dann – ersatzlos – zugrunde gingen. »Das überschnelle Heraussortieren der dem Zuchtziel nicht entsprechenden, insofern ›fehlerhaften‹ Varianten ist unter dem Gesichtspunkt der Evolution und der Fehlerfreundlichkeit ein schwerer Fehler.«

Weizsäckers Begriff der »Fehlerfreundlichkeit« ist zuerst und sehr anschaulich im Zusammenhang mit der Atomenergie entwickelt worden. Auch diese nämlich stelle kein »fehlerfreundliches« System dar, Fehler müssen auch hier unter allen Umständen vermieden werden, was die schlechte Einpassung in natürliche Systeme erklärt. Mit der Gentechnologie nun hätte der Mensch, folgt man dieser Ansicht, ein weiteres Instrument in der Hand, mit der er sich vollends aus der Naturgeschichte herauskatapultieren könnte.

Die Hauptgefahr der Gentechnologie wären dann nicht Unfälle im Labor oder Betrieb, sondern ihre perfekte Exekutierung. Ob »die« Wissenschaftler in der Lage sind, die Menschheit vor Fehlerunfreundlichkeit zu bewahren? Das bleibt die Frage.

GÜNTER NEUBERGER / EKKEHARD SIEKER

Tschernobyl und die Folgen

> Es setzt sich nur so viel Wahrheit
> durch, als wir durchsetzen; der Sieg
> der Vernunft kann nur der Sieg der
> Vernünftigen sein.
> Bertolt Brecht
> *Leben des Galilei*

1. Der Unfallhergang, seine Auswirkungen und Ursachen

Ein Super-GAU ist nach Definition der Kernenergie-Betreiber ein solcher Unfall eines Kernreaktors, der vom Kernkraftwerk und seinen Technikern nicht mehr beherrscht wird.

Nach der deutschen Reaktorsicherheits-Studie aus dem Jahre 1979 ist alle 10000 Reaktorjahre ein Kernschmelzunfall mit radioaktiver Belastung der Umwelt zu erwarten. Darüber hinaus – so die Studie – kommt es nur alle eine Million Reaktorjahre zu einem Kernschmelzunfall mit mehreren akuten Strahlenopfern und Todesfällen.

Auch in der Sowjetunion erklärte im Februar 1986 der Vorsitzende des Staatlichen Komitees zur Nutzung der Atomenergie, A. Petrosjanz[1]: »Atomkraftwerke sind weniger gefährlich als Kohlekraftwerke. Die Wahrscheinlichkeit einer Katastrophe in einem Atomkraftwerk liegt bei einer Größenordnung von Eins zu einer Million im Jahr.«

Noch am 25. April 1986 schreibt der Vorsitzende der Vereinigung Deutscher Strahlenschutzärzte, Wilhelm Börner, im »Deutschen Ärzteblatt«: »Im übrigen zeigen Wahrscheinlichkeitsanalysen, daß über Störfälle hinausgehende Unfälle mit möglichen gefährlichen Strahlenexpositionen (Strahlenbelastungen, d. Verf.) der Bevölkerung äußerst unwahrscheinlich sind.«[2]

Doch das Unwahrscheinliche wird Wirklichkeit: Am 26. April 1986 um 1.23 Uhr Ortszeit – nach mitteleuropäischer Sommerzeit war es der 25. April 1986 um 23.23 Uhr – ereignete sich offiziellen Angaben zufolge im Block 4 der sowjetischen Kraftwerksanlage Tschernobyl eine chemische Explosion, bei der größere Mengen an Radioaktivität in die Atmosphäre freigesetzt wurden. Etwas später entzündete sich der gewaltige Graphitblock des Reaktorkerns.

Etwa hundert Meter vom Block 4 entfernt befand sich im gleichen Gebäude ein zweiter Reaktor. Ein Übergreifen des Feuers auf den benachbarten Reaktor – wie es aufgrund einer Satellitenaufnahme im Westen zunächst befürchtet worden war – konnte jedoch von der sowjetischen Feuerwehr verhindert werden. Ein Großteil der Feuerwehrleute bezahlte später trotz Knochenmark-Transplantationen ihren für uns alle so wichtigen Einsatz mit dem Leben.

Am späten Nachmittag des 30. April 1986 konnte man in Süddeutschland die ersten Auswirkungen des Reaktorunfalls feststellen. Die Radioaktivität der Luft stieg dort sprunghaft auf etwa 150 Becquerel an. In den nächsten Tagen wurde die gesamte Bundesrepublik vor allem mit radioaktivem Jod-131, Caesium-137 und Strontium-90 verseucht.

Heute wissen wir, daß bei dem Reaktorunglück etwa 2 Trillionen (das ist eine 2 mit 18 Nullen) Becquerel bis zum 5. Mai 1986 in Tschernobyl freigesetzt wurden. Während dieser zehn gefährlichen Tage wurden nur an zweieinhalb Tagen die radioaktiven Luftmassen nach Mitteleuropa transportiert. Dies bedeutet, daß etwa ein Siebentel der in der Sowjetunion ausgetretenen Radioaktivität – das sind 270 Billiarden Becquerel – Mitteleuropa kontaminierte. Etwa zwei Drittel der gesamten Radioaktivität gelangte vermutlich nach Asien.

Rückblickend gesehen hat es sich bei der »Havarie« des Tschernobyl-Reaktors allenfalls um einen »mittleren« Unfall gehandelt.

Um einen Vergleichsmaßstab zwischen dem radioaktiven Fallout der oberirdischen Atomtests und dem des sowjetischen Reaktorunglücks zu besitzen, sollen jeweils die beiden radioaktiven Stoffe Caesium-137 und Strontium-90 betrachtet werden. Ergebnis: Die Bodenverseuchung durch Caesium-137 ist im Fall Tschernobyl ungefähr sieben Mal höher als durch alle oberirdischen Atombombenversuche. Die Verseuchung durch Strontium-90 bedingt durch Tschernobyl beträgt dagegen ein Zehntel der Strontium-90-Verseuchung, die durch die Atombombentests hervorgerufen wurde. Beide Aussagen beziehen sich auf die Bundesrepublik.[3] Tschernobyl erhöht somit die Altlasten.

Schätzungen ergeben, daß in der Sowjetunion infolge des Reaktorunfalls mit etwa 200 000 zusätzlichen Krebserkrankungen zu rechnen ist. Für die Bundesrepublik errechnen sich dagegen für den norddeutschen Raum 2000 Krebsfälle zuzüglich 200 Schilddrüsentumore; in Süddeutschland sind 18 000 Krebsfälle zuzüglich 500 Schilddrüsentumore zu erwarten. Da die Erkrankungen innerhalb der nächsten 30 bis 40 Jahre auftreten werden, sind sie statistisch angesichts einer »normalen« Krebsrate von etwa 150 000 Krebsfällen pro Jahr nicht unbedingt nachweisbar.[4]

Über die Ursachen der Katastrophe heißt es im sowjetischen Unfallbericht: »Die Konstrukteure rüsteten die Reaktoranlage nicht mit Sicherheitseinrichtungen aus, die auch dann einen Unfall verhüten können, wenn gleichzeitig Schutzeinrichtungen abgeschaltet und die Betriebsvorschriften mißachtet werden, weil sie ein solches Zusammentreffen von Ereignissen nicht für möglich hielten.

Die Hauptursache für den Reaktorunfall ist also das äußerst unwahrscheinliche Zusammentreffen einer Nichtbeachtung der Betriebsvorschriften und eines Fehlers in der Bedienung der Anlage, den das Personal der Anlage verschuldete.

Der Unfall nahm deshalb katastrophale Ausmaße an, weil das Personal den Reaktor in einen unvorschriftsmäßigen Betriebszustand brachte.«

Das folgenschwere menschliche Versagen des Kraftwerkpersonals in Tschernobyl ist kein Einzelfall. Auch das Personal des bundesdeutschen Atomkraftwerks Brunsbüttel hatte das Gefühl für Gefahren verloren, als es – wie anläßlich eines Störfalls im Juni 1978 festgestellt wurde – häufiger vorschriftswidrig in das automatische Abschaltsystem des Reaktors eingriff, nur um die Stromerzeugung zu steigern.

Ein Reaktoringenieur, der im US-Atomkraftwerk Browns Ferry im März 1975 mit einer Kerze einen Kabelbrand und damit den Ausfall des gesamten Notkühlsystems verursachte, wollte wohl auch nur eine schnelle, unkonventionelle Dichtheitsprüfung durchführen.

Das Personal im amerikanischen Atomkraftwerk Three Miles Island vergaß im März 1979 die Ventile des Notspeisewasser-Systems zu öffnen. Es ignorierte später auch die kritischen Meßwerte, die einen überhitzten Reaktorkern anzeigten. Der Konstrukteur eines Reaktorüberdruckventils hatte nicht bemerkt, daß es nach seiner Betätigung dauernd offen bleiben könnte.

Die Liste über menschliches Fehlverhalten in Kernkraftwerken ließe sich noch erheblich verlängern. Grundsätzlich ist aber eines wichtig: Eine Unterscheidung zwischen technischem und menschlichem Versagen ist in vielen Fällen schwierig, wenn nicht sogar unsinnig. Solange nämlich die Technik von Menschen gemacht wird, ist technisches Versagen auch immer gleichbedeutend mit menschlichem Versagen bei der Planung und Fertigung technischer Systeme. Technische Systeme, bei denen aber unvermeidlich menschliches Versagen zu lebens- und gesellschaftsbedrohenden Katastrophen führen kann, sind für die Gestaltung der Zukunft der Menschen jedoch abzulehnen.

2. Nach dem Reaktor-GAU der Informations-GAU –
Die Stunde der Abwiegler und Gesundbeter

In ihrer Ausgabe vom 5. Mai 1986 titelte die International Herald Tribune: »Die offene Information war ein weiteres Hauptopfer des Nuklearunfalls von Tschernobyl«. In der Tat. Tschernobyl war zwar das Medienereignis des Jahres 1986, aber der Wert der Informationen, die geradezu sintflutartig über den interessierten Zeitgenossen hinwegrollten, stand in krassem Gegensatz zu ihrer kaum zu überblickenden Fülle. Das lag zunächst an den Medien selbst. Nur wenige Redaktionen durften sich glücklich schätzen, einen Fachmann in ihren Reihen zu haben, dem Begriffe wie Becquerel, Millirem, Ganzkörperdosis usw. geläufig waren. Man war nicht vorbereitet auf das, was Politiker und ihre Experten ins sogenannte Restrisiko abgeschoben und so dem öffentlichen Interesse entzogen hatten. Ebenso unvorbereitet waren eben jene Politiker und Experten, die zwar die Existenz des »Restrisikos« nicht hatten leugnen können, uns aber dennoch im Brustton der Überzeugung versichert hatten, daß dieses Restrisiko zu vernachlässigen sei.

Nun war also das passiert, was nicht hätte passieren dürfen: Ein Kernkraftwerk war außer Kontrolle geraten, stand in hellen Flammen und spuckte radioaktive Spaltprodukte in die Atmosphäre. Die Öffentlichkeit reagierte mit ratlosem Entsetzen. Grund genug für die Verantwortlichen – Politiker, Experten und Kraftwerksbetreiber – sich in Positur zu setzen und Gelassenheit zu demonstrieren. Es begann ein Wochen währendes Informationswirrwarr. Das Publikum mußte ein Wechselbad von Kaltschnäuzigkeit, Ahnungslosigkeit, Gesundbeterei und Abwiegelei über sich ergehen lassen.

Es sei zunächst daran erinnert, daß die Weltöffentlichkeit über die Reaktorkatastrophe nicht aus der Sowjetunion, sondern aus Schweden erfuhr. Alarmierende Radioaktivitätswerte hatten Reaktorexperten veranlaßt nachzurechnen, wo denn die Quelle für die erhöhte Strahlung zu suchen sei. Das Ergebnis: Tschernobyl. Man hätte erwarten können, daß die Sowjetunion ihre skandinavischen Nachbarn über das Unglück informiert hätte, bevor die aus Tschernobyl stammende Radioaktivität über Schweden anregnete. Vorsorgemaßnahmen hätten getroffen werden können: Die Menschen wären in den Häusern geblieben, Kinderspielplätze und Gemüsegärten hätten abgedeckt werden können. Der Schaden hätte zumindest begrenzt werden können. Aber die Sowjetunion hat sich wie jener Hundebesitzer verhalten, der das Schild »Bissiger Hund« erst dann anbringt, wenn schon jemand gebissen worden ist.

Zwei Tage nach der Katastrophe schließlich folgende dürre Meldung der amtlichen sowjetischen Nachrichtenagentur Tass: »In dem Kernkraftwerk von Tschernobyl hat sich ein Unfall ereignet, einer der Atomreaktoren wurde beschädigt. Maßnahmen zur Beseitigung der Folgen des Unfalls werden ergriffen. Den Betroffenen wird Hilfe geleistet. Eine Regierungskommission wurde gebildet.« Was hier notgedrungen als »ein Unfall« eingestanden wird, war in Wirklichkeit die Kernschmelze, der Super-GAU. Die sowjetische Informationspolitik war den Tatsachen allenfalls hart auf den Fersen, und das sollte sich auch während der folgenden Wochen nicht ändern.

Verzweifelt bemühten sich sowjetische Rettungsmannschaften, das Durchschmelzen des Reaktorfundaments zu verhindern, den brennenden Graphitblock zu löschen und das Austreten weiterer radioaktiver Spaltprodukte in die Atmosphäre einzudämmen. Zur gleichen Zeit, am 30. April nämlich, erklärte Wladislaw Terechkow, Gesandter der Botschaft der UdSSR in der BRD, im ZDF: »Die radiologische Lage in diesem Gebiet ist stabilisiert (!), obwohl die Verschmutzung dort geringfügig(!) die Normen übertroffen hat; aber nicht in dem Maße, das irgendwelche Sondermaßnahmen erforderlich machen würde. Ich möchte unterstreichen, daß für die Bevölkerung der Sowjetunion in diesem Gebiet – und um so weniger für die Bevölkerung der Bundesrepublik Deutschland oder anderer Länder – keine Gefahr in diesem Zusammenhang besteht.« Schon am 27. April, nachmittags, hatte man dort mit der Evakuierung der Bevölkerung begonnen. Die Gesamtzahl der Evakuierten wurde am 12. Mai mit 92000 angegeben...

Am 6. Mai, elf Tage nach dem Unfall, fand in Moskau eine Pressekonferenz statt, in deren Verlauf der Stellvertretende Ministerpräsident der UdSSR, Boris Schtscherbina, einräumte, daß man das Ausmaß der Katastrophe zunächst unterschätzt habe. »Kein Wort fiel über das Verschmelzen im Reaktorkern«, so das Düsseldorfer Handelsblatt in seiner Ausgabe vom 7. Mai. »Keine Antwort gab es auf die Hauptfrage, ob das Feuer... weiterglüht oder nicht.« Am nämlichen Tag zitierte der Stern den Moskauer KP-Chef Boris Jelzin, der unbeeindruckt verkündete: »Die Arbeit an diesem Programm, das den Bau vieler neuer Atomkraftwerke vorsieht, wird fortgesetzt. Gleichzeitig werden Maßnahmen getroffen, um Havarien wie Tschernobyl auszuschließen.« Auch wenn der Katastrophenmeiler längst nicht unter Kontrolle war – die Sprachregelung war gefunden. Der Super-GAU hieß fortan Havarie – in der Sowjetunion und in den anderen sozialistischen Ländern.

Parteichef Gorbatschow brauchte knapp drei Wochen, um seine Sprachlosigkeit zu überwinden. Er hielt eine Fernsehansprache, die rundum enttäuschte. Kein Wort des Bedauerns über die radioaktive Wolke, deren Fallout von Japan bis zur Ostküste der USA nachweisbar war. Kein Wort von Wiedergutmachung für die Schäden vor allem in Nord- und Mitteleuropa – und kein Bruch mit einer Informationspolitik, die nicht nur notorische Kommunisten-»Fresser« wie Alfred Dregger oder Ronald Reagan als Geheimniskrämerei und Vertuschung empfinden mußten.

Auf die Frage, ob eine Gefährdung der Bevölkerung in der Bundesrepublik auszuschließen sei, antwortete Bundesinnenminister Friedrich Zimmermann (CSU) in der Tagesschau am 29. April: »Ja, absolut auszuschließen, denn eine Gefährdung besteht nur in einem Umkreis von 30 bis 50 Kilometern um den Reaktor herum... wir sind 2000 Kilometer weg.« Ins gleiche Horn stieß am selben Abend im ZDF Kanzleramtsminister Wolfgang Schäuble. Zum beharrlichen Schweigen in Moskau das Bonner Kontrastprogramm: Während Hubschrauber tonnenweise mit Bor und Blei vermischten Sand über dem brennenden Unglücksreaktor von Tschernobyl abwarfen, wurde die drohende Gefahr in Bonn mit rhetorischem Wurfmaterial begraben. Nicht nur in Bonn. Noch am 2. Mai – die Wolke war zwischenzeitlich in Österreich angelangt – äußerten sich Professor Dr. rer. nat. habil. Karl Lanius und Professor Dr. Ing. Günter Flach im SED-Zentralorgan Neues Deutschland wie folgt: »Es bestand und besteht... keinerlei Gefährdung für die Gesundheit der Bürger unseres Staates und für die Natur.« Doch die vorlauten Erklärungen von Bundesministern und Experten wurden nur allzu rasch Lügen gestraft.

Schon am folgenden Tag meldete die FAZ, daß sich die Bundesregierung »auf Empfehlung der Strahlenschutzkommission zu zusätzlichem Gesundheitsschutz und zu einer verschärften Lebensmittel-Kontrolle gezwungen« sähe. Für Frischmilch wurde von der Bundesregierung ein Grenzwert von 500 Becquerel festgelegt. Ein heilloses Grenzwertdurcheinander brach aus und bescherte der Bundesrepublik Deutschland einen Rückfall in die Kleinstaaterei. Dazu das Handelsblatt vom 7. Mai: »Die Strahlenschutzkommission empfiehlt, daß 500 Becquerel je Liter Trinkmilch nicht überschritten werden sollten. Hessen senkte den Wert auf 20, Schleswig-Holstein auf 50 für Trinkmilch und 500 für normale Milch, Hamburg setzte 200 und Berlin 100 Becquerel ohne nähere Differenzierung an. Wer soll da noch durchblicken?«

Sollte überhaupt jemand durchblicken? Angesichts der aus Politiker- und Expertenmund verkündeten Fabeln und Legenden ist man geneigt, diese Frage mit Nein zu beantworten. Bundesforschungsminister Riesenhuber (CDU) befand in einem Interview mit BILD vom 29. April: »Bei uns wäre ein solcher Zwischenfall undenkbar, unsere Reaktoren sind absolut sicher...« Sollte dem promovierten Chemiker Riesenhuber unbekannt sein, daß bei jedem leichtwassergekühlten Meiler der »Tschernobyl-Effekt«, eine Knallgasexplosion, eintreten kann? Bis auf den Hochtemperaturreaktor und den schnellen Brüter werden alle Meiler in der Bundesrepublik mit Leichtwasser gekühlt.

Es war der Vorwärts vom 3. Mai, der Innenminister Zimmermann bei einer Falschaussage ertappte: »Nicht einmal die Aussage Zimmermanns stimmt, Graphitbrände seien in deutschen Reaktoren unmöglich. Dies gilt nur für die normalen Leichtwasserreaktoren. Der in Hamm gebaute Hochtemperaturreaktor wird ebenfalls mit Graphit moderiert.« Am 10. Mai ertappte das Blatt den Minister abermals – diesmal bei einer Unterschlagung: »Während die Bundesregierung stolz verkündete, daß die Strahlenbelastung in der Luft zurückgegangen sei, war die radioaktive Verseuchung des Bodens bereits gefährlich angestiegen. Innenminister Zimmermann blieb freilich bis zuletzt dabei, daß eine akute gesundheitliche Gefährdung für die Bevölkerung nicht bestehe – und unterschlug, daß mit Spät- und Langzeitschäden sehr wohl gerechnet werden muß.«

Auf welch dünnem Eis sich die Zimmermanns und Riesenhubers mit ihren forschen Spruchweisheiten bewegten, zeigte das Eingeständnis des hessischen Gesundheitsministers Armin Clauss (SPD), den die Frankfurter Rundschau vom 9. Mai zitiert, »daß die Meßkapazitäten des Landes nicht ausreichten, alle Belastungen der Luft, des Bodens und der Nahrungsmittel gleichzeitig zu erfassen... Ratlos zeigte sich der Minister insbesondere, was die langfristigen Auswirkungen der Radioaktivitätswolke auf die Nahrungsmittelkette angeht.«

Am selben Tag berichtete die Süddeutsche Zeitung von neuerlichen Versicherungen der Bonner Minister Schäuble und Zimmermann, »es habe ›zu keiner Zeit‹ eine Gefährdung der Bevölkerung bestanden und es bestehe auch jetzt eine solche Gefahr nicht... Der Leiter der Strahlenschutzkommission, Professor Erich Oberhausen, sprach sogar von ›Entwarnung‹, allerdings unter dem Vorbehalt, daß die Entwicklung in Tschernobyl weiter unter Kontrolle bleibe«. In der Frankfurter Rundschau vom selben Tag war zu lesen: »Frankfurt schließt alle Rasensportplätze.«

Der hektische Drang unserer Politiker, vollmundige Erklärungen abzugeben, dürfte dann merklich erlahmen, wenn ein bundesdeutscher Meiler von einem Super-GAU betroffen ist. Aufschlußreiches zu diesem Thema wußte die Mittelbayerische Zeitung vom 22. Mai 1986 zu berichten. Demnach äußerte sich der Leiter der Regensburger Dienststelle für Selbstschutz, Peter Blazejewski, wie folgt: »Wir haben schon seit langem – längst vor der Reaktorkatastrophe von Tschernobyl – die klare Anweisung, im Falle von Störfällen in zivil genutzten atomaren Anlagen zu schweigen.« Laut Blazejewski stammt diese »klare Anweisung« vom Bonner Innenministerium und der Zentrale des Bundesverbandes für den Selbstschutz. Es hat den Anschein, als wolle man beim Super-GAU die Schotten dicht machen, als sei dann Schweigen erste Behördenpflicht. Diesen Eindruck hatte im Hinblick auf Tschernobyl die Westfälische

Rundschau übrigens schon am 3. Mai 1986: »Wer in der Bundeshauptstadt etwas erfahren will, muß schon genau hinhören.«

Nur – wenn man genau hinhört, so stößt man hier und dort auf Vorkehrungen für den Fall eines größeren Störfalls. Allen einschläfernden Politikerreden zum Trotz rechnet man also damit, daß so etwas eintreten kann – bis hin zur Kernschmelze. Daß man in einem solchen Fall in der dicht besiedelten Bundesrepublik ziemlich machtlos wäre, bestätigte ein Mitglied des Lehrkörpers der »Bundesschule für den Katastrophenschutz« in Ahrweiler im vertraulichen Plausch, nach dem Ende des offiziellen Führungsprogramms. Bei einer Kernschmelze im Meiler von Mühlheim-Kärlich liefe halt zwischen Bonn und Bingen nichts mehr. Er rechne mit etwa 100000 Toten. Evakuieren? Wohin denn, bitte schön?

»Es wäre ein Treppenwitz der Geschichte, wenn durch einen sowjetischen Reaktor mit Uralttechnik, miesen Sicherheitseinrichtungen, errichtet von einem autoritären Regime ohne Rücksicht auf die Menschen, die Stillegung deutscher Spitzenkraftwerke bewirkt würde.« Es war Christian Lenzer, CDU-Bundestagsabgeordneter, der zu Nutzen und Frommen der bundesdeutschen Kernindustrie im Pressedienst der CDU/CSU-Fraktion (9. Mai 1986) schweres Geschütz gegen die Sowjetunion meinte auffahren zu müssen. Aber derart schrille Töne waren eher die Ausnahme. Bundesaußenminister Genscher (FDP) warnte davor, »nun eine antisowjetische Keule zu schnitzen« und die Sowjetunion »auf die Anklagebank zu setzen«. (Süddeutsche Zeitung vom 13. Mai 1986). Nach Auffassung des Spiegel (Heft 21/1986) »legten die konservativen, kernenergiebesessenen Regierungen eine gewisse Solidarität (mit der UdSSR – d. Verf.) an den Tag«.

Warum übten westeuropäische Regierungen, für die der ruppige Umgang mit der östlichen Großmacht sonst eher Tagesgeschäft ist, plötzlich Zurückhaltung? Der Grund ist einfach: Zuviel Diskussion über Kernenergie in der UdSSR werde, so fürchtete man, die eigene Atomwirtschaft über Gebühr ins Gerede bringen und zusätzliches Wasser auf die Mühlen der Kernkraftgegner leiten. So bildete sich rasch eine Art stilles Einverständnis über die Systemgrenzen hinweg, die Diskussion nicht ausufern zu lassen und statt dessen die internationale Kooperation auf dem Gebiet der Reaktorsicherheit zu verstärken. Die Sowjets gelobten rückhaltlose Offenlegung der Ursachen und Folgen von Tschernobyl – nicht für die breite Öffentlichkeit, sondern für das »Expertenforum« der Internationalen Atomenergiebehörde in Wien (IAEO).

Das geschah dann auch im September 1986 in der Wiener Hofburg. Wie nicht anders zu erwarten, bekräftigten Regierungsvertreter aus Ost und West gleichermaßen ihre Entschlossenheit, trotz Tschernobyl weiterhin auf Kernkraftkurs zu bleiben. Erforderlich sei eine intensivere Zusam-

menarbeit zur Steigerung der Reaktorsicherheit. Für den Fall von Nu-
klearunfällen vereinbarte man eine bessere gegenseitige Information –
auf Regierungsebene und über die zentrale Anlaufstelle IAEO. Was die
Öffentlichkeit dann erfährt, sei dahingestellt. Jedenfalls hat die Nukleare
Internationale auf der IAEO-Tagung zu Tschernobyl weiter an Kontur
gewonnen.
Wenn es für die Entwicklung alternativer Energien nur einen Bruchteil
dieser internationalen Zusammenarbeit gäbe...

3. »Sachlich und ohne Emotionen...«

»Kernenergie im Dialog« heißt eine Broschüre, die von den Herstellern
und Betreibern bundesdeutscher Kernkraftwerke einige Monate nach
dem Reaktorunfall in Tschernobyl veröffentlich wurde. Für die Atomindustrie in unserem Land war nach der Katastrophe in der Sowjetunion
der Argumentationsnotstand ausgebrochen. Insofern blieb ihr nichts weiter übrig, als mit Hilfe von hochglanzverbrämten Werbebroschüren den
Versuch zu unternehmen, das durch die »Havarie« verunsicherte Volk
wieder auf Atomkurs zu bringen.
Die Bundesregierung, die Strahlenschutzkommission, die Bundesärztekammer und andere einschlägige Organisationen griffen dabei der Kernindustrie kräftig unter die Arme. Im folgenden einige Beispiele: »Die
Bundesärztekammer zu Tschernobyl« – unter diesem Titel erschien in
vielen großen Tageszeitungen am 12. Juni 1986 eine vom Präsidenten der
Bundesärztekammer und der Vereinigung Deutscher Elektrizitätswerke
(VDEW) gemeinsam getragene Anzeige. Mit hellseherischen Fähigkeiten verkünden sie: »Nach dem zuverlässigen Urteil von Experten, insbesondere Nuklearmedizinern, Strahlenschutzärzten, Strahlenbiologen
und Kernphysikern, hat in unserem Lande durch die erhöhte Strahlenex-
position (Strahlenbelastung, d. Verf.) kein Bürger gesundheitliche Schäden erlitten.«
Einigen Ärztinnen und Ärzten war das dann doch zuviel. Sie schrieben
ihrem Präsidenten, dem Herrn Dr. med. Karsten Vilmar, und beschwer-
ten sich darüber, daß die Bundesärztekammer sich in den Chor der indu-
strieabhängigen Verharmloser der Reaktorkatastrophe eingereiht habe.
Trotz dieser massiven Gegenreaktion rechtfertigte Kammerpräsident Vilmar auch weiterhin seine gemeinsame Werbekampagne und behauptete
sogar, daß nicht einmal hundert Ärzte ihren Widerspruch geäußert hätten.[5]
Die künftige Betreibergesellschaft der Wiederaufarbeitungsanlage Wak-
kersdorf, die DWW, zeigte rund einen Monat später, daß auch sie das

Handwerk der Desinformation recht gut versteht. Am 12./13. Juli 1986 veröffentlichte sie eine Anzeige in mehreren Tageszeitungen: »Wissen Als Alternative ... ›Was ich nicht weiß, macht mich nicht heiß‹ – und was dieses Sprichwort mit der WAA Wackersdorf zu tun hat.« Und damit nach diesem spannenden Textangebot das Interesse des Lesers oder der Leserin sich nicht doch noch anderweitig orientiert, werden einige lebensnahe Fragen gestellt. »Wußten Sie zum Beispiel, daß ein Milli-rem der tausendste Teil eines rem ist?« oder »Wußten Sie zum Beispiel, daß erst 600 000 bis 800 000 Millirem gefährlich werden?«

Jeder der z. B. den Unterschied zwischen einem Meter und einem Millimeter kennt, wird unzweideutig feststellen, daß die Fachleute der DWW mit der in ihrer ersten Frage enthaltenen Information einen durchaus wahren Sachverhalt schildern. Bei der zweiten Frage und der in ihr enthaltenen Behauptung kann davon aber keine Rede mehr sein. Bei 600 000 bis 800 000 Millirem würden nach kurzer Zeit über 90 Prozent der mit einer solchen Dosis Bestrahlten tot umfallen.

Diese rücksichtslose Irreführung mußte die DWW einige Tage später notgedrungen zugeben. In einer zweiten, ähnlich aufgemachten Großannonce hieß es: »Durch einen unverzeihlichen Fehler enthielt die DWW-Anzeige vom 12./13. Juli 1986 einige falsche Zahlen.« Die richtigen Zahlen suchte man jedoch auch hier vergeblich. Statt dessen ist unter dem Titel »Strahlung. Und was Sie dazu wissen sollten« in der zweiten Anzeige zu erfahren: »Strahlung kann positive (heilende) ... Wirkung haben«.[6]

Hätten die Autoren dieser DWW-Annonce einmal einen Blick in die jüngere Biologie-Literatur riskiert, wäre ihnen vielleicht ein Buch des Direktors am Institut für Genetik des Kernforschungszentrums Karlsruhe, Professor Peter Herrlich, aufgefallen. Die Lektüre des Abschnittes »Das Märchen von den positiven Strahlungswirkungen«[7] hätte sie möglicherweise davor bewahrt, ein weiteres Mal gefährlichen Unsinn zu verbreiten.

Schon vor dem Unfall in Tschernobyl war die Wiederaufarbeitungsanlage in Wackersdorf eines der Zentren politischer Auseinandersetzung in der Bundesrepublik. Da von seiten der Atomindustrie bis heute nicht überzeugend nachgewiesen werden konnte, warum die Bundesrepublik unbedingt eine Wiederaufarbeitungsanlage braucht, erhielten Gerüchte über einen möglichen militärischen Hintergrund der WAA im Lager der Kernenergiegegner schon frühzeitig Auftrieb.

Die Argumente, mit denen Vertreter der Bundesregierung allerdings diesen Vermutungen widersprachen, ließen aufhorchen. Bundesforschungsminister Riesenhuber z. B. bestritt energisch die Möglichkeit, aus Kernbrennstäben in der Wiederaufarbeitungsanlage waffenfähiges Plutonium zu gewinnen. Am 1. August 1986 erklärte er in BILD: »Das in Wackersdorf anfallende Uran und Plutonium kann aus physikalischen Gründen überhaupt nicht zur Herstellung von Atombomben verwendet werden.«

In der Monitor-Sendung vom 30. Dezember 1986 bewies dagegen der Darmstädter Kernphysiker Professor Kankeleit, daß die Aussage des Ministers wissenschaftlich nicht haltbar ist. Mit einer Computer-Simulation zeigte er, daß von 100 Atombomben, aus Reaktor-Plutonium 22, mit einer Sprengkraft explodierten, die der Detonationsstärke der Nagasaki-Bombe entsprach. In dem Computer-Experiment wurde zudem vorausgesetzt, daß die Technik der Bomben völlig veraltet war. Interessant ist übrigens, daß keine der simulierten Explosionen unter die Sprengwirkung von 1000 Tonnen des chemischen Sprengstoffes TNT fiel – das entspricht der halben Sprengkraft, die während des Zweiten Weltkrieges auf Hamburg niedergegangen ist.

Ein Problem der Bundesregierung nach dem sowjetischen Reaktorunfall bestand darin, die gestiegene radioaktive Belastung der Bevölkerung wenigstens politisch »zu senken«. Da bei diesem Manöver vor allem die SPD-regierten Bundesländer nicht so mitspielten, wie der damals für den Umweltschutz noch verantwortliche Minister Zimmermann es erwartet hatte, gab es schnell Ärger: »Der Punkt ist, daß bestimmte politische Gruppierungen in den Ländern versucht haben, Empfehlungen des Bundes durch eigene Anweisungen zu unterlaufen nach dem Motto: Jeder will der beste und der schnellste für die Gesundheitsvorsorge sein. Das hat die Verunsicherung der Bürger bewirkt. Das darf nicht sein«, meinte Friedrich Zimmermann im Mai 1986.[8]

Zimmermanns Nachfolger in Sachen Umweltschutz und Reaktorsicherheit, Walter Wallmann, trug diesen Sorgen mit seinem Entwurf eines sog. Strahlenschutzvorsorgegesetzes Rechnung; dabei fallen drei Aspekte besonders auf:

– Bei einem nächsten größeren kerntechnischen Unfall kann der Bundesminister für Umwelt, Naturschutz und Reaktorsicherheit durch Rechtsverordnungen Strahlengrenzwerte beliebig festlegen. Die Länder dagegen dürfen nach dem neuen Gesetzentwurf lediglich die Strahlenbelastung messen, sie dürfen ihre Ergebnisse aber nicht einmal auswerten und anschließend Empfehlungen an ihre eigene Bevölkerung geben. Durch diesen »Maulkorb-Erlaß« an die Länder ist bei einem nächsten Super-GAU sicherlich für die Einheitlichkeit hoher Belastungswerte »vorgesorgt«.

– Da das Umweltministerium künftig nach einem kerntechnischen Unfall Grenzwerte – zum Beispiel für Nahrung – in jeder Höhe festsetzen kann, bedeutet dies tatsächlich eine Abschaffung der Grenzwerte und damit eine weitgehende Beendigung des Strahlenschutzes.

– Bislang gilt nach der Strahlenschutzverordnung, daß die jährliche Belastung eines Menschen durch Radioaktivität aus Kernernergieanlagen »so gering wie möglich« zu halten ist, höchstens jedoch 30 Millirem erreichen darf. Die Vorstellungen, die im Rahmen des neuen Strahlenschutz»vorsorge«gesetzes angestellt werden, gehen von Strahlenbelastungen von 500 Millirem pro Jahr und Person als untere Grenze aus. Gegenüber der bisher üblichen oberen Belastungsgrenze von 30 Millirem pro Jahr und Person wurden sogar 5000 Millirem vorgeschlagen. Dies entspricht einer bis zu 170-fachen Erhöhung der bisher zulässigen Strahlenbelastung. Konkret bedeutet das: Wenn man die Bevölkerung der BRD kurzfristig einer Strahlenbelastung von 500 bis 5000 Millirem aussetzen würde, müßte man in den darauffolgenden 30 Jahren mit zusätzlichen 30 000 bis 300 000 Krebsfällen rechnen.

Fazit: Minister Wallmanns Gesetz sollte richtigerweise »Gesetz zum vorsorgenden Schutz der Bevölkerung vor Informationen über Strahlenbelastung« heißen, denn mit Strahlenschutzvorsorge – im Sinne der Erhöhung des Gesundheitsschutzes der Bevölkerung – hat es jedenfalls nichts zu tun. Der Rechtsanwalt und Politiker Otto Schily spricht daher zu Recht von einem Gesetz zur Enteignung der Gesundheit zugunsten der Atomindustrie.

Interessant ist übrigens, daß man der Bevölkerung vor nicht allzu langer Zeit noch weiszumachen versuchte, daß ein größerer Unfall in einem Kernkraftwerk praktisch ausgeschlossen sei; inzwischen trifft die Bundesregierung Vorsorge für ihr Verhalten nach dem nächsten Super-GAU.

»Hätte die Anlage in Tschernobyl die gleichen automatisch funktionierenden Sicherheitseinrichtungen und Sicherheitsbarrieren gehabt wie in der Bundesrepublik, dann wüßten wir von Tschernobyl so gut wie nichts.«[9] So jedenfalls heißt es in einer Anzeige der Kraftwerk-Union im Dezember 1986. Dies war nichts Neues, denn schon am 14. Mai 1986 hatte die Reaktorsicherheitskommission über eventuelle Konsequenzen für bundesdeutsche Kernkraftwerke beraten und dabei festgestellt, daß aufgrund des hohen Sicherheitsstandards hier momentan kein Anlaß für Maßnahmen bestehe.[10]

Unser Reaktorsicherheitsminister, Walter Wallmann, der Mitte Oktober 1986 auf dem Bonner Forum seinen Kenntnisreichtum mit der Behauptung unter Beweis stellte, es gäbe keinen Unterschied zwischen einem GAU und einem Super-GAU, verlangt »nun noch mehr« Sicherheit für deutsche Reaktoren. Er fordert ein Notventil für alle bundesdeutschen Atommeiler. Die Atomindustrie ist von seinem Vorschlag allerdings wenig begeistert: Pro Kernkraftwerk, so schätzt ein Kraftwerksbauer, würde der nachträgliche Einbau eines solchen Sicherheitsventils rund 100 Millionen DM kosten. Würde sich Wallmann mit seiner Forderung durchsetzen, müßten die Verwaltungsgerichte in Zukunft bei Genehmigungsverfahren von Kernkraftwerken anders vorgehen als bisher: Ein Super-GAU mit Kernschmelze, der bislang für hypothetisch erklärt und in atomrechtlichen Verfahren als verbleibendes Restrisiko ausgeklammert wurde, wäre künftig ein Gegenstand des Verfahrens.

Neben diesen Einwänden von seiten der Industrie ist überhaupt fraglich, ob der Vorschlag des Bundesumweltministers technisch zu einer Erhöhung der Reaktorsicherheit führen würde. Im Grunde genommen handelt es sich wohl eher um ein »Beruhigungsventil« für die Öffentlichkeit. Denn den Bonner Berufsoptimisten ist es immer noch nicht gänzlich gelungen, die Bevölkerung mit Meldungen über die Wirklichkeit deutscher Reaktoren zu verschonen:

»Obrigheim sofort stillegen«
Öko-Institut sieht Risiko des Bruchs einer Hauptkühlmittel-Leitung.
(Frankfurter Rundschau, 21. 11. 1986)

Super-GAU in Krümmel möglich
AKW's Krümmel und Brunsbüttel ohne ausreichende Schutzhüllen.
(Die Tageszeitung, 22. 11. 1986)

Störfälle im Atomkraftwerk verlaufen nicht wie im Computer
Ein Probe-Erdbeben riß Rohre ab. (Frankfurter Rundschau, 6. 12. 1986)

Neues AKW mit Planungsfehlern
US-Studie entdeckt: Druckbehälter im AKW Mülheim-Kärlich zu klein.
(Die Tageszeitung, 9. 12. 1986)

4. Der Stein der Weisen – Kernkraft als Allheilmittel

Das Thema Kernenergie ist eigentlich noch nie Gegenstand der west-östlichen Auseinandersetzung gewesen. Einvernehmlich war und ist man der Auffassung, daß eine »friedliche« Nutzung der Kernkraft möglich sei. Wie unfriedlich auch die nichtmilitärische Nutzung ist, hat nicht nur Tschernobyl gezeigt. Die »friedliche« Nutzung der Kernkraft hat es mehreren Ländern ermöglicht, sich unter Umgehung des Atomwaffensperrvertrags in den Besitz von Kernwaffen zu bringen bzw. die Voraussetzungen für ihre Produktion zu schaffen. Dazu gehören Indien, Südafrika, Brasilien, vermutlich Pakistan. Die Irrlehre von der »friedlichen« Kernenergienutzung hat eine wichtige moralische Hemmschwelle für die Weiterverbreitung von Kernwaffen eingeebnet: Jedes Land, das in den Besitz von Kerntechnik kommen will, müßte sich sonst unfriedliche Absichten unterstellen lassen.

Die These von der »friedlichen« Nutzung der Kernenergie mutet seltsam an in einem Zeitalter, das sich für so aufgeklärt und für so rational hält. Die ersten Uranmeiler – sowohl in den USA als auch in Hitlerdeutschland – wurden vor allem mit Blick auf eine militärische Verwendung der Kernspaltung gebaut, deren Wirkung dann mit Hiroshima und Nagasaki so furchtbar unter Beweis gestellt wurde. Auch die kontrollierte Kettenreaktion in einem Reaktor zur Gewinnung von Elektroenergie kann innerhalb von Sekunden in ein äußerst unfriedliches Inferno umschlagen, wie Tschernobyl gezeigt hat. Schließlich hält die zivile Nutzung der Kernkraft die Option Atombombe offen – sogar für arme Länder wie Indien oder Pakistan.

Je weniger an »Friedlichem« bei der zivilen Kernkraftnutzung übrigbleibt, desto euphorischer werden die Hymnen ihrer Propheten. Sie erklären die Kernenergetik für »beherrschbar« und zur unverzichtbaren Voraussetzung für die Lösung der dringendsten Menschheitsprobleme: Hunger, Armut, Unwissenheit. Hält man endlich den »Stein der Weisen« in der Hand, nach dem die Alchimisten des Mittelalters vergeblich forschten? Mehr als ein Jahrzehnt vor der Entdeckung der Radioaktivität mahnte Friedrich Engels die in Allmachtsträumen schwelgende mechanistische Naturwissenschaft des 19. Jahrhunderts: »Schmeicheln wir uns indes nicht zu sehr mit unsern menschlichen Siegen über die Natur. Für jeden solchen Sieg rächt sie sich an uns.« Und weiter: »Und so werden wir bei jedem Schritt daran erinnert, daß wir keineswegs die Natur beherrschen, wie ein Eroberer ein fremdes Volk beherrscht, wie jemand, der außer der Natur steht – sondern daß wir mit Fleisch und Blut und Hirn ihr angehören und mitten in ihr stehn und daß unsre ganze Herrschaft über sie darin besteht, im Vorzug vor allen andern Geschöpfen ihre Gesetze erkennen und richtig anwenden zu können.«[11]

Mit Blick auf unsere heutige Situation erweisen sich diese Sätze als beklemmend prophetisch. Tagtäglich erleben wir, wie sich die Natur für Technisierung und Industrieaalisierung »rächt«: Waldsterben, Klimakatastrophe, Trinkwassermangel seien hier als Beispiele stichwortartig genannt. Ausgerechnet der denkbar tiefste Eingriff in die Natur, in ihre Elementarstruktur nämlich, soll keine nennenswerten Rückwirkungen haben oder allenfalls solche, die durch die positiven Wirkungen um ein Vielfaches aufgewogen werden? »Die Kerntechnik gehört... zu den sichersten Industriezweigen. Dies gilt sowohl für die betriebliche Sicherheit als auch für die Personensicherheit.«[12] So lautet die bündige Feststellung des Präsidenten des Staatlichen Amtes für Atomsicherheit und Strahlenschutz der DDR, Professor G. Sitzlack (über deren Stichhaltigkeit man allenfalls dann streiten könnte, wenn man Kerntechnik auf den Reaktorbetrieb beschränkt). Seine Schlußfolgerung: »Um auf eine Vielzahl wissenschaftlicher, medizinischer und technischer gesellschaftlich nützlicher Fortschritte nicht verzichten zu müssen, muß das mit der Strahlenanwendung und Kernenergienutzung verbundene Risiko getragen werden.«[13] Auch der bundesdeutsche Kernkraftwerksbetreiber RWE geizt nicht mit Glücksverheißungen, wenn es um die Rechtfertigung der Kernkraft und die Retuschierung ihrer Risiken geht. »Die Menschheit wächst unaufhaltsam. Und da Hunger nichts anderes ist als Mangel an Energie, wäre zwangsläufig die Verfügbarkeit über unbegrenzte Mengen an Energie die Lösung des größten Problems der Menschheit.«[14]

Die frivole Nahrungsmittelüberproduktion in Westeuropa füllt keinen hungrigen Magen in der Dritten Welt, ebensowenig wie die hier erzeugten Überkapazitäten an Elektroenergie. Es liegt auf der Hand, daß zu den wissenschaftlich-technischen Möglichkeiten auch die richtigen politischen Entscheidungen treten müssen, damit sie gesellschaftlich nützlich angewandt werden können. Diese Feststellung gilt auch für den möglichen Einsatz von Kernkraft, um die Energieprobleme der Dritten Welt zu lösen. Ein kurzer Blick auf die Situation der Entwicklungsländer macht den Irrsinn eines solchen Weges deutlich. Die Preise für Rohstoffe, die klassischen Exportgüter der Dritten Welt, sind in den letzten Jahren stetig gesunken – und mit ihnen die Deviseneinnahmen. Gleichzeitig sind die Industrien dieser Länder nur zum Teil ausgelastet.[15] Güter, die man eigentlich selbst herstellen könnte, müssen mithin eingeführt werden – gegen kostbare und immer knappere Devisen. Kernkraftwerke – Stückpreis rund 5 Mrd. DM – würden angesichts der Devisenknappheit die ohnehin enorme Verschuldung der Dritten Welt weiter nach oben treiben und das Problem der ungenutzten Produktionskapazitäten nicht lösen. Dazu bedarf es nicht in erster Linie zusätzlicher Energie, sondern einer neuen Weltwirtschaftsordnung, die den Ländern der Dritten Welt größere Chancen auf dem Weltmarkt eröffnet.

5. Fetisch wissenschaftlich-technischer Fortschritt

Ein entscheidender Fehler der Kernkraftbefürworter liegt in der Überbetonung, ja Mystifizierung des wissenschaftlich-technischen Fortschritts und in seiner Loslösung aus dem gesellschaftspolitischen Zusammenhang. Doch dieser Trick ist nötig, um die Kernenergie trotz der immer deutlicher sichtbaren Risiken nach wie vor rechtfertigen zu können, aber auch, um von den nach wie vor ungelösten Problemen im kerntechnischen Brennstoffzyklus ablenken zu können. Das drängendste Problem, für das sich bislang auch nicht ansatzweise ein gangbarer Lösungsweg zeigt, ist die Endlagerung des radioaktiven Abbrands. Auch hier schafft der zum Fetisch deformierte wissenschaftlich-technische Fortschritt Rat.

Ein Experte aus der Bundesrepublik ist zuversichtlich, »daß Methoden zur sicheren Endlagerung hoch- bis schwachaktiver Abfälle gefunden und entwickelt werden können, wenn ausreichende Forschungs- und Entwicklungsressourcen sowie internationale Zusammenarbeit auf die Lösung dieser Fragen konzentriert werden«.[16] Die vage Hoffnung auf eine in den Sternen stehende Problemlösung scheint stärker zu sein als alle Bedenken; überall auf der Welt wird seit langem radioaktiver Müll deponiert – in Salzstöcken, auf dem Meeresgrund – oder einfach »verdünnt« in die Umgebung versprüht. Der wissenschaftlich-technische Fortschritt wird's schon richten, wenn wir nur fest genug daran glauben.

Der Deckmantel des Fortschritts und des Humanismus eignet sich auch hervorragend dazu, von wirtschaftlichen Interessen abzulenken. In den aufwendigen Glanzbroschüren der Atomindustrie ist viel von den segenspendenden Wirkungen der Kernenergie die Rede; was am Uranbergbau, am Reaktorbau und an der Energieerzeugung verdient wird, welche staatlichen Subventionen eingestrichen werden, davon um so weniger. Und wenn sich dann das Ökonomische nicht gänzlich umschiffen läßt, so versteht es sich von selbst, daß die AKW-Betreiber die »wirtschaftliche Vernunft« auf ihrer Seite haben: »Die Konsequenz wirtschaftlicher Vernunft kann nur sein, diese Technik noch beherrschbarer zu machen, als sie es schon ist.«

Erneut stoßen wir auf die Vokabel »beherrschbar«. Wieder einmal wirft sich die Atomindustrie in die Pose des Eroberers, dem es gelungen ist, die Gewinnung von Energie aus den Bausteinen der Materie zu beherrschen, oder der – zumindest in absehbarer Zeit – dazu imstande sein wird (die verräterische Steigerungsform zeigt, daß man sich nicht allzu eindeutig festlegen möchte). Diese Eroberermentalität steht nicht nur im Widerspruch zu den tagtäglich zu beobachtenden Wechselwirkungen zwischen Mensch und Natur, sondern ist auch ein Rückfall in längst überwundene Denkgewohnheiten des vorigen Jahrhunderts.

Für den Naturwissenschaftler des 19. Jahrhunderts war die von Galilei und Newton begründete klassische Mechanik Ausgangs- und Bezugspunkt aller Naturforschung. Die faszinierende Geschlossenheit und Anschaulichkeit dieses Systems führte zu einem mechanistischen Weltbild, das den Gesetzen der Mechanik eine hervorragende Stellung unter allen Naturgesetzen einräumte. Die gesamte materielle Wirklichkeit ließ sich in Bewegungen und gegenseitige Beeinflussung kleiner materieller Teilchen auflösen. Willkür und Zufall waren ausgeschlossen, die natürlichen Vorgänge liefen nach den Prinzipien der Stetigkeit und des Determinismus ab und waren durch die Wissenschaft objektivierbar. Jeder Zustand in jedem Augenblick war zwangsläufiges Resultat des vorhergehenden Zustands.

Aus diesem mechanistischen Weltbild entstand der Traum von der Beherrschbarkeit der Natur durch den Menschen. Für den sogenannten Laplaceschen Dämon, der in einem gegebenen Augenblick den Zustand des gesamten Universums kennt, wäre nichts mehr ungewiß, weder in Zukunft noch in Vergangenheit. Diese Theorie des französischen Naturforschers Pierre Simon Laplace (1749–1827) wurde von dem Berliner Physiologen Emil Du Bois-Reymond (1818–1896) fortgeführt. Für Du Bois-Reymond war das Naturgeschehen einem Uhrwerk vergleichbar, dessen Lauf bis in die fernste Zukunft mathematisch genau vorherbestimmt ist. Exakte Prognosen künftiger Abläufe waren mithin grundsätzlich möglich, die Beherrschbarkeit der Natur durch den Menschen grundsätzlich realisierbar.

Der Allmachtstraum der Naturwissenschaft wurde durch die Naturwissenschaft selbst jäh beendet. Um die Jahrhundertwende sah sich die Wissenschaft mit neuartigen physikalischen Erscheinungen – z. B. der Radioaktivität – konfrontiert. Bei den Bemühungen, diese Erscheinungen zu verstehen, stellte sich heraus, daß Stetigkeit in der Natur (natura non facit saltus) kein allgemeines Gesetz ist, sondern daß es in der Natur tatsächlich Sprünge gibt. Die Quantenmechanik, die »Physik von den Sprüngen«, zusammen mit der etwa gleichzeitig entwickelten Relativitätstheorie trat an die Stelle der klassischen Mechanik. Seitdem wissen wir, daß es eine unveränderliche Ursache-Wirkungs-Kette, einen Determinismus im klassischen Sinne, nicht gibt. Die Wirkungen in der Natur sind dialektisch, stehen also in einem komplizierten Wechselverhältnis und sind in ständiger Bewegung und Veränderung. Es waren vor allem die riesigen Fortschritte in der modernen Physik, die diese Erkenntnisse geliefert und vertieft haben.

Es entbehrt nicht der Ironie, wenn ausgerechnet die Kernkraftwerksbetreiber in Denkgewohnheiten zurückfallen, die ihrer eigenen täglichen Praxis zutiefst widersprechen. Würden wir versuchen, Technik und Industrie den Anschauungen der mechanistischen Naturwissenschaft entsprechend zu gestalten, so wäre kein einziges Kernkraftwerk in Betrieb. Die Geschichte der zivilen Nutzung der Kernkraft mit dem schaurigen Höhepunkt Tschernobyl zwingt zu der Einsicht, sofort abzuschalten – oder zum weltanschaulichen Anachronismus, zum Rückfall in längst überwundene Denkgewohnheiten. Erschreckend ist, wie viele Wissenschaftler sich dafür hergeben. Der Wissenschaftsbetrieb ist, allen gegenteiligen Beteuerungen zum Trotz, an vielfältige Interessen gebunden – vor allem an ökonomische und politische – und richtet seine Fähnchen nach dem Wind.

Wie steht es da mit der Verantwortung des Wissenschaftlers? Dazu Galilei in Brechts »Leben des Galilei«: »Wenn Wissenschaftler, eingeschüchtert durch selbstsüchtige Machthaber, sich damit begnügen, Wissen um des Wissens willen aufzuhäufen, kann die Wissenschaft zum Krüppel gemacht werden, und eure neuen Maschinen mögen nur neue Drangsale bedeuten.«

ANTON-ANDREAS GUHA

Vertrauen ist gut, Kontrolle ist besser
Über das Versagen der Presse

> Wir, die wir als Urheber aller Ereignisse, sei es zum Guten oder zum Schlechten, gelten müssen, haben allen Grund, uns die Zeit zu nehmen, sie vorauszudenken.
>
> Thukydides

Max Horkheimer und Theodor W. Adorno haben mit besonderem Nachdruck auf die fatalen Konsequenzen hingewiesen, die sich aus der zunehmenden Komplexität, Differenzierung und Bürokratisierung moderner Industriegesellschaften ergeben, die sich gleichzeitig in ständigem, raschen Wandel befinden, dessen Dynamik wiederum im wesentlichen vom ökonomisch verwerteten wissenschaftlich-technischen Fortschritt bestimmt wird. Der Bürger begreift die Gesellschaft nicht mehr, er erlebt sie wie einst der »Wilde« die Natur: Anonyme Mächte haben Gewalt über ihn, der er sich nur fügen kann. So wird heute die moderne Gesellschaft zur »zweiten Natur«, ebenso fremd und bedrohlich wie in früheren Zeiten, weil Prozesse und Entwicklungen lediglich in ihren Konsequenzen und Anpassungszwängen erlebbar werden, ihr Sinn und Zweck aber verschlossen bleiben. Weitgehend anonym bleiben auch die Interessen, die den gesellschaftlichen Prozeß vorantreiben, der Bürger verliert die Orientierung. Gesellschaftliche Entwicklung und Sozialwandel nehmen den Charakter von Schicksalhaftigkeit an, deren vielfältigen Sachzwängen man sich nur ohnmächtig beugen kann. Allenfalls gelingt einfache Orientierung durch Personalisierung gesellschaftlicher und politischer Entscheidungen. Handelnde Personen – der Bundeskanzler, Minister, der eine oder andere Vorsitzende einer Großorganisation, Parteichefs, Gewerkschaftsbosse – werden als Verantwortliche ausgemacht. Ansonsten beruht das politische »Bewußtsein« der Mehrheit der Bürger auf einer Dichotomie: Die da oben (die tun ohnehin, was sie wollen) und wir da unten (wir können uns nur fügen).
Der Vergleich des modernen Menschen mit dem Angehörigen »primitiver« Kulturen ist notabene falsch, denn einfache Kulturen haben sehr wohl eine – obendrein vielfältige und differenzierte, wenngleich »vorwis-

senschaftliche« – Deutung der Natur hervorgebracht, die Daseinssinn stiftete und somit Orientierung ermöglichte. Die Interpretation der Natur und ihrer Vorgänge, die sich in Religion und religiösen Formen, in Riten, Kulten, Sitten und Gebräuchen niederschlug, damit in Verhaltens- und Handlungsanweisungen, bezog den Stamm, die Gemeinschaft ein, daher auch den einzelnen. Natur, Gesellschaft und der einzelne waren eingegliedert in einem Gesamtzusammenhang, dessen Sinnhaftigkeit aufgrund der tradierten Deutungsmuster erfahrbar war. Mit Göttern und Geistern, wie schrecklich sie auch sein mochten, ließ sich kommunizieren, die Angst vor ihrer Übermacht konnte im Ritus »bearbeitet« werden, etwa im Opfer. Selbst Unglücksfälle und Katastrophen, die den einzelnen oder die Gemeinschaft heimsuchten, konnten auf diese Weise nach den vorgegebenen Mustern noch gedeutet und in einen Sinnzusammenhang gestellt werden. Der »primitive« Mensch begriff die Natur, sie war ihm weder fremd noch anonym. Er verstand und erlebte sich sowie seine Gemeinschaft als Teil von ihr. Insofern zerfiel die Lebenswelt auch nicht in eine öffentliche und eine private Sphäre.

Anders heute. Die öffentliche, also politische Sphäre, wird dem einzelnen zunehmend fremd, weil er sie nicht begreift. Der »moderne« Mensch erlebt sich in ihr lediglich als funktionierendes Rädchen, einbezogen in vielfältige Zwänge und hierarchische Strukturen, nicht aber als mitgestaltender Teil innerhalb eines sinnhaften, zumindest begreifbaren Ganzen. Entfremdete Arbeit hier, eine mit unübersehbarer Formular- und Gesetzesflut alle Bereiche verwaltende Bürokratie dort wecken Ohnmacht und Hilflosigkeit, damit Angst, die sich dadurch verstärkt, daß die Bedingungen für die Lebensplanung und -gestaltung jederzeit durch den Verlust des Arbeitsplatzes (oder durch Unfall) in Frage gestellt werden können. Konflikte und Krisenerscheinungen wie Umweltzerstörung, Einführung moderner Technologien, Kriege in der Dritten Welt, der Rüstungswettlauf mit seiner sich verstärkenden atomaren Bedrohung werden als unabwendbares Schicksal empfunden. Das Resultat – politische Apathie aufgrund von Ohnmachtsgefühl und Angst – läßt keine Sinndeutung mehr zu, allenfalls Klischees, Ressentiments und Vorurteile.

Mit seinen in der öffentlichen Sphäre erworbenen »Beschädigungen« (Mitscherlich) zieht sich der Bürger in die Privatsphäre zurück, die überschaubar und transparent erscheint, in der man »sein eigener Herr« sein kann. Die scheinbar freie Gestaltung der Freizeit und der privaten Sphäre erzeugt das Gefühl von Souveränität, das erlittenen Identitätsverlust wieder ausgleicht, Frustrationen abbaut und das Ich stärkt. Die gesellschaftsstabilisierende und damit herrschaftssichernde Funktion der Privatsphäre liegt nicht zuletzt darin, daß in ihr Angst und Aggressivität, erworben in der öffentlichen Sphäre, bearbeitet und wie auch immer bewältigt werden müssen. Dabei bleibt es scheinbar in der Freiheit des einzelnen, welche Surrogate der Bedürfnisbefriedigung er benutzt, wie er Aggressivität »sozialverträglich« bewältigt, welche Identifikationen zustande kommen und welche Folgen sich einstellen. Doch wird auch die Privatsphäre längst von der Unterhaltungs- und Freizeitindustrie vermarktet, wobei Vermarktung immer Verhaltenseinschätzung, -beeinflussung und -kontrolle voraussetzt.

Das Auseinanderfallen der Lebenswelt in eine öffentliche und eine private Sphäre produziert nicht nur nach Ansicht Adornos und Horkheimers massenhaft den »autoritären Charakter«, einen Typus mit starkem Über-Ich und geschwächtem Ich, der sich den Autoritäten und »herrschenden« Bedingungen der öffentlichen Sphäre anzupassen weiß, sich teilweise auch mit ihnen identifiziert, weil sie stark und mächtig sind, in der privaten Sphäre aber alle psychischen Energien aufbieten muß, um seine erlittenen – angstbestimmten – Frustrationen und seine Aggressivität zu bewältigen. Der »autoritäre Charakter«, der – mit gebotener Vorsicht formuliert: Massenmensch – ist zu freier Kommunikation unfähig, weil er die Gewißheit und Sicherheit suggerierender Vorurteile, Ressentiments und Klischees als »psychische Stützen« braucht. Informationen, die den im Laufe des Sozialisationsprozesses erworbenen Denk- und Verhaltensmustern »emotiv und/oder kognitiv« widersprechen oder sie in Frage stellen, werden als »Blödsinn« abgewehrt, wobei sich gegen die Urheber solcher Informationen, z. B. Journalisten, nicht selten erhebliche Aggressionen richten, weil sie als Verunsicherung empfunden werden.

Doch bedarf nicht Demokratie des kritisch »räsonierenden« Bürgers, der Anteil an gesellschaftlichen Entwicklungen und politischen Entscheidungen nimmt? Der zu diesem Zweck eine freie Presse braucht, die obendrein »kritisch« ist, was bedeutet, daß sie sachkompetent ist und Kontrollfunktionen wahrnehmen kann? Braucht aber nicht umgekehrt – ein diffiziles, »dialektisches« Abhängigkeits- und Wechselverhältnis – eine freie Presse den kritisch räsonierenden Bürger (Leser, Hörer, Fernsehzuschauer), der politisch informiert, also sachkompetent ist und differenzierte, zutreffende Informationen benötigt? Wenn richtig ist, daß Öffentlichkeit erst durch freien Informationsfluß und Informationsaustausch hergestellt wird: Was hat der massenhafte Rückzug der Bürger in die Privatsphäre sowohl für die Idee der Demokratie als auch für die Pressefreiheit für Konsequenzen? Was bedeutet unter diesen Umständen »Öffentlichkeit« überhaupt, bei Abwesenheit des eigentlichen Souveräns, der ja in einer Demokratie das Volk, also die Masse der Staatsbürger, sein soll? Wer füllt dieses Vakuum aus? Unterliegt der Begriff der »Öffentlichkeit« einem Bedeutungswandel?

1. Grundlage und Bedeutung der Pressefreiheit

Die Pressefreiheit »ist die Freiheit der Freiheiten«, schrieb der verstorbene Journalist Karl-Hermann Flach einmal in einem preisgekrönten Leitartikel. Gerate sie in Gefahr, seien die anderen Grundfreiheiten und Grundrechte ebenfalls gefährdet. Ohne ein tägliches »feed-back«, d. h. ohne jene zustimmende oder kritische Resonanz aus dem Publikum, geriete aber die Pressefreiheit selbst in Gefahr. Demokratische Freiheit beruht demnach in erheblichem Maße auf dem Wechselspiel zwischen freier Presse und den politisch interessierten Bürgern. Die Justiz alleine wäre überfordert, über die Pressefreiheit, wie sie als Freiheit der Institution Presse gegenüber dem Staat in Artikel 5 Grundgesetz niedergelegt ist, zu wachen. Wegen der Bedeutung einer freien Presse für die demokratischen Freiheiten billigt das Bundesverfassungsgericht der Presse de facto die Funktion einer »vierten Gewalt« im Staate zu, obwohl davon im Grundgesetz nichts steht. Diese staats- und mehr noch demokratierelevante Funktion wird der Presse aufgrund ihrer Aufgabe zugebilligt, über die anderen drei Gewalten – Exekutive, Legislative und Judikative – Kontrolle auszuüben, jedoch nicht für sich selbst und für eigene Machtzwecke, sondern gewissermaßen »im Namen des Volkes«, für den Bürger als dem eigentlichen Souverän in einem demokratischen Staatswesen. Erst recht wird der Presse eine Kontrollfunktion über Gruppen, Organisationen, Parteien und Verbände zugesprochen, wobei freie Information bzw. Informationsbeschaffung und freie Meinungsäußerung, also Kritik, Voraussetzungen für die Wahrnehmung dieser Kontrollfunktion sind.

Was aber ist eine kritische Öffentlichkeit als Mit-Garant demokratischer Freiheit? »Öffentlichkeit«, ein kommunikationswissenschaftlich-soziologischer Begriff, beschreibt keinen Zustand, sondern einen komplexen Prozeß, der stets aufs neue hergestellt und in Gang gehalten werden muß. Hergestellt wird Öffentlichkeit – theoretisch – zunächst durch Informationen. Ereignisse, Entscheidungen, Entwicklungen werden zwar nicht faktisch, wohl aber »eigentlich« erst existent, wenn über sie Informationen, also Kenntnisse, vorliegen, wobei Informationen die Voraussetzung jeder Urteils- und Meinungsbildung, daher auch jeder Willensbildung sind. Die Bedeutung eines freien, ungehinderten Zugangs zu Informationen und Informationsquellen für eine möglichst objektive Realitätswahrnehmung und wirklichkeitsnahe Urteilsbildung ist offenkundig, er ist in Artikel 5 Grundgesetz rechtsverbindlich garantiert. Doch besagt dieser Artikel des Grundgesetzes lediglich, daß der Staat verpflichtet ist, den Zugang zu Informationsquellen und die Informationsweitergabe (im wesentlichen des Staates und seiner Behörden) offenzuhalten und sie nicht, etwa durch Zensur, zu beschränken. Dieser Artikel ist nur ein Vertrag zwischen dem Staat und der Institution Presse. Die »innere« Pressefreiheit vermag Artikel 5 Grundgesetz, ebensowenig zu garantieren wie den freien Zugang zu außerstaatlichen Informationsquellen. Parteien, Organisationen, Verbände oder sonstige Institutionen sind nicht verpflichtet, auf Wunsch der Presse Informationen freizugeben oder den freien Zugang zu Informationen zu garantieren.

2. Journalistische Kompetenz

Kritische Öffentlichkeit wird darüber hinaus wesentlich konstituiert durch Kompetenz. Mit Kompetenz ist die Fähigkeit gemeint, Informationen zu verstehen, einzuordnen, zu selektieren, zu verwerten und für die eigene Urteils- und Willensbildung auszuwerten. Diese Kompetenz benötigen sowohl die Presse, der Kommunikator, als auch der Kommunikant bzw. Rezipient, d. h. der Leser, Hörer, Zuschauer, also das »räsonierende« Publikum. Informationen ohne diese Kompetenz sind belanglos, wenn nicht gar Desinformation.

Journalistische Kompetenz ist ein komplexer Begriff. Er meint keinesfalls nur Expertenwissen, aber doch – und in steigendem Maße! – die Fähigkeit, mit Experten kommunizieren zu können. Gesellschaftliche Realität wird von Eliten, von »Profis« gestaltet und verwaltet (nicht selten nach Interessen, die das Licht der Öffentlichkeit scheuen), denen wiederum Fachspezialisten, organisiert in »Apparaten« und Systemen, zur Verfügung stehen, mit Zugang zu allen notwendigen Daten und Informationen. Um schwierige Entscheidungen zu verstehen und komplexe Vorgänge beurteilen zu können, um in der Lage zu sein, sie als Information und Nachricht zu erfassen und nach ihrer Bedeutung zu gewichten, muß auch der Journalist zugleich Fachmann und »Generalist« sein. Der »Generalist« alleine, der heute zu einem sicherheitspolitischen Problem Stellung nimmt, morgen zu einem rentenversicherungsrechtlichen, übermorgen zu Nicaragua, bleibt an der Oberfläche, er könnte seiner Funktion nicht gerecht werden.

Zu journalistischer Kompetenz gehören aber auch Anteilnahme und Engagement, was sich bereits – und unvermeidlich – in der Auswahl und Gewichtung von Nachrichten bzw. Informationen sowie in der Kommentierung am deutlichsten äußert. Es ist ein »interesseloses« Engagement, das nicht für den von Interessen erzwungenen Kompromiß eintreten muß, sondern das Optimale und wohl auch Ideale propagieren könnte und sollte. »Interesseloses« Engagement wäre Aufklärung im Sinne Kants und Lessings. Kantianisch wäre sie in ihrem Vertrauen auf die Möglichkeit von Vernunfterkenntnis und lessingisch im Wissen darum, daß

»Wahrheit« nicht möglich ist, sondern nur das Bemühen um sie. »Interesseloses« Engagement wäre auch insofern die ideale Motivation für journalistische Arbeit, als es einerseits (parteipolitisch) zu neutraler Haltung verpflichtete, andererseits den Kompromiß als die in einer pluralistischen Gesellschaft relativ beste Lösung schließlich doch akzeptierte. »Nach bestem Wissen und Gewissen« – so könnte journalistisches Ethos auf eine einprägsame Formel gebracht werden. Kompetenz ist dabei kein Synonym für Objektivität, das wäre ein Mißverständnis. Da schon die Auswahl von Informationen und ihre Gewichtung bei der Präsentation subjektiven Einflüssen unterliegt – Kommentierung fängt faktisch bei der Frage an, was in den Papierkorb wandert und was gemeldet wird –, ist der uralte und teilweise erbittert ausgetragene Streit um Objektivität und Subjektivität der Berichterstattung in den Medien ein nicht zu entscheidender, daher letztlich müßiger Streit. Das Urteil selbst wäre in jedem Falle ein subjektives (allerdings gibt es eminent wichtige Kriterien, um Objektivität möglichst nahezukommen, beispielsweise den Grundsatz »audiatur et altera pars«, d. h., auch die andere Seite muß gehört werden).

Die Objektivität der Presse wird hergestellt durch sorgfältige Recherche, Berücksichtigung möglichst vieler und auch konträrer Informationen sowie durch die Qualität der Argumentation, wobei Argumentation sowohl für die Nachrichtenauswahl bzw. -zusammenstellung als auch für die Kommentierung wichtig ist. Darüber hinaus stellt sich die Objektivität der Presse annäherungsweise und theoretisch her in der Pluralität (so gesehen wäre Objektivität auch ein Problem von Statistik – als Durchschnittswert. Eine konservative, eine liberale und eine linke Zeitung ergeben zusammen annäherungsweise objektiven Journalismus, jede für sich ist subjektiver als ihre Summe, wenngleich fallweise die Wiedergabe der Realität und ihre kommentierende Interpretation in einem der Blätter objektiv sein kann).

Doch könnte »demokratische« Öffentlichkeit nicht hergestellt werden, träfe journalistische Kompetenz nicht auf einen »counterpart«, den wegen seines Anspruchs auf politische Teilhabe Informationen fordernden Bürger, der seinerseits Nachrichten, Hintergrunddarstellungen und Kommentare kompetent aufnehmen und bewerten kann. Das journalistische Angebot – Journalismus ist Dienstleistung – dient schließlich der Kommunikation zwischen den Bürgern und den staatlichen sowie gesellschaftlichen Institutionen, Parteien, Verbänden, Organisationen und sonstigen Gruppen. Die durch Kommunikation hergestellte Öffentlichkeit ist per definitionem um so demokratischer, je mehr Bürger, ungeachtet der sozialen Schichtung, an dieser Kommunikation teilnehmen. Der Rückzug der Mehrheit der Bürger aus der öffentlichen Sphäre hat freilich dazu geführt, daß, trotz eines formal-demokratischen Rahmens, bestenfalls eine »oligarchische« Öffentlichkeit hergestellt werden kann, nämlich Kommunikation zwischen Eliten, dazu zählen Verbände aller Art sowie das organisierte Interesse einerseits und eine Minderheit interessierter Bürger andererseits.

Kontrolle von Macht und Einfluß als einer der wichtigsten staats- und gesellschaftspolitischen Funktionen von Kommunikation bedeutet, daß staatliche und gesellschaftliche Institutionen, darüber hinaus das organisierte Interesse sowie deren Repräsentanten, gezwungen werden, sich neben ihrer formalrechtlichen bzw. gesetzlich bestimmten Legitimität durch ihr konkretes politisches und gesellschaftliches Handeln stets aufs neue zu legitimieren. In einer parlamentarischen Demokratie beispielsweise ist staatliche Macht einerseits institutionell beschränkt durch die Teilung in Exekutive, Legislative und Judikative, wobei sich – ihrerseits wiederum unterteilt – die Teilgewalten gegenseitig unter Kontrolle halten; aber wirksam ergänzt wird diese institutionalisierte Machtkontrolle in der Alltagspraxis erst durch die von der Presse vermittelte Kommunikation zwischen dem kritikfähigen Publikum, dem Souverän, und den staatlichen Machtzentren.

3. Journalistische Kontrolle

Die journalistisch vermittelte Kontrolle nur der staatlichen Machtzentren wäre jedoch in demokratischen Industriegesellschaften unzureichend, wenn nicht auch eine Kontrolle der außerstaatlichen Machtzentren stattfände. Gerade diese Kontrolle trägt dazu bei, die im Laufe der gesellschaftlichen Entwicklung der letzten 150 Jahre deutlich gewordene Unzulänglichkeit demokratischer Verfassungen zu mildern. Die zentrale Idee der Demokratie meint Machtkontrolle durch Machtteilung, aber sie verharrt weitgehend auf einem überholten Machtbegriff aus dem 18. und 19. Jahrhundert. Macht, d. h. die Fähigkeit, Entscheidungen von nationaler oder zukunftsdeterminierender, gesellschaftlicher Bedeutung durchzusetzen, findet sich heute keineswegs mehr allein beim Staat. Massenorganisationen, mehr noch aber Wirtschaft und Industrie mit ihren Interessenverbänden konzentrieren ebensoviel Macht wie der Staat, zumindest was gesellschaftsprägende und gesellschaftliche Zukunft determinierende Entscheidungen, Entwicklungen und Prozesse betrifft. Häufig beschränken sich Politik und staatliches Handeln auf bloßes Verwalten von Konsequenzen, die sich aus den Entscheidungen außerstaatlicher Machtzentren ergeben.

Nicht von staatlichen Entscheidungen hängt es beispielsweise ab, wie in

Zukunft mit welchen Technologien produziert wird – mit welchen sozialen Konsequenzen und Folgen für Lebensweise, Umwelt, Ausbildung, sogar Weltanschauung und Verhaltensweisen. Wissenschaft und angewandte Forschung (Technik) sowie die sie verwertende und größtenteils sogar nach Rentabilitätsüberlegungen organisierende Industrie bestimmen weit stärker über die Zukunft und die künftigen Formen des Daseins. Selbst die Sicherheitspolitik entzieht sich insofern weitgehend staatlichem Einfluß, als Regierungen in vielen entscheidenden Bereichen auf die von der Industrie entwickelte Rüstungstechnologie reagieren. Wissenschaft und Technik sowie die sie verwertende Industrie bestimmen somit in erheblichem Maße die Militärstrategie und damit die Sicherheitspolitik, die wiederum Konsequenzen für die Gegenseite hat, somit wiederum die Beziehungen zwischen den Machtblöcken prägt und letztlich über das Schicksal der Welt entscheidet.

Der Katalog der aufzuführenden Beispiele wäre lang. Außerstaatliche Machtzentren und Interessengruppen machen Politik und beeinflussen unmittelbar staatliche Politik. Das ökonomische Verhalten multinationaler Konzerne ist mitverantwortlich für die gegenwärtige Unterentwicklung der Dritten Welt und damit für die kaum noch absehbaren Konsequenzen. Die amtliche Regierungspolitik der USA reagierte in diesem Jahrhundert mit schärfsten Repressionen, bis hin zu über 50 militärischen Interventionen, wenn amerikanisches Kapital in einem Staat der Dritten Welt gefährdet oder enteignet wurde.

Für diese außerstaatlichen Machtkonzentrationen sieht aber die Verfassung parlamentarischer Demokratien in der Regel keine wirksamen Kontrollen vor, sie stellt etwaige Kontrollen in das Belieben des Gesetzgebers, der aber damit, wie die gesellschaftliche Realität zeigt, etwa die sich abzeichnende ökologische Katastrophe oder die wachsende Misere der Dritten Welt, überfordert ist. Es gibt keine vorbeugende schadenverhütende oder -vermindernde Kontrolle. Dem Gesetzgeber selbst fehlt es, wie zahlreiche Untersuchungen belegen, an Kompetenz, zukunftsdeterminierende Prozesse kontrollieren zu können, nicht zuletzt aufgrund materieller, weltanschaulicher oder ideologischer Interessenverflechtung zwischen Mitgliedern bzw. Gruppen staatlicher Entscheidungsinstanzen und den Interessenverbänden.

Theoretisch könnte und müßte die Presse diese Kontrollfunktion ausüben, und sie tut es teilweise auch mit Erfolg, wie die Aufdeckung von Skandalen und Fehlentwicklungen, von gesetzwidrigen Kontrollpraktiken, Datenmißbrauch, Weinpanscherei, Lebensmittelvergiftung bis hin zur Parteispendenaffäre zeigt.

Aber genügt die Aufdeckung von Skandalen? Der Selbstanspruch der Presse will mehr, er will Entscheidungen und Entwicklungen, die die Zu-

kunft determinieren, kritisch begleiten, so daß Fehlentwicklungen vermieden oder zumindest korrigiert werden können. Hat sie die Sachkompetenz dafür?
Die Antwort kann nur lauten: Sie hat diese Sachkompetenz im allgemeinen nicht, sie hat selbst keinen Durchblick, ist selbst weitgehend uninformiert. Und wenn sie in Detailfragen, die durchaus erheblich sein können, über Sachkompetenz verfügte und die notwendigen Fragen zu stellen in der Lage wäre, so wird sie nicht selten von inner- und außerredaktionellen Interessen behindert und in ihrer Kontrollfunktion beschränkt.

4. Wirtschaftliche Zwänge der Presse

Erklärungsversuche für das offenkundige Versagen der Presse und ihre mangelnde Kompetenz angesichts immer komplexer werdender gesellschaftlicher Entwicklungen führen rasch an die Struktur der Medienunternehmen. Was die Printmedien betrifft, so zeigen sie einen problematischen Doppelcharakter: Einerseits sind sie Dienstleistungsunternehmen mit einer für die Demokratie lebenswichtigen Kontrollfunktion (›vierte Gewalt‹); andererseits aber sind sie Industrieunternehmen mit handfesten kommerziellen Interessen und den ökonomischen Sachzwängen des kapitalistischen Systems unterworfen. Da in jedem Industrieunternehmen Rentabilität und ergo Sparsamkeit, Nutzung von Rationalisierungschancen usw. oberstes Gebot sind, achtet auch ein Pressebetrieb auf sparsame, rentable, kostengünstige Produktion. So ist es ohne Zweifel kostengünstig, nicht jede mögliche Informationsquelle zu nutzen, etwa Nachrichtenagenturen oder Informationsdienste, mögen sie an sich noch so notwendig sein, oder eigene Korrespondenten zu unterhalten. Wenig rentabel wäre es auch, Fachjournalisten und Fachredakteure zu beschäftigen, weil diese teuer sind, oder Experten, etwa Fachwissenschaftler, je nach Bedarf gegen Honorar zu engagieren. Vom Kostenstandpunkt sinnvoll dagegen ist es, den redaktionellen Platz zugunsten einer Großanzeige zu schmälern. Journalisten und Redakteure mit abgeschlossenem Fachstudium und sonstiger qualifizierter Ausbildung sind schon vom Tarifvertrag her teurer, Jungredakteure oder gar Volontäre tun es in den Augen vieler Verleger meistens auch. Es dürfte darüber hinaus keine Berufssparte geben, in der die Angebote für Weiter- und Fortbildung so gering sind – faktisch gar nicht vorhanden – wie im Pressebereich. Würden beispielsweise Ärzte oder Architekten in diesem Ausmaß auf qualifizierende berufliche Weiterbildung verzichten, würde dies mit Sicherheit als Skandal und Gefahr für Patienten bzw. Hausherren angeprangert werden – von der Presse natürlich...

Der Katalog betriebswirtschaftlich bestimmter Rentabilitätsmaßnahmen zu Lasten der Qualität und Qualifizierung journalistischer Arbeit ließe sich lange fortsetzen. Bedacht sollte in diesem Zusammenhang auch werden – ein weiteres strukturelles Problem –, daß in fast der Hälfte der größeren Städte und Landkreise der Bundesrepublik nur noch eine einzige Zeitung erscheint. Der Konzentrationsprozeß schreitet immer noch voran (Ursache: mangelnde Rentabilität der Zweitzeitungen aufgrund von zu geringem Anzeigenaufkommen, der »Markt« läßt ihre Weiterexistenz nicht zu). Da aber der Konkurrenzdruck für die »überlebende« Zeitung genommen ist, können betriebswirtschaftliche Rentabilitätsüberlegungen erst recht durchgesetzt werden (nach dem Motto: »Aktuell ist etwas, wenn wir es berichten«). Gerade der Konzentrationsprozeß vermindert die Qualität journalistischen Angebots, obwohl die überlebende Zeitung für den Verleger zur Goldgrube wird. Investitionen zur qualitativen oder quantitativen Verbesserung des redaktionellen Angebots sind die Ausnahme.

In jedem Verlagsunternehmen ist die Redaktion nur eine Abteilung des Betriebs und daher dem Verleger oder Management unterstellt, die – von verschwindend geringen Ausnahmen abgesehen – der Redaktion auch inhaltliche Weisungen erteilen können, nachdem sie zuvor die Generallinie des Blattes festgelegt haben. Der »strukturellen« Tatsache, daß sich der größte Teil der Verlagsunternehmen, wie sonst in keiner Branche, in privater Hand befindet und die Unternehmen fast völlig von Anzeigen abhängig sind, dürfte es zuzuschreiben sein, daß sich Verleger und Management vorbehaltlos mit der bestehenden Wirtschaftsordnung identifizieren und sie mit der rechtsstaatlich-demokratischen Grundordnung gleichsetzen. Konservative Grundüberzeugungen mit all den Gefahren der Perpetuierung von Klischees oder Vorurteilen überwiegen daher und wirken auf die Redaktion unmittelbar ein. In seinem zornigen Essay »Die Presse, der Hauptfeind der gesunden Entwicklung« schrieb Ferdinand Lassalle mit Blick auf das aufkommende Anzeigengeschäft: »Von Stund an wurden also die Zeitungen nicht nur zu einem ganz gemeinen, ordinären Geldgeschäfte, wie jedes andere auch, sondern zu einem viel schlimmeren, zu einem durch und durch heuchlerischen Geschäfte, welches unter dem Scheine des Kampfes für große Ideen und für das Wohl des Volkes betrieben wird«. Lassalles Empörung liest sich wie eine Bestätigung der These seines Zeitgenossen Karl Marx, daß die Produktionsverhältnisse weitgehend auch den ideellen Überbau, hier die Presse und ihre Funktion, bestimmen.

5. Mangelnde Kompetenz der Presse und ihre Folgen

Von der Öffentlichkeit weitgehend unbemerkt ist der Kampf der Journalisten und ihrer Berufsorganisationen um die »innere Pressefreiheit« geblieben; dieser Kampf ist vorläufig gescheitert. »Innere Pressefreiheit«
meint, daß nach der Absicherung der Freiheit der Presse als Institution
gegenüber dem Staat auch der Freiheitsspielraum der Redaktion gegenüber dem Verleger bzw. Besitzer eines Verlages oder gegenüber der In-
tendanz bzw. dem Rundfunkrat einer Fernseh- und Rundfunkanstalt ver-
größert und gesetzlich abgesichert werden müßte. So bleibt nach wie vor
gültig, was der Journalist Paul Sethe 1965 schrieb: »Pressefreiheit ist die
Freiheit von 200 reichen Leuten, ihre Meinung zu vertreten«. Der sogenannte Tendenzschutzparagraph des Betriebsverfassungsgesetzes, das
die Mitbestimmung in Betrieben regelt, stärkt die Position des Verlegers
zusätzlich – und entsprechend die Abhängigkeit der Redaktion –, da es
beispielsweise gegen personelle Maßnahmen »aus publizistischen Gründen« kaum arbeitsrechtlich wirksame Absicherungen gibt.
Die Freiheit der redaktionell-journalistischen Arbeit ist also vielfältigen
Vorgaben, Behinderungen, Zwängen, Auflagen, Kontrollen und Dro-
hungen ausgesetzt, deren psychische Dimension bei Umfragen unter Re-
dakteuren mehrfach deutlich wurde: Die meisten geben zu, »freiwillig«
Selbstzensur zu üben, um Konflikten mit dem Verleger oder Chefredak-
teur aus dem Wege zu gehen. Sie haben »die Schere im Kopf«.
Wo eingeschüchterte, sich ohnmächtig fühlende Journalisten massenhaft
Selbstzensur üben, läßt sich trefflich von Pressefreiheit als unverzichtba-
rem Bestandteil der Demokratie, als der »Freiheit der Freiheiten« reden
und die Unterdrückung der Presse anderswo beklagen.
Bei Rundfunk und Fernsehen wirkt der Einfluß des Staates, vermittelt
von der faktischen Dominanz der »staatstragenden« Parteien in den Auf-
sichtsgremien (Rundfunk-/Fernsehrat), sogar direkt und unverhohlen
auf die Besetzung der entscheidenden journalistischen Positionen. Nicht
journalistische Qualifikation entscheidet über die Chance, leitende Äm-
ter in der Hierarchie einer Rundfunk- oder Fernsehanstalt zu besetzen,
sondern das Parteibuch oder die Nähe zu einer Partei. Parteienproporz
bei den Funkmedien wird mittlerweile ungeniert diskutiert und praktiziert. Er führte, wen könnte es wundern, mittlerweile zu einer Nietzeschen
»Exstirpation des Geistes«: Politische Kritik, eindeutige Bewertungen
»nach bestem Wissen und Gewissen«, verbunden gar mit Engagement,
sind unerwünscht. Journalistisches Profil und Qualifikation wirken sich
auf Karrieren eher hinderlich aus. Eingriffe in die journalistische Arbeit
aus politischen Gründen, sagt beispielsweise Dagobert Lindlau vom Baye-
rischen Rundfunk, gehörten zu den »täglichen Mechanismen, nur raus-

kommen tut's nicht immer«. Ein zweimal gerügter Journalist weiß dann, was er zu tun hat. Die »Schere im Kopf«, d. h. die Selbstzensur, ist fest verankert. Der Intendant des Südwestfunks, Willibald Hilf, befürwortet denn auch die »Schere im Kopf« als wichtiges journalistisches Arbeitsutensil.

Die für die Demokratie lebenswichtige Kontrollfunktion der Presse wird generell und grundsätzlich in Frage gestellt, wenn die Medien nach dem Verständnis des Intendanten Hilf (der, keine Seltenheit bei Karrieren in Funk und Fernsehen, zunächst hoher Beamter war, nämlich Chef der rheinland-pfälzischen Staatskanzlei unter Ministerpräsident Helmut Kohl) »optimale Konsensverstärker« sein sollen, die die »Legitimität und Glaubwürdigkeit unserer politischen Ordnung« zu verbreiten haben. Hilf plädiert für »Konsensjournalismus« und einen »Integrationsrundfunk«. Der Parlamentarische Staatssekretär im Bundesinnenministerium, Carl-Dieter Spranger, fordert von den Medien, »die positiven Dinge« zu vermelden (etwa: »Heute alle Flugzeuge auf dem Rhein-Main-Flughafen erfolgreich gelandet«), Bundeskanzler Helmut Kohl nennt kritische Berichterstattung »Kloakenjournalismus«, Bundesinnenminister Friedrich Zimmermann darf sich gegenüber kritisch nachfragenden ausländischen Korrespondenten die Feststellung erlauben, solche Fragen wären in der Bundesrepublik »nicht möglich«.

Wie soll die Presse in so einem Klima und unter solchen Voraussetzungen Kompetenz entwickeln, die notwendig wäre, um ihre Aufgabe als »vierte Gewalt« im Staate, als Kontrollinstanz, wahrnehmen zu können? Um ihrem Anspruch, gesellschaftliche Entwicklungen kritisch zu begleiten und Fehlentwicklungen korrigieren zu helfen, gerecht zu werden? Um Öffentlichkeit herzustellen und ingang zu halten, als Voraussetzung für politisches Engagement und damit für Bewußtseinsbildung? Journalistische Kompetenz und durch sie hergestellte Öffentlichkeit kann natürlich weder meinen, den pluralistischen Charakter der Presse infrage zu stellen, noch zu der Annahme verleiten, als sei zu bestimmten gesellschaftlich-politischen Problemen einheitliche Konsensbildung möglich oder gar erwünscht, die dann zu einer jeweils einzig möglichen politischen Entscheidung führt. Für die Medien stellt sich das Problem der Konsensbildung nicht, zumindest nicht in erster Linie, und damit auch nicht in erster Linie das Problem der konkreten politischen Entscheidungsfindung. Journalisten sind keine Neben- oder Hilfspolitiker, selbst wenn sich viele so gerieren. Aufgabe und Funktion der Medien ist – und das ist ihr »gemeinsamer Nenner« bei aller Pluralität –, die Voraussetzungen für möglichst breite Konsensbildung zu schaffen, indem sie Öffentlichkeit herstellen. Welche Meinungen und Auffassungen sich aus dem Prozeß der Konsensbildung dann als mehrheitsfähige herauskristallisieren und politische Entscheidungen beeinflussen, womöglich gar erzwingen, mag zwar und wird Gegenstand journalistischer Kritik sein und bleiben – hier funktioniert die Pluralität der Presse und kann sich beweisen, in Zustimmung oder Ablehnung einer Überzeugung bzw. Entscheidung, also in Kritik –, aber die Hauptaufgabe wäre geleistet: hergestellte Öffentlichkeit, Engagement, politisch-gesellschaftliches Bewußtsein.

Die Notwendigkeit eines breiten politischen Engagements ergibt sich aus der Komplexität moderner Industriegesellschaften und – mehr noch – aus der Irreversibilität von gesellschaftlichen Entwicklungen, sofern sie von Wissenschaft und Technik bestimmt werden. Stärkere Teilhabe, man könnte auch sagen: aktive Mitbestimmung, eine umfassendere Demokratisierung aller öffentlichen Bereiche erscheint notwendiger denn je, obwohl die Entwicklung eher gegenläufig ist. Die Maxime des republikanischen Rom »videant consules, ne quid detrimenti capiat res publica« (sollen die Regierenden zusehen, daß der Staat keinen Schaden erleidet) ist zwar als Anspruch weiterhin an die politisch Verantwortlichen zu stellen und beschreibt, auch in einer Demokratie, das Ethos des Politikers, aber sie genügt nicht. Im republikanischen Rom gab es schließlich keine Presse, heute aber gilt diese Maxime auch für sie.

An vier krisenhaften Problembereichen soll in Stichworten zu zeigen versucht werden, daß es der Presse an Kompetenz mangelt, die notwendige Öffentlichkeit herzustellen. Es sind dies a) neue Technologien, b) die ökologische Krise, c) die Krise der Dritten Welt, d) die Sicherheitspolitik bzw. der Rüstungswettlauf zwischen Ost und West.

a) Die neuen Technologien – Computer, Roboter, Bildschirm – kommen einer (der wievielten?) industriellen Revolution gleich, sie werden alle gesellschaftlichen Bereiche im Zeitraum nur einer Generation vollständig verändern, und zwar grundlegender, um nicht zu sagen totaler und rascher, als dies frühere Innovationen vermochten. Im Vergleich zu den gegenwärtigen Veränderungen waren alle früheren industriellen Umwälzungen eher gemächliche Evolutionen.

Die Weichen sind gestellt, es führt kein Weg mehr zurück, nichts und niemand könnte diesen rasanten, weltweiten Prozeß rückgängig machen. Doch genau hier liegt ein existenzielles Problem. Die Geschichte der Technik zeigt, daß die Einführung neuer Techniken und Technologien irreversibel ist, daß sie sich eine Infrastruktur schafft, die ihrerseits »ihr eigenes Leben führt« (Joseph Weizenbaum) und die Arbeits- und Produktionsweise verändert, daß sie die gesellschaftlichen Strukturen verändert und zu neuen Machtkonstellationen führt, damit soziale Tatsachen schafft, in die Lebensweise der breiten Massen eingreift, das Werte- und Normsystem einem Wandel unterwirft, neue Bildungs- und Ausbildungsprozesse ingang setzt, also Verhaltensweisen direkt beeinflußt, das Rechtssystem tangiert usw. Technologische Innovationen haben determinierenden Charakter, sie üben Sachzwänge aus, sie zwingen den Menschen zur Anpassung an die Systeme, die sie schaffen. Neue Techniken waren und sind also weitaus mehr als eine ökonomische Größe, sie sind ein gesellschaftlicher und sozialer Faktor, somit ein politischer, von nicht zu überschätzender Bedeutung. Neue Techniken gestalten Gesellschaft und beeinflussen Politik auf das nachhaltigste.

Diese allgemeinen Einsichten stehen vor der Einführung neuer Technologien fest, sie sind ein Ergebnis des Studiums der Geschichte. Hier läge der entscheidende Ansatz für die Presse als der nahezu einzigen Institution, zukunftsdeterminierende Entwicklungen kritisch zu begleiten, über sie kompetent zu informieren und aufzuklären, Öffentlichkeit durch Vermittlung herzustellen, zur politischen Bewußtseinsbildung und Meinungsbildung beizutragen. Allein die Tatsache, daß neue Technologien und damit auch die von ihnen ausgelösten gesellschaftlichen Umwälzungen mit ihren – wenngleich im einzelnen nicht vorhersagbaren – Folgen irreversibel sind, also unumkehrbar und nicht rückgängig zu machen, hätte es zwingend erfordert, daß ihre Einführung im Rahmen einer breiten Öffentlichkeit vorab diskutiert wird. Die Presse hätte die Fachleute, die Interessengruppen, die Industrie, die Politiker veranlassen müssen, den Versuch zu unternehmen, die möglichen Folgen abzuschätzen und darüber hinaus darzulegen, wie diese komplexen Prozesse gesteuert werden können.

Das ist unterblieben, der Presse mangelte es an Kompetenz. Die neuen Technologien brachen wie eine Sturzflut über die Industriestaaten herein, die von ihnen ausgelösten Entwicklungen vollziehen sich fast chaotisch, aber Anpassung heischend, ohne daß über die möglichen Folgen diskutiert würde, im Gegenteil: Angesichts des Sachzwangcharakters dieser Prozesse gewinnt der schüchterne Versuch einer Folgenabschätzung das Odium der Technikfeindlichkeit, während die Profiteure Euphorie verbreiten, die womöglich Ergebnis psychischer Verdrängung ist und auf unbewußte Zukunftsangst schließen läßt. Die Einführung neuer Techniken wird nahezu ausschließlich unter ökonomischen Gesichtspunkten oder Aspekten betrieblicher und internationaler Wettbewerbsfähigkeit diskutiert, in der Erwartung, der »freie Markt« werde auch die Konsequenzen regeln, so auch den »Arbeitsmarkt«, sprich rationalisierungsbedingte Arbeitslosigkeit als nur einer Konsequenz.

Obwohl erst am Anfang der Entwicklung, muß ein Wissenschaftler wie Joseph Weizenbaum vom Massachusetts Institute of Technologie bereits erschreckt feststellen: »Es ist inzwischen eine Situation eingetreten, in der wir die Zusammenhänge nicht mehr verstehen, weil wir sie nicht überblicken, aber wir können die Entwicklung auch nicht rückgängig machen. Wir müssen einfach weitergehen. Es nützt uns auch nichts zu sagen: Beim nächsten Mal werden wir diese oder jene Sache besser machen. Es gibt kein nächstes Mal.«

Nach Weizenbaums Ansicht »ist es heute dringend notwendig, sich ernsthaft Gedanken darüber zu machen, was überhaupt das Ziel der Menschheit oder des Lebens sein soll... Denn die Instrumente, die wir benutzen, sind mehr als nur technische Erzeugnisse: Sie ändern unsere Erfahrungen mit der Welt«.

Welche Fragen vor einer massiven, flächendeckenden Einführung neuer Informationstechnologien gestellt, diskutiert und erforscht werden müßten, welche Folgen möglich und denkbar sind – auch wenn sie im Einzelfall nicht eintreten müssen –, zeigt Rudolf A. M. Meyers Aufsatz in diesem Buch. Die Chance, Öffentlichkeit herzustellen hinsichtlich rechnergesteuerter Produktionsprozesse, erscheint vertan, sie bestünde aber noch bei der Gentechnologie, die, ähnlich wie Bildschirm und Computer, eine abermalige gesellschaftliche »Revolution« bewirken dürfte. Doch die Entwicklung der Gentechnologie und ihre ökonomische Verwertung vollziehen sich weitgehend unter Ausschluß der Öffentlichkeit, ohne daß die Presse in der Lage wäre, ihrer Kontrollfunktion gerecht zu werden. Die Presse hat die politische Bedeutung des »Produktionsfaktors Wissenschaft und Technik« in seiner Tragweite nicht erkannt, oder sie trägt ihm nicht genügend Rechnung.

b) Lange bevor das Waldsterben sichtbar wurde, hatte sich der Begriff »ökologische Katastrophe« im Sprachgebrauch fest etabliert, nicht als Katastrophenruf von Kultur- und Zivilisationspessimisten oder Technikfeinden, sondern als Kennzeichnung einer Tatsache. Bereits Ludwig Klages beschrieb zu Beginn dieses Jahrhunderts die rücksichtslose Zerstörung von Natur und Umwelt durch den Industriealisierungsprozeß. Ende der 40er Jahre begannen die Flüsse in den Industriestaaten zu sterben, in den 50er Jahren die skandinavischen Seen dem biologischen Tod anheimzufallen. Kunstwerke, die Jahrhunderte überdauert hatten, verfielen in kürzester Frist, die Luft keineswegs nur in den industriellen Ballungszentren wurde »zum kaum noch atembaren Transportmittel von Krankheiten« (Johannes Hampel). Das Trinkwasser kann nur mit aufwendiger Klärung genießbar gemacht werden, selbst das Grundwasser verseucht zunehmend, im Boden tickt eine chemische Bombe, bestehend aus 200 resistenten, d. h. nicht oder nur langsam sich abbauenden Giften, über deren Langzeitreaktionen und -wirkungen niemand etwas weiß. Gift im Boden, in der Nahrung, in der Luft, in der Produktion. Die Urwälder in Südamerika, Afrika und Asien, die »grünen Lungen« der Erde, schrump-

fen ebenso rasant wie sich die Wüsten ausdehnen. Irreversible Klima-
veränderungen drohen oder sind bereits eingetreten. 5000 Tier- und
Pflanzenarten wurden allein in diesem Jahrhundert ausgerottet, weitere
50000 stehen auf der Aussterbeliste. Die Erde wird ausgebeutet und zerstört mit einer stupiden Kurzsichtigkeit, als stünde der Menschheit ein
Reserveplanet zur Verfügung.

Festzustellen ist abermals, daß die Presse die sich spätestens in den fünfziger und sechziger Jahren abzeichnende Katastrophe nicht erkannt hat.
Naive Fortschrittsgläubigkeit und/oder mangelnde Kompetenz ließen
eine durchaus mögliche rechtzeitige Berichterstattung und Herstellung
von Öffentlichkeit über die ersten Indizien, die bedenklich genug waren,
nicht zu. Warnungen, an denen es nicht fehlte, wurden unter der Rubrik
»Kulturpessimismus« abgeheftet, obgleich sich diese Warnungen, anders
als der spekulative Kulturpessimismus etwa eines Oswald Spengler, auf
Zahlen, Daten, Fakten stützen konnten. Dabei schreitet die Naturzer-
störung ungehemmt fort. Die Versuche, die schädlichen Emissionen aus
Kraftwerken und Automobilen zu begrenzen, haben überdies gezeigt,
daß das Problem rascher wächst als die Problemlösungsmöglichkeiten,
die national oder in einem relativ engen internationalen Rahmen wie der
Europäischen Gemeinschaft zur Verfügung stehen. Stellt man sich das
Umweltproblem als ein globales vor Augen, so wird vollends deutlich,
daß an wirksame Abhilfe auf absehbare Zeit nicht zu denken ist. Die
Menschheit ist dabei, ihre Existenzgrundlagen zu zerstören. Nicht alle
aus dem Gleichgewicht gebrachten Naturkreisläufe lassen sich wieder
regenerieren. Es muß befürchtet werden, daß irreversible Zerstörungen
geschaffen werden. Das fragile, »vernetzte« System der Natur ist offensichtlich auf den Menschen nicht eingestellt.

Die Aufgabe der Presse wäre es, mit einer Dauerkampagne und journalistischer Zähigkeit das Problem Umweltzerstörung permanent öffentlich
zu halten, bis eine Bewußtseinsänderung oder Bewußtseinsverstärkung
politische Entscheidungen erzwingt und internationale Kooperation
ermöglicht. Berichterstattung über – wenngleich regelmäßig sich wieder-
holende – Umweltskandale genügt nicht. Die Erhaltung und Bewah-
rung einer intakten Umwelt müßte höchste politische Priorität erhalten.

c) Als im Laufe des Jahres 1982 die horrende Verschuldung der Staaten
der sogenannten Dritten Welt mit inzwischen rund 1100 Mrd. US-$ erst-
mals in vollem Umfang öffentlich wurde, wäre zu erwarten gewesen, daß
ein Nachdenken darüber einsetzt, ob das bisherige System der ökonomischen, finanziellen und handelspolitischen Beziehungen zwischen
Dritter Welt und Industriestaaten sowie die Form der Entwicklungshilfe

nicht gescheitert sei, zumindest einer Korrektur bedürfte. Immer mehr Staaten baten um Aufschub der Zahlungsverpflichtungen, um Umschuldung, einige wie Bolivien oder Mexiko erklärten sich schließlich für zahlungsunfähig, also für bankrott, sie sahen sich außerstande, ihren Verpflichtungen – Schuldendienst und Rückzahlung der staatlichen und/oder privaten Kredite nachzukommen. Nun plötzlich wurden die Konsequenzen deutlich: Die Masse der Bevölkerung in den Staaten der Dritten Welt hatte keine Zukunftsperspektive mehr, die Entwicklung – was immer darunter aus der »marktwirtschaftlichen« Sicht der westlichen kapitalistischen Industriestaaten zu verstehen ist – mußte stagnieren, während sich die Probleme, etwa rapides Anwachsen der Bevölkerung, verschärften. Statt Entwicklung fortschreitende Unterentwicklung, wachsende Marginalisierung, Armut, Hunger.

In all den Jahren zuvor war es nicht gelungen, die »terms of trade« zugunsten der Dritten Welt zu verbessern. Für die Industriestaaten war es kein Problem, sich Zugang zu den Märkten in der Dritten Welt zu verschaffen, während sie sich umgekehrt gegen Produkte aus den Entwicklungsländern jederzeit abschotten konnten. Das »aggressive« Kapital aus den Industriezentren, verbunden mit überlegener Organisation, Marketing und technischem Know how kontrolliert nicht nur die gesamte Produktion in der Dritten Welt, es beeinflußt die Industriealisierungsprozesse nach den Bedürfnissen der multinationalen Großkonzerne. Einheimische Konkurrenten werden in der Regel ausgeschaltet. Investitionen amortisieren sich in kürzester Frist, was bedeutet, daß Kapital aus der Dritten Welt in die Industriestaaten fließt, de facto also die Entwicklungsländer »Entwicklungshilfe« für die Industriestaaten leisten.

Der einzig ernst zu nehmende Versuch, die »terms of trade« zugunsten der Entwicklungsländer zu stabilisieren und ihre Abhängigkeit vom Export eines oder einiger weniger Rohstoffe zu mildern, das »Abkommen von Lomé«, zeigt gerade nach dem Muster des klassischen Paradoxons sein Scheitern, d.h. die Unvereinbarkeit, unter den herrschenden Bedingungen die Interessen der Dritten Welt mit denen der Industriestaaten zu harmonisieren. Die in diesem Abkommen u. a. vereinbarten Preis- und Abnahmegarantien – vorwiegend für exportfähige landwirtschaftliche Produkte – führten dazu, daß in den Entwicklungsländern die Tendenz sich verstärkte, exportfähige Agrarprodukte zu erzeugen wie Kaffee, Tee, Baumwolle, Kakao usw. Das Ziel heißt Einnahme von Devisen, die allgemein der Entwicklung zugute kommen sollen. Doch diese exportfähigen Agrarprodukte sind allesamt »Non-Food-Products«, Nicht-Nahrungsmittel, ihretwegen wird systematisch die Anbaufläche für Nahrungsmittel, die die einheimische Bevölkerung dringend bräuchte, geschmälert. Nahrungsmittelimporte aus den Industriestaaten und Subventionen für Grundnahrungsmittel sind die Folge, um die wachsende Verelendung zu mildern. Ein Großteil der Exporterlöse wird aufgezehrt. Doch die wahrscheinlich schwerwiegendste Ursache für Unterentwicklung liegt in den Staaten der Dritten Welt selbst, es ist die krasse Klassenspaltung. Die Interessen einer durchweg europäisch – englisch, französisch, spanisch – gebildeten Oligarchie bzw. Elite harmonieren in der Regel weitaus stärker mit den Interessen der Industriestaaten als mit denen der eigenen Bevölkerungen. An einer multifunktionalen landwirtschaftlichen Maschine beispielsweise, die, wie der deutsche Hersteller vor einigen Jahren stolz ankündigte, über 200 Arbeiter entbehrlich macht (also rund 1800 Menschen dem Hunger ausliefert, weil auf eine Arbeitskraft in der Dritten Welt acht abhängige Personen kommen), hat sowohl der deutsche Exporteur ein Interesse wie der Importeur, der Großgrundbesitzer, in einem Staat der Dritten Welt. Kein Interesse können an dieser Maschine jene haben, die durch sie brotlos werden.

Der landwirtschaftliche Konzentrationsprozeß in der Dritten Welt schreitet rapide fort. Grund und Boden werden als devisenträchtige Produktionsfaktoren betrachtet, deren Rentabilität und Produktivität durch Einsatz modernster, kostensparender Technologien gesteigert wird, ganz nach dem Muster »objektiver« Marktgesetzlichkeit in den Industriestaaten. Kleinproduzenten werden in Abhängigkeit gebracht oder verdrängt, ihre Existenz vernichtet, fehlende Rechtssicherheit und alltägliche Rechtswillkür liefern sie der überlegenen Marktmacht des Großproduzenten zusätzlich aus.

Die Folgen sind verheerend: Immer mehr Menschen werden arbeitslos und marginalisiert. Kaufkraftschwund führt zur Zerstörung lokaler Märkte und des Kleingewerbes, die Infrastruktur großer Landstriche löst sich auf. Der materiellen Verelendung folgt übrigens die kulturelle Verarmung. Die Massen ziehen verzweifelt in die Großstädte, wo sie in riesigen, unaufhaltsam wachsenden Slums dahinvegetieren. Die politische Lage solcher Staaten wird instabil, weil Hungerrevolten oder Guerillakriege drohen. Dies wiederum führt zu Kapitalflucht, die Oligarchien wähnen ihr Geld auf den Bankkonten in den Industriestaaten sicherer. Unzureichende Nahrungsmittelangebote lösen Inflationen und Geldentwertung aus, die die Armen abermals am härtesten treffen. Dazu wuchernde Korruption: Nach Angaben der Weltbank erreichen von einem Dollar Entwicklungshilfe nur 10 Cent ihren vorgesehenen Zweck.

Ein schier unauflöslicher Teufelskreis. Um Hungerrevolten und mögliche bewaffnete Konflikte niederzuhalten, werden Polizei und Armee aufgerüstet, Rüstungsimporte kosten aber Devisen. Vor Kreditwünschen setzt der Internationale Währungsfond, durchweg von den Industriestaaten kontrolliert, harte Auflagen, darunter meist die Forderung, zur Sanierung der Haushalte Subventionen für Grundnahrungsmittel zu streichen. Zivile Regierungen stürzen wie in Jamaica oder Bolivien, oder es etablieren sich Militärregime, oder die Regierungen müssen aufbrechende Revolten mit dem Einsatz der Streitkräfte niederschlagen – siehe oben, ein Teufelskreis.

Es kann keinen Zweifel darüber geben, daß die Bevölkerung in den Industriestaaten über die Probleme der Ditten Welt so gut wie nicht informiert ist und so gut wie keine Ahnung hat. Die Presse ist ihrer Funktion nicht gerecht geworden. Die Frage nach den Ursachen des Scheiterns herkömmlicher Entwicklungsstrategien wird nicht gestellt, statt dessen schweigende, ratlose Hinnahme des Scheiterns als eines Faktums und Fatums, keine Reflexion auch über die unausbleiblichen Folgen, der sozialen wie der politischen. Wenn die sich verschärfende soziale Katastrophe der Dritten Welt politisch manifest werden sollte – wie in Kuba, El Salvador oder Nicaragua bereits der Fall – wird sie aus ideologischer Kurzsichtigkeit unausbleiblich in den Ost-West-Konflikt mit einbezogen und den globalen Machtkampf mit all seinen unheilvollen Implikationen verschärfen. Abermals: An Warnungen hat es nicht gefehlt, Wissenschaftler wie Pierre Jaleé oder André Gunder Frank haben diese katastrophale »Entwicklung« bereits Mitte der 60er Jahre vorhergesagt und mit präzisen Analysen begründet, warum sie notwendigerweise eintreten müsse.

d) Es könnte als Anmaßung erscheinen, auch auf dem Gebiet der Sicherheitspolitik ein Versagen der Presse konstatieren zu wollen, zumal Gegner wie Befürworter der Abschreckung rationale Argumente ins Feld führen und die Feststellung in früheren Weißbüchern der Bundesregierung, Sicherheitspolitik sei kein Thema der öffentlichen Auseinandersetzung, offensichtlich nicht mehr gilt (übrigens dank des Protestes der Friedensbewegung, und weniger dank der Informationsleistung der Presse!)

Dennoch enthält die Sicherheitspolitik eine Fülle von Irrationalitäten und Fragwürdigkeiten, die von einer kritischen Presse thematisiert werden müßten, unbeschadet der jeweiligen grundsätzlichen Haltung zur offiziellen Politik der NATO. Dies sei am Begriff »Verteidigung« demonstriert.

Die NATO versteht sich als Verteidigungsbündnis. Der zentrale Pfeiler der Verteidigung ist die Androhung des Einsatzes taktischer Atomwaffen. Diese Drohung soll im Nichtkriegszustand abschreckend wirken, im Kriegsfall den Angreifer zurückschlagen. Abschreckung hängt von der Glaubwürdigkeit der Drohung ab, die Glaubwürdigkeit wiederum von den Optionen und Überlebenschancen im Kriegsfalle. Das Abschreckungs- und Kriegsführungsdrehbuch der NATO geht von der Annahme aus, daß der potentielle Angreifer sich an es halten werde. Diese Annahme ist durch nichts begründet. Im Gegenteil: Die Sowjetunion kennt keine Strategie der »Flexible response« (abgestufte Reaktion). Sie erklärt, daß sie einen Krieg in Europa als »Existenzkampf zweier heterogener Gesellschaftsordnungen betrachten« werde und daher »sofort alle Mittel einsetzen« werde, »um den Sieg auf dem Territorium des Gegners« – also der NATO – sicherzustellen. Für die UdSSR ihrerseits kommt nur der Imperialismus als potentieller Aggressor in Betracht, (nur aufgrund dieser Prämisse bietet sie – dialektisch – den Verzicht auf den Ersteinsatz von Atomwaffen an).

Mit anderen Worten: Von allen denkbaren Annahmen ist diejenige von höchster Wahrscheinlichkeit, die von einem sofortigen Einsatz taktischer Atomwaffen in Europa ausgeht, falls es zum Krieg kommen sollte; alle anderen Annahmen, die der »Flexible response« zugrunde liegen, sind unwahrscheinlich, ja illusionär. Bei Einsatz taktischer Atomwaffen wird aber »Verteidigung« im Sinne dieses Begriffes unmöglich, es käme unweigerlich zur »physischen und biologischen Vernichtung der Völker Mitteleuropas« (Franz Josef Strauß). Das aber ist keine Verteidigung. Der im Zusammenhang mit Atomwaffen gedankenlos verwendete Begriff Verteidigung verhindert jede Vorstellung von der Wirkung dieser Waffen, von einem künftigen Krieg generell. Es ist manipulativ, irreführend und desinformierend, weil er definiert ist und Assoziationen auslöst – Schutz, Chance erfolgreicher Abwehr–, die sich als trügerisch erweisen müßten. Wenn Kardinal Josef Ratzinger oder die französische Bischofskonferenz die westlichen Atomwaffen als »der Verteidigung dienend« bezeichnen oder die Vereinigung Christlich Demokratischer Juristen dies von Pershing-II oder Cruise Missiles behauptet, die Presse nahezu unisono diese Begriffsverwirrung unreflektiert weitergibt, so zeugt dies von einem Mangel an logischem Denken und Sachkompetenz. Mit Atomwaffen lassen sich nur zwei Funktionen erfüllen: Angriffsdrohung bzw. im Kriegsfall Angriff oder Vergeltungsdrohung bzw. Vergeltung, aber unter keinen Umständen läßt sich mit ihnen »verteidigen«, d. h. abwehren oder schützen, zu tragbaren Kosten und Opfern.

Ferner: Beide Supermächte könnten – theoretisch – ihre Interessen in Europa sowohl konventionell als auch atomar-taktisch in herkömmlichem Sinne verteidigen, weil sie unmittelbar nicht betroffen sind. Sie könnten einen Krieg »ausfechten«. Überlebenschancen und Optionen sind in NATO und Warschauer Pakt kraß unterschiedlich verteilt, zuungunsten der Verbündeten beider Supermächte. Anders formuliert: Die Sicherheitspolitik und die Kriegsführungskonzeptionen sind auf die Interessen der beiden Supermächte zugeschnitten. Ein europäischer Krieg würde nur dann zu einem strategischen, wenn eine der beiden Supermächte – oder beide – sich eine Siegchance ausrechnete. Ansonsten bliebe er unter Kontrolle und ein lokal europäischer, jedenfalls mit größter Wahrscheinlichkeit. Taktische Atomwaffen schrecken die beiden Supermächte nicht oder nur in begrenztem Maße ab.

Schließlich: Kein NATO-Staat Europas könnte die UdSSR glaubwürdig mit taktischen Atomwaffen abschrecken, weil dies eine Selbstmorddrohung wäre. Taktische Atomwaffen hätten also weder einen politischen noch einen militärischen Sinn. Damit sie abschreckend wirken, muß eine Macht mit ihrem Einsatz drohen, die Glaubwürdigkeit besitzt. Voraussetzung für Glaubwürdigkeit ist einzig und allein, daß diese Macht von einem taktischen Atomkrieg selbst nicht unmittelbar betroffen wäre. Diese Macht sind für die NATO die USA (für den Osten die UdSSR). Daher müssen die Verbündeten der USA die Entscheidung über den Einsatz taktischer Atomwaffen, mithin die Entscheidung über Sein oder Nichtsein im Kriegsfalle, an die USA, einen auswärtigen Souverän, delegieren, damit die NATO überhaupt abschreckend wirken kann. Die Entscheidung über die nationale Existenz aber ist das wichtigste Kriterium eines souveränen Staates. Auf dieses Kriterium haben die europäischen NATO-Staaten verzichtet.

Mit anderen Worten: Um den Begriff »Verteidigung« zu retten und damit eine »sinnvolle« Funktion konventioneller Streitkräfte, muß die Abschreckungs- und Kriegsführungskonzeption der NATO, niedergelegt in der »Flexible response«, notwendigerweise auf Illusionen gegründet werden (dies gilt analog für die Verbündeten des Warschauer Paktes: Auch sie hätten im Kriegsfall keine Verteidigungschance, und ihre konventionellen Streitkräfte wären sinnlos, denn im atomaren Feuer läßt sich nicht konventionell operieren).

Eine solche Reflexion über den Begriff Verteidigung und seiner sicherheitspolitischen Prämissen könnte und müßte unabhängig von der jeweiligen Haltung zur offiziellen Sicherheitspolitik geleistet werden. Kritische Fragen und Zweifel an amtlichen Verlautbarungen sind Pflicht der Presse, jenseits des Grades an Zustimmung zu einer bestimmten Politik. Sie ergeben sich aus der Verpflichtung möglichst umfassender Information und Aufklärung. Die Sicherheit Europas und der Bundesrepublik wird sich kaum dadurch verbessern, daß Widersprüche nicht thematisiert werden und Fragen offenbleiben, um die Legitimierung einer Politik durch die Bevölkerung nicht durch Aufklärung und öffentliche Diskussion zu gefährden.

Das Fazit ist wenig erfreulich: Der Presse mangelt es an Kompetenz, ihrem selbstformulierten Anspruch gerecht zu werden, existenzielle, zukunftsdeterminierende Entwicklungen kritisch zu vermitteln und die Entscheidungs- bzw. Handlungsträger zu kontrollieren. Es gibt viele

denkbare »Zukünfte«, es kommt darauf an, die Weichen für eine möglichst humane zu stellen, in der zumindest die Probleme jederzeit korri-
gierbar bleiben, d. h. der Gestaltungsfähigkeit des Menschen nicht entgleiten. Dafür wiederum ist eine bewußte Öffentlichkeit unabdingbar
notwendig als einzig denkbares Korrektiv, die herzustellen nur eine kom-
petente Presse in der Lage ist.

RUDOLF A. M. MEYER

Neue Medienpolitik oder
Die Frage nach der Verantwortlichkeit
für den Innenweltschutz

Zeitalter werden nach den »wendebringenden« Technologien benannt. Wir leben oder entwickeln uns in das Informatisierungs-Zeitalter hinein, das von kritischen Wissenschaftlern auch das Zeitalter der »Industrialisierung der geistigen Arbeit« genannt wurde. Historisch gesehen, sind die technischen Werkzeuge früher »natürlichen« Mustern nachempfunden worden und folgten mehr oder weniger organischen Konzepten. Die herrschende Technik »künstlicher Intelligenzen« hat funktionale Prozesse zur Grundlage, denen dann strukturelle Veränderungen angepaßt werden. Die erzwingen neue Logiken, Prozeßmodelle und Verhaltensweisen der Menschen (vielleicht neue Schaltungen im »Bio-Computer«, vielleicht durch genetische Manipulation angepaßte »Mikroprozessoren«). Aus dieser Problematik läßt sich die Frage ableiten, inwieweit die strukturellen und funktionalen Implikationen der neuen Informationstechnologien auf die bio-physische Existenz des Menschen einwirken und den in langen historischen Prozessen entwickelten Verhaltensweisen, die in sogenannten »kulturellen und ethischen Werten« ihre Explikation finden, adäquat sind. Natürlich ergibt sich »informationsanthropologisch« die Frage, ob neue Technologien auch menschheitsgeschichtliche und damit anthropologische Innovationen unterstützen können, die die sogenannte Menschheit notwendig hat, damit sie die Probleme lösen kann, die ihrem eigenen Fortbestand im Wege zu stehen scheinen.

Die notwendig erscheinende Entwicklung einer informationsanthropologischen Sicht der Probleme hat sich an der Frage zu orientieren, welche Formen und Inhalte der Gestaltung von Lebenswirklichkeit human sind und welcher Preis individuell und gesellschaftlich vertretbar ist, um etwa jenen dialektisch begriffenen Prozeß der stufenweisen Anpassung an neue Wirklichkeiten zu vollziehen. So wird beispielsweise die Überforderung des Menschen in der heutigen Gesellschaft, die sich auf den Weg in die sogenannte »Informations- und Kommunikationsgesellschaft« befindet, dahingehend in den Globalmodellen beantwortet, daß für eine Anpassungszeit von 60–80 Jahren die »menschliche Gesellschaft« die Chance hat, auf den Bildungs- und Handlungs-Kompetenz-Stand zu kommen, der es ihr gestattet, ohne große Verluste und Fehler das gesellschaftliche und individuelle Leben zu gestalten. Solche globalen Entwicklungsmodelle konzedieren zwar, daß die Lernfähigkeit und das (insbesondere technische) Wachstum erheblich auseinanderfallen können, sind aber – meistens unter Verweis auf historische Erfahrungen – optimistisch davon überzeugt, daß »die Menschheit wie immer ihre Probleme lösen kann«.

Die wissenschaftliche Unsicherheit im Hinblick auf die Bewertung sozialer und individueller Folgen der neuen Informationstechnologien und der Mikroelektronik geht nach Auffassung kritischer Autoren auf das fast vollständige Fehlen soziologischer Technikforschung zurück.

Die Forschungsergebnisse werden deshalb als besonders unbefriedigend bezeichnet, weil eine Integration verschiedener sozialwissenschaftlicher Ansätze zu einer Betrachtungsweise nicht geleistet wird. So stehen politologische, medienwissenschaftliche, wahrnehmungspsychologische und ökonomische Forschungsergebnisse unverbunden nebeneinander. Das heterogene Bild ihrer Aussagen unterstreicht die Defizitdiagnose:

- Die Symbiose von Mensch und Technik wird als bestehende subkulturelle Wirklichkeit dargestellt.
- Die Rückwirkung zwischen verändernden Bedingungen und Veränderungswirkungen macht eine Reinterpretation der Veränderungen erforderlich.
- Die Technik sei zum Subjekt der Geschichte geworden und habe den Menschen in die Lage versetzt, seine eigene Welt zu zerstören.
- Die Veränderung des individuellen Bewußtseins ist die entscheidende Voraussetzung für die Änderung der bestehenden Verhältnisse.

Die Gestaltung von gesellschaftlichen Entwicklungsbedingungen liegt weitgehend in den Händen der Politik. Müssen wir hier nicht eine neue Medienpolitik für den Innenweltschutz fordern? Die Medienumwelt umstellt mehr und mehr den sozialen und individuellen Lebensraum, penetriert ihn, macht den zum asozialen Außenseiter, der nicht »in« ist. Die Bildschirmrezeption wird zur großen und neuen Kulturtechnik. Wir schauen zu. Das ist wörtlich zu nehmen. Wir schauen zu, wie sich die »Erprobungen« für immer etablieren, Realität in der Realität produzieren, irremachen. Wer kann da schon Verantwortung übernehmen, die Eltern für sich und ihre Kinder, die Medienpolitiker für ihre Entscheidungen und ihre Wiederwahl. In einer Wahlperiode kann mehr falsch entschieden werden, als in einem Menschenalter gesellschaftlich gutzumachen ist.

Klagen helfen nicht. Die Redlichen müssen denken, forschen und handeln. Medienpolitik ist nicht nur Sache der Politiker. Medienpolitik vor Ort ist Kommunikationshygiene, ist Befreiung vom Diktat einer dichter werdenden Medienumwelt. Ich verschleiere die Verantwortung der Politiker nicht. Aber ich beschwöre die Verantwortung der Eltern, die von ihren Kindern als Vorbilder im Medienverhalten genommen werden. Ich appelliere an die Wissenschaften, gemeinsame Anstrengungen zur Aufklärung der komplexen Fragen zu unternehmen, die Antworten verlangen, noch bevor alle wissenschaftsmethodischen Diskurse abgeschlossen sind. Ich fordere alle auf, die Verantwortung zu tragen haben, in einen geordneten und verbindlichen Diskurs einzutreten und dafür zu sorgen, daß wissenschaftliche Begleitung von Pilotversuchen mehr wird als eine legitimistische Farce, daß nicht Tatsachen geschaffen werden, bevor endgültige Entscheidungen getroffen werden. Ich wage schließlich den Gemeinplatz: Auch in der Medienpolitik kommen zuerst der Mensch und seine Gemeinschaft, dann die Sachen, die Notwendigkeiten, der Markt, die internationale Konkurrenz.

1. Versuch einer Situations- und Gegenstandsdiagnose

Informationsgesellschaft – Mediengefolgschaft?

Analysen und Prognosen gesellschaftlicher Entwicklung in den Industrienationen sprechen einhellig von dem unaufhaltsamen Weg in die »Informations-Gesellschaft«.[1] Sofern dabei vom Einzelnen in dieser neuen, durch den »Produktionsfaktor Information« gekennzeichneten Gesellschaft die Rede ist, werden die neuen Qualifikationsanforderungen, die Bedrohung demokratischer Freiheitsrechte, gelegentlich noch Probleme neuer Arbeitsplatzgestaltung, kurz die »sozialen Folgen« der Mikroelektronik und der neuen Informationstechnologien thematisiert. Weniger wird von den Veränderungen der Lebensbedingungen des Individuums, von veränderten Bedingungen kognitiver Wahrnehmungsprozesse und emotionaler Betroffenheit gesprochen. Wie also wird das künftige Mitglied der »Informationsgesellschaft« aussehen, der »homo informans, informatus, informaticus«?
Die Neuen Medien, hier insbesondere Bildschirmtext und Kabelfernsehen, stellen durch ihre Entwicklung und schrittweise Einführung einen qualitativen Sprung im Hinblick auf die Verknüpfung von Fachinformation im eigentlichen Sinne, Fachinformation im weitesten Sinne und Allgemeininformation dar. Es eröffnet sich damit auch eine neue Dimension nicht nur technischer, sondern auch sozialer Vernetzung. Die Bedeutung personaler Informationsvermittler, die Schlüsselpositionen in der Informations- und Wissensvermittlung besetzt halten (Experten, Lehrer, Redaktionen klassischer Medien etc.), verändert sich ambivalent: Einerseits nimmt Autorität ab, weil der Adressat selber zugreifen kann, Beratungs-

und Moderationsfunktion wird wichtiger zur Orientierung über das Angebot und zur Interpretation der Aussagen andererseits.

Den Neuen Medien ist fast ausnahmslos der Bildschirm, in der Regel der
des Fernsehgerätes, als »Sender« (im Sinne des Nachrichtenmodells) gemeinsam. Dieser Sachverhalt legt es nahe, zu Prognose und Einschätzung
möglicher Wirkungen der neuen Informationsmedien auf das Individuum
die Fernsehwirkungsforschung (als Medienforschung) heranzuziehen.
Dies bedeutet dann, daß Fernsehverhalten als Ausgangspunkt für Rezep-
tionsverhalten gegenüber Neuen Medien (mit Bildschirmen) gewählt
wird. Dieser Aspekt würde die Problematik aber stark verkürzen,
brächte man nicht den Sachverhalt ins Spiel, daß die gleichen Individuen
in verschiedenen situativen Kontexten, im Schul- und Ausbildungsbe-
reich, im Beruf, im Verkehr, im Anzeigenwesen von Warenhäusern und
Agenturen und nicht zuletzt am Fernsehschirm zuhause, Informationen,
Nachrichten, Wissen, Orientierung und Unterhaltung mit dem gleichen
»Sender« Bildschirm konfrontiert würden. Es kann vermutet werden,
daß der äußeren Vernetzung eine Art »Querschnitts-Vernetzung« im
menschlichen Gehirn entspricht, die durch die Vermittlung verschiedener
Inhalte mit Hilfe des gleichen audio-visuellen Mediums entsteht.

In der Bevölkerung überwiegt die Skepsis gegenüber Neuen Medien, was
z. T. auf einen Informationsmangel zurückgeführt wird.[2] Vieles spricht
dafür, daß die Mehrzahl der erwachsenen Bürger Verunsicherungen
durch zusätzliche technische Möglichkeiten befürchten. Auffallend ist
deshalb, daß in allen politischen Parteien und in der Wirtschaft eine
Mehrheit für die generelle Einführung der Neuen Medien vorliegt.[3] Dies
könnte mit Einschränkung so interpretiert werden, daß die Neuen Medien für geeignete Instrumente zur Stabilisierung und Ausweitung politischer und wirtschaftlicher Macht gehalten werden.

Im Bildungsbereich schwankt die Einschätzung der Neuen Medien zwischen technokratischem Optimismus und der Ablehnung zusätzlicher
technisch-didaktischer Hilfen.[4] Eine Durchdringung der Sozialisations-
problematik, etwa unter der Perspektive der Autoritätsverschiebung von
personaler zu medialer Informationskompetenz, hat dort kaum begonnen.[5]

Das Argument, eine breitere Information über die Neuen Medien würde
eine positivere Einstellung in der Bevölkerung erzeugen, wird kontra-
stiert durch Ergebnisse einer explorativen qualitativ-psychologischen
Studie[6], derzufolge bei einer öffentlichen Diskussion über die Neuen Medien eine breite Ablehnung durch die Bevölkerung zu erwarten wäre.
Allerdings sind sich die Fernsehzuschauer ihrer Schwächen gegenüber
dem Medium Fernsehen bewußt und befürchten, »neuen Attraktionen«
zu erliegen. Hier deutet sich schon die Diskrepanz zwischen Einstellun-

gen und möglichem Verhalten an; denn nur in den höheren Bildungs-
schichten traut man sich die Kontrolle und Selbstkontrolle gegenüber
neuen Medienangeboten zu.

Der sensomotorische Prozeß des Aufbaus von Wirklichkeit

Die Konstruktionselemente, die das Kind zum Aufbau seiner Wirklichkeit benötigt, erwirbt es sich durch Prozesse der Wahrnehmung und Interpretation, d. h. es lernt durch Interagieren mit Symbolen. Dieser Prozeß
findet auch in der hirnphysiologischen Forschung eine Entsprechung im
Ablauf der physiologischen Prozesse.[7]
Auch Piaget sieht in seiner entwicklungspsychologischen Theorie die
frühkindliche Sozialisation als einen Interaktionsprozeß, in dem die Zu-
gänglichkeit der Welt, d. h. das Verhältnis vom Subjekt zu seiner Umwelt,
schrittweise auf- und ausgebaut wird. Die sensomotorische Intelligenz,
die sich in Vorstellungen und Handeln ausdrückt, ermöglicht die geistige
Repräsentation der Welt im Kind. Sie wird durch Assimilation und Ak-
kommodation erzielt. Die Bedeutung realer Erfahrungen von Objekt,
Raum, Zeit und Kausalität wird an der Umwelt erlernt.[8]
Die von Lewin stammende Definition der Umwelt als erfahrenem Lebensraum hat zur Begründung der »psychologischen Ökologie« geführt.[9]
Erkenntnistheoretisch unterscheidet Lewin zwischen phänomenologi-
scher und objektiver Umwelt und dem Verhältnis von Person und Umwelt als ein wechselseitig abhängig variables. Im Rahmen anthropologi-
scher oder auch gesellschafts- und medienpolitischer Aussagen ist allerdings die »Priorität« der Variablen für die Bewertung der Abhängigkeiten
und Wirkungsrichtungen zwischen Personen und der Umwelt, z. B. der
medialen, festzuhalten.
Zur Relativierung der Umwelteinflüsse werden von der Verhaltensfor-
schung und der Genetik zusätzliche Aspekte eingebracht. Danach setzt
der Mensch im sozialkulturellen Bereich seine vorprogrammierte Evolution fort.[10]
Bronfenbrenner hat erstmals die »ökologische Sozialisationsforschung«
als Bezugsrahmen entworfen und ein Mehrebenenmodell entwickelt.[11]
Im Prozeß der Auseinandersetzung mit der Umwelt und ihrer Aneignung wird dabei das Individuum fortlaufend von den Beziehungen der
verschiedenen Lebensbereiche untereinander und ihrer wechselnden
Eigenschaften sowie von den größeren sozialkulturellen Kontexten beeinflußt.[12] Der Prozeß der Sozialisation ist lebenslang wie der Entwicklungsprozeß des Menschen selbst. Aus diesem Grunde ist es notwendig,
sozialökologische Konzepte zu entwerfen, die die Veränderungen des

Individuums im Lebenszyklus ebenso berücksichtigen wie die Veränderungen in seinem Umwelt-setting.[13]
In den verschiedenen Phasen der menschlichen Entwicklung spielt die Kommunikation und Interaktion mit den Personen und Objekten der Umwelt eine entscheidende Rolle.[14] Dies gilt nicht nur für die frühe Kindheit,[15] sondern auch für den Heranwachsenden, den Erwachsenen und den alten Menschen, wenngleich sich die Beziehung zur jeweiligen Umwelt und das veränderte Bild von ihr wandeln. Eine veränderte Umwelt schafft unmittelbar (Situationsbezüge) und mittelbar (Netzwerkaspekte) neue Konstellationen für Wechselwirkungen.[16]

Neue medienökologisch bestimmte Wirklichkeiten

Die technischen Medien mit ihren Funktionen: Information, Handlungssteuerung und Unterhaltung sind in allen Lebensbereichen gegenwärtig und weiten sich ständig aus. Die Frage nach dem Wirkungsverhältnis zwischenmenschlicher Kommunikation und der »Kommunikation« mit Hilfe von Medien wird gerade für das Kleinkind- und Kindesalter zugunsten der Medien zu beantworten sein. Sie verändern auf Dauer (Hardware-Vernetzung) und jeweils aktuell (Software-Funktionen, Programmangebote) die menschlichen Lebenswelten (Arbeit, Familie, Freizeit, Freundeskreis, öffentliches Leben etc.).[17]
Sowohl die Sozialisationsforschung als auch die Entwicklungspsychologie sind zu der inzwischen allgemein anerkannten Feststellung gekommen, wonach Kommunikation für die Entwicklung des Menschen von grundlegender Bedeutung ist. Dies gilt sowohl für den Einzelnen als auch für die Entwicklung der menschlichen Gemeinschaft. Durch die Medien kommt zu der »primären Kommunikation« ein neuer Faktor mit umfassender Verbreitung, der über »sekundäre Kommunikation«, also über die Wirklichkeit der Medien, die reale Wirklichkeit ersetzt, vervielfacht, ergänzt oder verzerrt. Durch den Eintritt der »sekundären Kommunikation« in die Sozialisationsprozesse der Persönlichkeitsentwicklung werden eben diese erheblich beeinflußt, wenngleich eine Qualifizierung dieser Einflüsse auf der Basis gesicherter Daten nur bruchstückhaft möglich ist.
Die sekundäre Kommunikation hat auch unmittelbare Auswirkungen auf die primäre Kommunikation, worauf verschiedene Untersuchungen über Sozialkontakte und Medien hinweisen. Während die direkte Einwirkung der Medien darin besteht, daß sie Lernprozesse in Gang setzen oder mitgestalten, besteht die indirekte Wirkung in Folgen für soziale Prozesse (z. B. in der Familie, in der Gleichaltrigengruppe, am Arbeitsplatz).

Letzlich werden also durch die Medien sowohl reale als auch symbolische Umwelten bzw. Lebenswelten des Menschen beeinflußt.[18]

Verursacht durch die Neuen Medien wird eine fortschreitende Differenzierung der medialen Umwelt vorausgesagt, was nicht gleichbedeutend ist mit der Entstehung von Meinungsvielfalt.

Es ist vorauszusehen, daß sich die Präsenz der Medien im Alltag dadurch erhöhen wird, daß sie verstärkt in die alltägliche Arbeitswelt eingreifen und damit sekundäre Formen der Expansion darstellen werden. Dabei wird die Zweiwegkommunikation eine besondere Rolle spielen. Es stellt sich nun die Frage nach den Zeitreserven der Medienbenutzer. Von den Produzenten und Programmvertreibern werden solche Reserven vor allem bei Kindern und älteren Menschen vermutet. Deshalb liegt es nahe, die alltägliche Umwelt als Orientierungsrahmen für neue Fragen der Medienforschung zu wählen.[19]

Hier sei noch auf das Phänomen der »Isolationsfurcht« hingewiesen. Es besagt, daß bestimmte Personen ihren Ausschluß aus der »Kommunikationsgemeinschaft« befürchten, wenn sie sich nicht ausreichend am Prozeß der Massenkommunikation beteiligen. Trotz dieser pseudo-integrativen Funktion der Medien ist festzuhalten, daß alle Beobachtungen dafür sprechen, daß ein vermehrtes Angebot und damit zunehmende Mediennutzung weiterhin eine desintegrierende Funktion im sozialen Kontext haben wird.

Zur Entwicklung von Handlungskompetenz unter Medieneinfluß

Für das Individuum ist es von entscheidender Bedeutung, daß die ersten Erfahrungen im direkten Kontakt mit der Umwelt gemacht und von der Bezugsperson interpretiert werden, denn alle weiteren, insbesondere die durch Medien vermittelten Informationen werden kognitiv und emotional auf primäre Erfahrungen rückbezogen. Auch für das spätere Leben ist von entscheidender Bedeutung, wie emotional die Kommunikation mit der Umwelt abläuft. Der Grad der Emotion bei der Informationsaufnahme bestimmt nämlich den Grad der sozialisierenden Wirkung, so daß die nicht fest verankerten primären Sozialisationseffekte auch für später infrage stehen können.

Die kognitive Sozialisation wird als Erkenntnis und Bestand an Erkanntem definiert und bezeichnet den Prozeß der Aneignung von Wissen, somit die menschliche Informationsverarbeitung.[20] Die kognitiven Aktivitäten sind dabei Bestandteil eines Informationsverarbeitungssystems, nämlich des Gehirns. So betrachtet kann die Entwicklung informationsverarbeitender Strukturen und Prozesse als Grundlage der Entwicklung des Individuums verstanden werden. Die Verarbeitung von Informationen durch das Individuum zeigt dabei die Tendenz, die Anpassung an die Umwelt durch Angleichung kognitiver Strukturen an die Umweltstrukturen zu vollziehen. Im weiteren Lebenslauf wird kognitiv die Verbesserung und Ergänzung der vorhandenen Erkenntnisse über die Umwelt beim jeweils nachfolgenden Kontakt erzielt, und zwar durch Revision der kognitiven Struktur und/oder Selektion von Informationen aus der realen Umwelt. Für die Entwicklung von Umweltstrukturen in einer Gesellschaft spielt der historische Vermittlungsrahmen eine besondere Rolle. Er stellt nämlich den Kontext von Bedingungen dar, unter denen die Ausgleichsprozesse zwischen kognitiven Strukturen und Umweltstrukturen verlaufen.

In der primären Sozialisation wird die Objektbeziehung durch Symbiose und Assimilation mit geringer Subjekt-Objekt-Differenzierung hergestellt, während das Individuum mit fortschreitender Subjekt-Objekt-Differenzierung eine Loslösung aus der Symbiose im Rahmen der Individuationsphase erreicht. In diesem Zusammenhang spielt das Imitationsverhalten eine Rolle, das die Objektbeziehung (im Verlauf des Loslösungsprozesses) durch Reproduktion des Verhaltens auch bei Anwesenheit des Imitationsobjekts verwirklicht.

Am Beginn der emotionalen Sozialisationsphase steht die Mutter-Kind-Beziehung. Später spielt der Vater eine zunehmende Rolle. Anschließend entsteht eine Dreierbeziehung, die allerdings eine reale Beziehung zwischen Mutter und Vater voraussetzt. Nach psychoanalytischer Auffassung werden die Grundlagen der emotionalen Sozialisation in den ersten drei Lebensjahren gelegt, was auch für die Folgen des Medienkonsums in der frühen Kindheit Bedeutung hat.

Einen wesentlichen Aspekt unserer Betrachtung stellt die Beziehung zwischen Mensch und technischem Medium als Instrument vermittelnder Kommunikation dar. In der sozialwissenschaftlichen Interaktions- und Kommunikationstheorie ist jedoch fast ausschließlich von sozialen, d. h. zwischenmenschlichen Beziehungen die Rede, während die Einbeziehung von Automaten, Maschinen und Medien mehr gelegentlich und dann nur formal erwähnt wird. Durch die Massenmedien und insbesondere die Neuen Medien verschärft sich das Problem der Mensch-Maschine-Beziehung. Watzlawicks und Goffmans Kommunikation als Wechselspiel ist von Bedeutung im Sinne humanen Lernens, wenn dieses Wechselspiel zwischen konkreten Personen abläuft, die sich auf die Ebene gleicher Chancen einlassen. Die Kommunikation zwischen der Person und etwa dem Spielautomaten, die in einem formalen Sinn dialogisch aussieht, ist in Wirklichkeit ein Reaktionsmechanismus, dessen »Kreativität« im Bereich technischer Wahrscheinlichkeiten angesiedelt ist, denn in der sozialen Kommunikation zwischen Personen spielen ja nicht nur die übermittelten verbalisierten Inhalte eine Rolle, sondern auch die nichtverbalen Symbole von Gestik und Mimik. Bei der Interaktion zwischen Medium und Mensch entfällt die interpretierende Botschaft nichtverbaler Symbolübermittlung.

Fernsehwirkung als zentrale Perspektive künftiger Mediensozialisation

Die Wirkungen der Neuen Medien und Informationstechnologien treten mit ihren Folgen für die kognitive und emotionale Sozialisation in den verschiedenen Lebenswelten mit einer je spezifischen infrastrukturellen und funktionalen Medienpräsenz auf. Trotz der wenigen empirischen Belege für die Wirkung Neuer Medien können aus Ergebnissen bisheriger Medienforschung, insbesondere der Fernsehforschung,[21] Entwicklungsperspektiven abgeleitet werden. Deshalb verdienen die auf indirekte Medienwirkung bezogenen Forschungsergebnisse besondere Beachtung:

– Ein großer und auch wachsender Anteil an der täglichen Freizeit, nämlich zwischen zwei und drei Stunden täglich, wird bei Kindern, Jugendlichen und Erwachsenen durch Medienkonsum beansprucht.
– Die medienspezifischen Angebotsweisen des Fernsehens erlangen zunehmende Bedeutung hinsichtlich ihrer Sozialisationswirkung. Der Fernsehschirm wird als dritter Elternteil bezeichnet.
– Das Fernsehen erfreut sich höchster Wertschätzung im Vergleich zu anderen Medien, obwohl eine relativ geringe Programmzufriedenheit ermittelt wurde.
– Für die Sozialisationswirkung ist der soziale Kontext von besonderer Bedeutung, in dem das Massenmedium wirkt, also Eltern, soziale Umwelt und Gleichaltrigengruppe. Durch Fernsehen lernen immer nur diejenigen, die dafür Voraussetzungen aus primären Sozialisationsprozessen mitbringen.[22]
– Hoher Fernsehkonsum korrespondiert in der Regel mit niedrigem Bildungsstand, geringer Mobilität und größerem Angstpotential, das durch eine Fernsehwelt – als Ersatz für die wirkliche Welt – entsteht.[23]
– Infolge Schnelligkeit, Kurzfristigkeit und Unvollständigkeit von Handlungsabläufen und medienspezifischen Umsprüngen ergibt sich, insbesondere bei Kindern, ein Anpassungs- und zugleich Abwehrverhalten, da diese »Umsprünge« mit ihren Erfahrungen in der Realität nicht übereinstimmen, was zu Streßverstärkung führt.
– Zunehmend werden die Inhalte der interpersonalen und auch der intrapersonalen Kommunikation durch Medien bestimmt. So sind rund

50% der innerfamiliären Gespräche auf Massenmedieninhalte bezogen.[24]
- Verstärkter Medienkonsum zieht den Rückzug aus den gesellschaftlichen Bereichen von Nachbarschaft, Vereinsleben und Kommune nach sich und führt zu einem Abnehmen von Problemlösungskapazität, d. h. kognitiver Erkennungsfähigkeit bei gleichzeitiger Emotionalisierung.

Als wesentliche Fernsehwirkungen auf die Familie[25] sind zu nennen:
- In der Regel besteht ein direkter Zusammenhang zwischen der Fernsehnutzung von Eltern und Kindern.
- Da Eltern weitgehend ohne Erfahrung im Umgang mit Neuen Medien sind, können sie auch nicht medienpädagogisch auf ihre Kinder einwirken.
- Die Medien haben zu Verschiebungen im Tagesablauf der Familie geführt und damit auch zu gewissen Gleichschaltungseffekten. Dies hat zu abnehmender Spontaneität im Hinblick auf andere Freizeittätigkeiten geführt.
- Obwohl Fernsehen eine gemeinsame Familienaktivität darstellt, wird die Interaktion innerhalb der Familie nicht gefördert. Auch die Außenkontakte der Familie sind durch intensive Nutzung der Medien rückläufig.
- Dort, wo Fernsehen durch Werbung finanziert wird, hat es unmittelbare Einflüsse auf die Haushaltsführung der Familie. Daraus ergeben sich z. B. auch gesundheitspolitische Probleme.
- Es gibt Hinweise darauf, daß die Medien nicht wirkungsneutral sind, was das Verhältnis von Spontaneität und Routine, von Intimität und Öffentlichkeit, von individuellem und Gruppenverhalten, von Selbstentfaltung und Opferbereitschaft betrifft.

Vor allen anderen Aspekten der Fernseh- und Medienwirkung gebührt den langfristigen besondere Aufmerksamkeit:
- Die Sozialisationswirkungen bei optischen Medien entstehen vor allem durch Wiederholungen.
- Beim Fernsehen wechseln die Inhalte, die formalen medienspezifischen Angebotsweisen aber bleiben über längere Zeit hinweg konstant. Für die Langzeitwirkung ist die Präsentation auch hinsichtlich kognitiver wie emotionaler Erinnerungsleistungen bedeutsamer als der Inhalt.
- Vielseher übernehmen in einem stärkeren Maß das durch das Medium vermittelte Bild von Wirklichkeit als Wenigseher. Daraus folgt auch, daß die Vielseher die sekundäre Wirklichkeit des Bildes, das die Me-

dien von der Wirklichkeit vermitteln, gegenüber der unmittelbar erfahrenen Wirklichkeit überschätzen. So sind Vielseher z. B. sehr viel ängstlicher und überschätzen Gefahren. Wegen ihrer Ängstlichkeit zeigen sie dann einen höheren Aggressionslevel.[26]

– Die Erinnerungsleistungen des Fernsehzuschauers sind vom Bildungsstand abhängig. Die Darstellungsform wirkt stärker als das inhaltliche Thema, besonders wenn es sich um emotionale Bindungen zu den dargestellten Personen (Serien) oder zu Nachrichtensprechern/Moderatoren handelt. Deshalb leiden Kinder darunter, wenn Sendereihen zu Ende gehen.[27] Ein vergleichbarer, wenn auch abgeschwächter Effekt tritt beim Wechsel von Nachrichtensprechern und Moderatoren auf.

– Mediennutzung tritt als emotionale Ersatzhandlung auf bei Kindern mit sozialem Kontaktmangel und bei starkem Elterneinfluß und Kontaktmangel zur Gleichaltrigengruppe.[28]

– Bei Kindern wirkt sich die Mediennutzung auf die Gehirnentwicklung, insbesondere die Motorik und die Differenzierung der Sinnesqualitäten aus, und zwar unterschiedlich nach den Entwicklungsphasen. Bis zum achten Lebensjahr überwiegen in jedem Fall die Störungen. Auch bei älteren Kindern und Jugendlichen ergeben sich Bildschirmbelastungen bis hin zu lichtsensitiver Epilepsie bei Videospielen.

– Als Wirkungsunterschied zwischen gedruckten und audiovisuellen Medien wurde festgestellt, daß bei letzteren die Gehirntätigkeit stärker von der medialen Form bestimmt wird als vom Inhalt.[29] Das Printmedium wirkt im Hinblick auf die meßbare Hirntätigkeit aktivierend, das audiovisuelle eher inaktivierend. Demgegenüber zeigt sich beim audiovisuellen Medium eine stärkere Herzfrequenzsteigerung als beim Printmedium.[30]

– Erregung als physiologisch-mentaler Prozeß ist weniger vom Inhalt der Fernsehsendung abhängig als von dem Erregungszustand, den der Rezipient auf Grund vorauslaufender – z. B. sozialer – Prozesse am Beginn der Sendung zeigt.[31] Im übrigen bedarf der soziale Kontext neben anderen Faktoren der Berücksichtigung bei der Definition der jeweiligen Rezeptionssituation.[32]

2. Rückfragen an die Gegenstandsbestimmung und die Bewertungskriterien

Zur Interpretation der Bestandsaufnahme

Die Einschätzung der Wirkung der Neuen Medien wird mehr und mehr zur politischen und weltanschaulichen Glaubenssache. Ronneberger schreibt hierzu:»Vorhersagen über den Einflußgrad der einzelnen Fakto-ren sind kaum möglich. Daher geben pessimistische und optimistische Prognosen über das Verhalten der Menschen gegenüber den Medien in den kommenden Jahrzehnten eher Auskunft über das jeweilige Men-schenbild der Autoren als über den geschilderten Sachverhalt.«[33]

Noelle-Neumann, die dem öffentlich-rechtlichen Fernsehen Politisierung und Ideologisierung vorwirft, möchte wieder »aus Ideologiefragen Sach-fragen machen«.[34] Dies zu tun kündigt sie mit ihrem »ersten Bericht über die Ergebnisse der Begleitforschung zum Kabel-Pilot-Projekt Ludwigs-hafen« an. Aber wie sich dabei auch zeigt, leben die sogenannten Sachfra-gen im besten Fall von empirischen Daten, die ihrerseits selektiv erhoben werden und eben nicht für sich, sondern immer durch den Interpreten sprechen. Und eben dieser Interpret kann nicht ideologie- bzw. wertfrei interpretieren.

Haefner, der mehrfach zu einer positiven Auseinandersetzung mit den neuen Chancen und Risiken aufgefordert hat, konstatiert:»Wir stehen in der Entwicklung des Menschen und der Gesellschaft an einer kritischen Stelle: die Leistungen von informationsverarbeitenden und -übermitteln-den Systemen . . . erreichen oder übersteigen auf vielen Gebieten im näch-sten Jahrzehnt die Leistungsfähigkeit des menschlichen Gehirns.«[35] Und weiter sagt Haefner:»Kompetenz und Verantwortung von Einzelperso-nen werden in den nächsten Jahren stetig abnehmen. Die Korrelation zwischen Kompetenz und Verantwortung wird zunehmend zerfallen.«[36] Wie eine Fürbitte nimmt sich dann Haefners Forderung aus:»Die Infor-mationstechnik soll Rücksicht nehmen auf den überkommenen Wunsch vieler Menschen, Kompetenz und Verantwortung möglichst selbständig zu tragen.«[37] Hierin steckt die Relativierung eines Menschenbildes, auf dem unsere ethischen Systeme ebenso fußen wie die staatliche und die »demokratische Grundordnung«.

Es zeigt sich, daß mit rein positivistisch mechanistischen Wissenschafts-begriffen weder die gesellschaftliche noch die individuelle Wirklichkeit im Zeitalter der Neuen Medien hinreichend beschrieben werden kann.

Erkenntnis als Wissen und Glauben: Beispiele

Für die Behandlung unseres Themas, Verantwortung und Verantwort-lichkeit, müssen wir uns nach Orientierungspunkten, nach Interpreta-tionsmodellen umschauen, auf Referenzsysteme uns beziehen können, die die Schlüsse, die zu ziehen sind, erklärbar machen. Dies führt uns direkt in den Bereich philosophischen Denkens.

Gehen wir zunächst einmal von einer Überlegung aus, die Bertrand Russell in seinen Ausführungen über »Mystik und Logik« angestellt hat.[38] Obwohl ein Verfechter exakten wissenschaftlichen Denkens, sieht er keinen Gegensatz zwischen Intuition und Wissen, geht vielmehr davon aus, daß Intuition, Einsicht und Glauben eben dem wissenschaftlichen Wissen insofern vorausgehen, als ihre Inhalte Gegenstände wissenschaftlicher Erforschung sind. Nach Russell ist Wissenschaft dazu da, die Richtigkeit von Intuitionen und Glaubenssätzen wissenschaftlich zu verifizieren oder zu falsifizieren. Damit sind wir bei dem vielzitierten Begriffspaar von Wissen und Glauben. Vielfach wird unsere Zeit als Übergangsphase zwischen einem Zeitalter des Glaubens und einem Zeitalter des Wissens bezeichnet[39], dem es an einem Ordnungssystem des Denkens mangelt. Dieser Mangel verschließt eine ganzheitlich orientierte Sichtweise. Darum aber bemüht sich eine große Zahl nicht nur von Philosophen, sondern auch von Naturwissenschaftlern, Physikern, Biologen, Genetikern usw. So gesehen verläuft der Prozeß vom Glauben zum Wissen hin durch wissenschaftliche Überprüfung. Ein Fehler, den die enge Wissenschaftsgläubigkeit macht, ist wohl die Vorstellung, daß der Wissenschaftler nicht mehr gläubig sein könnte, daß überhaupt nichts zu glauben sei, daß nur das Realitätswert habe, was gewußt werden kann im Sinne von Überprüfung durch Wissenschaft. Wenn aber Intuition und Glauben dem wissenschaftlichen Tun vorausgehen, so ist es notwendig, im Sinne einer ganzheitlich orientierten Sichtweise der Welt, gerade dort weiterzuglauben, wo Wissenschaft im Sinne der Überprüfung von Glaubensinhalten noch nicht vorhanden ist.

Bliebe es bei unserem Begriffspaar Wissen und Glauben, so würde unseren Überlegungen bald die Dynamik ausgehen. Die Problematik, vor der wir stehen, setzt ein bei der Frage, wie Wissen, insbesondere naturwissenschaftliches Wissen, angewandt, in Technologie, in Technik umgesetzt wird. Sicherlich ist unbestritten, daß die Palette der möglichen Anwendungsgebiete, der Umsetzungsmöglichkeiten nahezu unendlich groß ist. Trifft dies zu, dann gibt es den Zwang zu einer ganz bestimmten Technikentwicklung, wie uns dies immer von den Technologie-Deterministen gesagt wird, nicht. Aber nicht erst bei der Frage, ob eine Erfindung zum Guten oder Bösen verwendet werden soll, setzt die menschliche bzw. gesellschaftliche Entscheidung ein. Zeitlich vorher fällt die Entscheidung, die fraglos situationsbedingt ist im weiteren Sinn des Wortes, ob zur Erprobung der Umsetzung von Erkenntnis und Wissen Technik hergestellt werden soll und zu welchem Zweck, schließlich auch unter welchem Kalkül, z. B. dem ökonomischen, Technik entwickelt werden soll. Schon im Altertum nämlich, und zwar in verschiedenen Kulturen, waren die Kenntnisse der Mathematik und Physik z. T. auf so hohem Niveau, daß viele Erfindungen, insbesondere des 18. und 19. Jahrhunderts, damals schon hätten gemacht werden können. Offensichtlich war die Ziel- und Zweckorientierung nicht nur der Anwendung von Wissen untergeordnet, sondern vielmehr auch die Lebensorientierung zur Jenseitsgestaltung hin so disponiert, daß eine Notwendigkeit zur Entwicklung bestimmter Techniken nicht gesehen, deshalb auch gar nicht vorgestellt wurde. Dies wiederum führt uns zur Frage, woher die Artikulation von Diesseits- oder Jenseitsgestaltung kam, so daß eine Notwendigkeit zur Entwicklung bestimmter Technik nicht gesehen, deshalb auch gar nicht vorgestellt wurde.

Woher kommen nun unsere Bedürfnisse, Notwendigkeiten und Probleme? In unserem Jahrhundert wird man sich gerne auf das Bevölkerungswachstum und Versorgungsprobleme aller Art berufen, vielleicht auch darauf, daß es ein Gebot der Humanität sei, z. B. die Kenntnisse über die Verhinderung von Kindersterblichkeit möglichst rasch und umfassend auf der ganzen Welt zu kolportieren und anzuwenden, unabhängig davon, ob kulturelle, ethische, ethnische und sonstige Entwicklungen nach solchen Erkenntnissen rufen. Der große Fetisch »technische Innovation« wird heute vor uns hergetragen, fast immer gepaart mit dem Argument von der Bedrohung durch den amerikanisch-japanischen Vorsprung, der die Aufrechterhaltung der macht- und wirtschaftspolitischen Gleichgewichte in der Welt gefährde, seltener, aber oft genug mit dem moralischen Hinweis auf Verpflichtungen gegenüber der Dritten Welt.

Die sogenannten Entwicklungsgesetze, die besagen, daß sich Erkenntnis nicht verhindern lasse, werden oft dazu benutzt, konkrete technische Entwicklungen als unabänderlich darzustellen. Im Zeitalter der Atombombe und der Weltraumfahrt haben wir begriffen, daß es immer alternative Entscheidungen darüber gibt, was mit naturwissenschaftlichen Erkenntnissen gemacht wird, welche Technik entwickelt wird. Die Entscheidungsträger in Staat und Wirtschaft wissen, daß technische Entwicklung bezahlt werden muß und daß ein gesellschaftlicher Konsumverzicht für größere technische Entwicklungen eingeplant werden muß. Besonders deutlich wird dieser Sachverhalt an der Argumentation, daß die Weltraumfahrt deshalb gesellschaftlich und ökonomisch vertretbar sei, weil durch sie zwei Drittel der Entwicklungsinvestitionen wieder für die Technik auch der privaten Haushalte auf diesem Planeten nutzbringend angewandt werden können. (Wir untersuchen hier nicht, wie stark diese Argumentation manipuliert ist und nur Legitimationszwecken dient.)

Für eine Offenheit der Wissenssysteme

Eine weitere Überlegung führt zu der folgenden Feststellung: Die Geschichte der Menschheit stellt eine Folge sich ablösender *Übergangsphasen* dar. Wir einzelnen erleben diese Übergangssituation ständig. Dadurch unterscheiden wir uns von den Systemen, die Übergangsphasen gerne behandeln wie Militärputsche: Über Nacht, blutig oder unblutig, ist auf einmal ein neues Zeitalter da. In den verschiedenen Subsystemen der Gesellschaft, für unsere Betrachtungen eingegrenzt auf Wissens- und Wissenschaftsbereiche, finden diese Putsche, manchmal verbrämt als dialektische Sprünge, nicht synchron statt. Dieser asynchrone Zustand, den wir als Mangel begreifen können, träte nicht auf, wenn die Systeme innere und äußere Offenheit zeigten. Innere Offenheit wäre die Bereitschaft, im eigenen Wissens- und Handlungsgebiet den Wissens- und Erfahrungsaustausch so zu organisieren, daß eine dialektische oder spiralförmige Aufwärtsentwicklung von Wissens- und Handlungskompetenz entstünde und durch eben diesen Austausch allen Beteiligten am System die Chance zur Weiterentwicklung geboten würde.

Nehmen wir als Beispiel für das, was ich hier *innere Offenheit* nenne, das Gesundheitssystem, die medizinische Versorgung. Nicht erst seit den Kosten- und Finanzierungsproblemen in diesem Bereich und auch nicht erst seit den alternativen Heilungsangeboten und -verfahren sehen wir uns der Tatsache gegenüber, daß das medizinische Wissenssystem arbeitsteilig so differenziert worden ist, daß sein Gegenstand, nämlich der Mensch, nicht mehr ganzheitlich betrachtet wird. Auf diese Weise wurde eine bestimmte Perspektive von Heilung gewissermaßen durch Zerlegen in mechanistische Einzelfragen, aus denen Einzelverfahren entspringen, aufgelöst. Würde nun das System medizinischen und gesundheitlichen Wissens nicht so stark institutionalisiert sein wie es ist, zwischen klassischer Schulmedizin und alternativen Medizinen unterschieden, würde sicherlich ein gegenseitiger Befruchtungsprozeß einsetzen, der uns ein ganz anderes Gesundheitssystem bescheren würde. Dieses andere Gesundheitssystem, das nur in kleinen autonomen Kliniken anzutreffen ist, würde Homöopathie, Akupunktur und sehr viele andere Aspekte ganzheitsorientierter Medizin mit dem fachlichen Spezialwissen so vereinigen, daß der zu behandelnde Mensch sich nicht mehr einer Diskriminierung der von der Schulmedizin verwalteten staatlichen Gesundheitsförderung ausgesetzt sähe, wenn er alternative Heilverfahren erproben möchte. Selbst für die Behandlung von Krebs, die inzwischen auf breites gesellschaftliches Interesse gestoßen ist, ist eine Integration der verschiedenen Heilverfahren noch immer nicht erfolgt. Verschiedene Vereinigungen, die Krebsvorsorge betreiben, gehen selbst weitgehend von noch eindimensionalen

Heilverfahren aus, sei es solchen der Schulmedizin, sei es alternativer Einzelmedizinen. Dies ist ein Beispiel für die Verantwortung von Naturwissenschaft in einem sehr weiten Sinn. Innere Offenheit würde das Gesamtergebnis der differenzierten Bemühungen um Erkenntnis und Anwendung von Erkenntnis durch praktische Heilverfahren potenzieren.

In Ergänzung zur inneren Offenheit bedeutet die äußere Offenheit den interdisziplinären Austausch von Erkenntnissen und deren Anwendung. Ein Beispiel dafür aus der Physik ist die Laserstrahlenoperation. Von noch größerer Bedeutung könnten Transferprozesse sein, durch die psychologisches Wissen, z. B. durch Perspektiven der Psychosomatik, in die gesundheitliche Anwendung eingeht. Dabei leuchtet es jedem, der einmal betroffen war, ein, daß alle körperlichen Probleme ihre seelische Entsprechung haben. Ein anderer Aspekt äußerer Öffnung von Wissenssystemen könnte im Zusammenfügen ökologischer, auch sozio-ökologischer Erkenntnisse, mit der Definition von Krankheitsbildern und Therapiestrategien liegen. Relevante Ansätze finden sich nur vereinzelt, vor allem im Bereich der Psychotherapie, dort wiederum als Alternative (z. B. systemische Familientherapie) zu sogenannten klassischen Methoden. Von einer Integration in ein »therapeutisches Gesamtwissen« kann jedoch nicht die Rede sein.

Es gibt zahlreiche Beispiele für die Abgrenzung zwischen den Sozialwissenschaften und der Medienforschung, vielfach unter Verweis auf naturwissenschaftlich-technische Notwendigkeiten, die eine Vermittlung verhinderten. Ein Gebiet, auf dem sich die fehlende Wechselwirkung deutlich zeigt, sind medienökologische Fragestellungen, die sich zum einen auf das Medienenvironment der Familienwohnung beziehen, zum anderen auf die Frage der medienökologischen Umwelt am Arbeitsplatz und die mögliche Verbindung von beiden. Hier sind Wechselwirkungen zwischen naturwissenschaftlichen Erkenntnissen und sozialwissenschaftlicher Interpretation zu nennen, die sowohl die ergonomischen Fragen betreffen als eben auch diejenigen physiologischer und physischer Auswirkungen bestimmter Konstellationen auf den einzelnen und die soziale Gruppe. So steht auf der einen Seite eine Gruppe von Architekten, die über ein Wohnungskonzept nachdenken und Modellentwicklungen betreiben, die dem »Medienzeitalter«, d. h. den unterschiedlichen Kommunikationsbedürfnissen und -formen in der Familie Rechnung tragen wollen. Dort gibt es die durch die rosarote Brille der optimistischen Medienforscher gesehene sozialwissenschaftliche Aussage, daß durch den gemeinsamen Medienkonsum der innere Zusammenhang der Familie gestärkt und die personale Kommunikation sogar stimuliert und verbessert werde. Von den sogenannten pessimistischen Medienforschern wird dagegen eingewandt, daß etwa 60 % der Inhalte, die Gegenstand der

190   Rudolf A. M. Meyer

Familienkommunikation sind, ihrerseits medieninduziert sind, d. h. thematisch und gelegentlich in der Form der Darstellung aus den Medien stammen, d. h. aus einer sekundären Wirklichkeit, die nicht mehr von der Identifikation konkreter Probleme durch primäre Erfahrung ausgeht. Spätestens an dieser Stelle müßte die *Lernforschung*, auch die Neuropsychologie, zu Rate gezogen werden, um beurteilen zu können, welche Schlüsse aus der Tatsache zu ziehen sind, daß ein zunehmender, schließlich der überwiegende Teil der Kommunikation sich wieder auf das Kommunizieren und nicht das Leben selbst rückbezieht. Welche Fragen daraus für die verschiedenen Probleme der Lebens- und Daseinsbewältigung dort entstehen, wo sie noch primär erlebbar ist, ist relativ unbekannt. Aufklärungsbedürftig ist z. B. auch, wie sich rein hirnphysiologisch die Speicherung von Informationen darstellt, die zweidimensional optisch und nur mit akustischer Unterstützung wahrnehmbar sind, wobei die anderen sensorischen Eindrücke entfallen, auch die motorischen Reize, die in einer dreidimensional erlebten realen Situation mit den sensorischen Reizen einhergehen.

Nun ist es nicht so, daß die *Neuropsychologie und -physiologie* und die psychologisch orientierte Lernforschung zu diesen Fragen keine relevanten Forschungsergebnisse oder in Hypothesenbildung mündende Vorkenntnisse hätten.[40] Sie werden nur nicht abgefragt. Die Gehirnphysiologen und die Neuropsychologen ihrerseits sind allerdings sehr zurückhaltend in der Verbreitung ihrer Erkenntnisse, die in der Regel in ihr internes Wissenssystem verwoben sind, das den Fachdiskurs nach Innen realisiert, nach Außen nur in Ausnahmefällen, gelegentlich im Rahmen von politisch attraktiven Modellentwicklungen, kolportiert wird. Ein Beispiel für die Vermittlung gehirnphysiologischer, psychiatrischer und neuropsychologischer Erkenntnisse in die Konstruktion von Lernsituationen in der Schule bietet ein Modell, das das Ludwig-Boltzmann-Institut für Lernforschung in Wien sowohl theoretisch entwickelt als auch praktisch erprobt hat.[41] Im Rahmen dieses Modells, das z. Teil auf Entwicklungen von Lozanovs Suggestopädie zurückgeht[42], wird ein Schulunterricht erprobt, der, ausgehend von den hirnphysiologischen Gegebenheiten von Lernen, von der Wechselwirkung verschiedener Gehirnbereiche, vom Zusammenhang von Kognition, Emotion und Motorik, das Lernen des Schulkindes effektiver, leichter und damit fröhlicher macht. Wenn man die Erfolge dieser Lernmethode sieht, bleibt man ratlos vor der Frage stehen, weshalb sie bisher nur in so begrenztem Umfang erprobt und angewandt wurde. Interessanterweise werden insbesondere die suggestopädisch entwickelten Lernverfahren nur in Randbereichen des Bildungs- und Ausbildungssystems angewandt, erprobt und weiterentwickelt, nicht selten dann mit entsprechenden kommerziellen Absichten, wie sie ja von den

Superlearning Angeboten bekannt sind. Diese Randbereiche sind weitgehend die Erwachsenenbildung, das Managementtraining, die Sprachausbildung usw. Allerdings muß hinzugefügt werden, daß noch in einem anderen Bereich die weiter entwickelten Erkenntnisse von streßfreiem Lernen für Hochleistungen Anwendung finden, nämlich im Bereich des Hochleistungssports, wodurch mit ganz bestimmten Trainings- und Dispositionsverfahren die sogenannten Trainings-Weltmeister zu wirklichen Weltmeistern trainiert werden, was allerdings nur in einem Teil der Fälle möglich ist.[43] Wer hätte nicht schon erlebt, daß die situationsbedingte Angespanntheit und die Art, mit Problemen umzugehen, den Erfolg von Handeln in Streßsituationen ganz entscheidend mitbestimmen. Warum also sollten diese Erkenntnisse nur dem Spitzenleistungssport, der inzwischen ja auch ein mehr oder weniger kommerziell gesteuertes Unternehmen darstellt, zur Verfügung gestellt werden und nicht in einem breiteren Maß, außerhalb von Eliteweiterbildung und Randgruppenbetreuung in Therapien, einem breiteren Kreis, z. B. den durch die Schule nur allzusehr gestreßten Kindern?

Faßt man alle Aspekte zusammen, so ergibt sich für die Integration von Forschungsergebnissen ein regelrechter Mängelkatalog, der vielleicht weniger spektakulär erscheinen mag, aber in seiner Gesamtheit der Existenzbedrohung durch Atomwaffen und durch die Zerstörung biologisch-ökologischer Lebensbedingungen vergleichbar ist.

Komplex 1: Neurophysiologische und -psychologische Erkenntnisse:
- Hirnphysiologische Forschungsergebnisse
- Erkenntnisse über das vegetative Nervensystem und den Energiehaushalt einschließlich Meridianlehre und Akkupunkturforschung
- Erkenntnisse über den Zusammenhang motorischen und kognitiven Lernens
- Neuere Forschungsergebnisse über Integration und Desintegration sensorischer Wahrnehmungen.

Komplex 2: Entwicklungs- und lernpsychologische Erkenntnisse
- Modellentwicklung und Erprobung semiotischer Zusammenhänge
- Wirklichkeitslehre und Wirklichkeitserfahrung in verschiedenen philosophischen Konzepten, insbesondere im Konstruktivismus und in der kypernetischen Systemtheorie
- Zusammenhang von philosophischer Wirklichkeitserkenntnis und entwicklungspsychologischen und wahrnehmungspsychologischen Wirklichkeitserfahrungen
- Holistische und universalistische Wirklichkeitskonzepte im Vergleich zu medienvermittelten Wirklichkeitserfahrungen.

Komplex 3: Politologisch-sozialwissenschaftliche Analysen von Entscheidungsprozessen
- Sozialpsychologische Modelle von politischer Entscheidungsfindung
- Methoden der Modellbildung von integrierten politischen Entscheidungsprozessen
- Arena- und Szenariomethoden und ihre Anwendungen.

Gesellschaftliches Lernen, lernende Gesellschaft

Zukunfts- und Systemforscher (wie z. B. Deutsch und Ingelhart) sagen uns, daß globale Bewußtseinsveränderungen, kollektives Lernen in Gesellschaften, mindestens ein bis zwei Menschengenerationen benötigen, um sich durchzusetzen. Das gilt sowohl für das Verhalten des einzelnen als auch für die Organisation der Systeme und ihrer Regeln, insbesondere der Gesetze und Realitätsnormen. Diese globalen Bewußtseinsveränderungen verlaufen mehrstufig und basieren auf sehr komplexen Entwicklungsprozessen, die von Informationsvermittlung, Kommunikation über Vermittlung, Verhalten, Umdisposition von Verhalten, positiven und negativen sozialen Sanktionen bestimmt werden. Es ist bekannt, daß z. B. grundlegende Reformen von Bildungssystemen entsprechend lange Zeiten benötigen. Um so unverständlicher ist es, daß etwa die sogenannte Bildungsreform der 70er Jahre so abrupt abgebrochen und so erbarmungslos be- und verurteilt wurde, offensichtlich ohne Kenntnis dieser längerfristigen gesamtgesellschaftlichen Veränderungsprozesse. Für unsere Situation, in der wir uns technischen Entwicklungen gegenüber sehen, die mit rasender Geschwindigkeit auf uns zukommen, an uns vorbeigehen, denen wir uns »auf Gedeih und Verderb«[44] – z. B. auf dem Gebiet der Mikroelektronik – ausgeliefert sehen, können wir zwei verschiedene Konsequenzen ziehen. Die eine wiegt uns in der Sicherheit, daß unsere Humanität, d. h. unser ethisches, moralisches und soziales Verhalten auch durch rasante technische Entwicklungen nicht wirklich beeinträchtigt werden kann, sondern daß gewissermaßen nur die Oberfläche unseres Alltagsverhaltens verändert wird. Eine zweite, eher skeptische Denkrichtung, die im Zusammenhang mit der Kritik an der Medienentwicklung vielfach als pessimistisch und kulturkritisch charakterisiert worden ist, weist auf die Diskrepanz zwischen individueller und gesellschaftlicher Lernfähigkeit einerseits und die Anforderungen, die sich aus den sich so rasant entwickelnden technischen Bedingungen ergeben, andererseits hin. Im Prozeß der gesellschaftlichen Entwicklung kristallisieren sich, wohl nicht nur nach Meinung dieser Pessimisten, in einem ersten Schritt Spezialisten heraus, die ihrerseits das Gesetz des Handelns zu beherrschen drohen. Im weiteren Entwicklungsverlauf stellt sich dann sehr bald heraus, daß auch diese Spezialisten nur Erfüllungsgehilfen von Machtkonzentrationen werden, die von den Informationsverwaltern unter der Herrschaft »ökonomischer Gesetzlichkeit« und »organisatorischen Kalküls« angestrebt und aufrechterhalten werden. Gelegentlich erweckt dies den Anschein, als ob hier ein Machtübergang von den Spezialisten auf die Konsumenten stattfände.[45] In Wirklichkeit besteht ein subtiler Machtaustauschmechanismus zwischen den in anonymen Gruppen zusammengefaßten und fremd- oder selbstgesteuerten Konsumentengruppen und denen, die in manipulierter Abhängigkeit von diesen Konsumenten ihre ökonomisch gestützte Macht wahrnehmen, eben auch oder gerade mit Hilfe der Kommunikationsmedien. Auffallend dabei ist, daß sich gesellschaftliche Verantwortung für notwendig beschleunigte gesellschaftliche Lernprozesse, in unserem Beispiel im Bereich der Neuen Medien, durch medienpolitische Eingriffe oder medienpädagogische Interventionen nur sehr schwach manifestiert und eher in jene Bereiche verdrängt wird, wo die sogenannten mittel- und langfristigen Probleme und Entwicklungen diskutiert und untersucht werden. Besonders zynisch wirkt in diesem Zusammenhang die An-Mahnung der optimistischen Medienpolitiker zur Implementation von »Pilotprojekten mit wissenschaftlicher Begleitung«. Denn wissenschaftliche Begleitung besteht bei diesen Projekten weitgehend nur in der Erkundung von Akzeptanzhürden und deren Überbrückung, eben zugunsten der Einführung neuer Medien. Nicht verwunderlich ist die Betrachtung dieses Zusammenhangs in der hier erfolgten Weise, wenn man bedenkt, daß Minister und Abgeordnete einschlägiger »Enquête-Kommissionen« selbst im Mediengeschäft tätig bzw. mit Herstellern entsprechender Hard- und Software wirtschaftlich verbunden sind.

3. Verfahrensvorschläge für die Technologiefolgen-Abschätzung

Die Frage nach der Abschätzung der Technologiefolgen

Wenden wir uns nun der Frage zu, welche Anstrengungen die Sozialwissenschaften unternommen haben, der Komplexität von Technologieentwicklung und sozialen und individuellen Folgen Herr zu werden, so sind aus den letzten Jahrzehnten einige methodische Entwicklungen zu nennen, die über Meinungsbefragungen und Einstellungsuntersuchungen der Sozialpsychologie hinausgehen: Delphi-Methoden, besondere Verfahren der Expertenbefragung, Entwicklung von Weltmodellen mit Hilfe von EDV-Simulationen usw. Außerdem werden wir im folgenden Szena-

rien als eine sozialwissenschaftliche Forschungs- und Kommunikations-
methode zur Entscheidungsfindung darstellen.

Ein Begriff, der in den letzten Jahren eine immer größere Rolle spielt, ist
die *Technologiefolgen-Abschätzung* (TA). Sie soll dann zum Einsatz kommen, wenn größere technische Innovationen mit zu erwartenden erheblichen sozialen Folgen anstehen, wie das z. B. im Zusammenhang mit der
Einführung neuer Informationstechnologien und Mikroelektronik der
Fall ist. In den USA ist zu diesem Zweck 1972 das »Office of Technology
Assessment« (OTA) gegründet worden, das auch eine innovationsorien-
tierte Technologiepolitik betreibt. Man kann sich leicht vorstellen, daß
solche Technologiefolgenabschätzung – mag die methodische Bearbeitung der Einzeldaten noch so perfekt sein – von den Ausgangsinformationen abhängt. Die Erfahrungen bei den Pilot-Begleitforschungen für
Bildschirmtext und Kabelfernsehen haben gezeigt bzw. zeigen, daß die
experimentellen Bedingungen solcher Untersuchungen einerseits nicht
repräsentativ genug sind, zum anderen Sondersituationen beinhalten,
die, für sich genommen, auch noch unter anderen Bedingungen stehen.
Zum anderen hat sich sehr klar herausgestellt, daß die Auftraggeber solcher Technologiefolgenabschätzungs-Projekte sehr viel mehr an politisch-ökonomischen Fragen interessiert sind und damit stärker an Fragen
der Akzeptanz, insbesondere von Kosten bei denjenigen, für die die technischen Innovationen vorgenommen werden sollen.

Böhret und Franz[46] haben die bekannten Modelle von Technologiefolgenabschätzung zusammengetragen und die Sozialverträglichkeit von
Technologiefolgen thematisiert. Auch für den wissenschaftlichen Beobachter dieser Begleitforschungskonzepte stellt sich klar heraus, daß die
Interessen der Auftraggeber, die zugleich diejenigen sind, die die technische Innovation selbst befördern, so komplex verflochten sind, daß mit
kritisch distanzierten Auskünften nicht gerechnet werden kann, ganz abgesehen von der Tatsache, daß die Ob-Entscheidungen in der Regel nach
Beginn von Pilotprojekten schon getroffen sind, also höchstens noch
Wie-Entscheidungen möglich sind.[47]

Die Technologiefolgenabschätzung als wissenschaftliche Methode ist für
sich allein nicht ausreichend, Basis für Entscheidungsprozesse im politischen oder wissenschaftlich-technischen oder auch ökonomischen Bereich zu sein. Vielmehr ist es notwendig, Ergebnisse solcher Technologie-
folgenabschätzungs-Untersuchungen zusammen mit anderen Daten in
ein soziales Entscheidungsszenario einzugeben, das durch Feedback-Pro-
zesse die Möglichkeit bietet, Ausgangsinformationen zu hinterfragen,
Neuinterpretationen zuzulassen und auch die verschiedenen Interessen
klar voneinander abzugrenzen, um sie schließlich in eine gemeinsame
Entscheidung zu integrieren.

Das Szenariokonzept als Verfahren zur Entscheidungsfindung

Zu Entwurf, Durchführung, Kontrolle und Evaluation von Entscheidungsprozessen verschiedener Dimensionen (Planung, Handeln, Teilnehmen, Abgrenzen etc.) sind Informationen erforderlich, die aus verschiedenen Erhebungszusammenhängen stammen. Das gilt auch für die Neuen Medien. System- und Organisationswissenschaften bedienen sich seit längerem der kombinatorischen Methode.[48] Auch die *Szenariomethode* geht von der Kombination unterschiedlicher Informationen mit methodisch verschiedenartiger Herkunft aus, damit der Betrachtungs- und Entscheidungshorizont so breit wie möglich wird. Sie verzichtet dabei natürlich nicht auf eine evaluative Gewichtung der unterschiedlichen Informationen, so daß – um im Bild zu bleiben – das Szenariobild schwarz-weiße, farbige und gegebenenfalls leere Felder aufweisen muß. Diese Methode versteht sich als Erkenntnisprozeß in Stufen, wobei jede Stufe für sich unterschiedlich auskunftsfähig ist. Ihr Prinzip ist die permanente Revision durch Feedback-Prozeß-Schritte. In den europäischen Sozialwissenschaften wurden bisher erst vereinzelt Szenarien entworfen,[49] die jedoch methodisch wenig differenzierte synoptische Entwürfe darstellen. Im Zusammenhang mit Problemen der Zukunftsforschung, z. B. der Energieversorgung der Erde, wird die Szenariomethode seit längerem angewandt.[50]

In den neueren methodischen Erläuterungen zur sozialwissenschaftlichen Szenariomethode[51] wird der Forschungsprozeß in drei Phasen gegliedert:

– Eingangsphase: soziale Problemanalyse und Systemabgrenzung, Differenzierung nach Basis und Zukunftsanalysen im Rahmen der Projektplanung, erster Designschritt;
– Hauptphase: Rückblick auf die früheren Schritte, zweite Runde der Design-Bildung, Vergleich des entwickelten Szenarios mit den Ergebnissen der Basis- und Zukunftsanalyse und dritte Runde der Design-Entwicklung;
– Abschlußphase: Rückblick auf die früheren Schritte, Berichterstattung über die Resultate und Evaluation des Projekts.

Zur Evaluation von Szenarios gehört der Vergleich von Anfangs- und Zukunftsanalysen, die Überprüfung der Design-Bildung und die Beurteilung der Implementation von Szenarios.

Die wesentlichen Komponenten eines Szenarios sind: die Hauptergebnisse der Basis- und Zukunftsanalysen, die Vorstellungen von der Zukunft (Leitvorstellungen und Nebenvorstellungen) und die Entwicklungen (Vorausplanungen und Begleitprozesse).

Eine Szenario-Entwicklung verläuft folgendermaßen: In einem ersten Schritt werden sogenannte Baseline-Analysen erstellt, die sich auf Vergangenheitsaspekte beziehen. Dabei spielen sowohl Indikatoren im Sinne der Verwertung individueller Daten (Bedingungen, Verhalten) eine Rolle als auch Netzwerkanalysen, die die Struktur und Funktion innerhalb von Institutionen/Organisationen (Intra- und Inter-Aspekt) zum Gegenstand haben. Im zweiten Schritt wird überprüft, welche Strategien sich aus diesen Baseline-Analysen ergeben können. Daran anschließend werden Zukunfts-Analysen entworfen bzw. durchgeführt. Und in einem vierten Schritt wird schließlich im Vergleich zwischen Vergangenheits- und Zukunftsanalysen und auf der Basis der Anfangsstrategie ein erweiterter Entwurf der Forschungs- und Planungsstrategie entwickelt.

Bedingungen eines medienpolitischen Szenarios

Für eine mögliche Entwicklung von Szenarien für den Problemkreis Neue Medien sollte im Vorfeld medienpolitischer Entscheidungsprozesse geklärt werden, wer an diesen Medien interessiert ist, um welche Art von Technologie es sich handelt und wie Politik und Verwaltung auf die Interessengruppen reagieren.

Im Rahmen einer Pilotstudie hat eine Projektgruppe der Utrechter Universität[52] herausgefunden, daß die Zusammensetzung der für politische und administrative Entscheidungen Zuständigen identisch war mit derjenigen, die vor ca. 20 Jahren über die Einführung des Fernsehens entschieden hat. Die »decision makers« empfanden das technologische Objekt der Untersuchung, die Neuen Medien, nicht als qualitativ neu. Für die Interessengruppen ergaben sich jedoch Verschiebungen und Ergänzungen, die sich in Abhängigkeit von den neuen Technologien erweitert haben. Es zeigte sich ferner, daß das »freie Spiel der Kräfte« seine Grenze dort finden muß, wo die gesellschaftlich Schwachen noch schwächer und die Starken noch stärker werden.

Vieles spricht dafür, daß die Szenariomethode geeignet ist, solche und andere Verbindungen und Bezugspunkte politischer Teilinteressen auch für die Informations- und Kommunikationspolitik zu erfassen und als ein reziprok wirkendes Netz zwischen den drei Ebenen Politik, Technologie und Anwendungsgebiete darzustellen.

Im Rahmen entsprechender Netzwerkanalysen[53] könnten dann Fragen politischer Wirkungszusammenhänge überprüft werden. Mögliche Faktoren der Veränderung solcher Wirkungsnetze könnten aus veränderten Basistechnologien und den davon betroffenen Kommunikationsbezügen zwischen Institutionen und deren Akteuren erwachsen. Für eine Technologiepolitik, die sich auf Mikroelektronik bezieht, ergäbe sich dann eine Verknüpfung, die den soziokulturellen Bereich als Einflußbereich direkter staatlicher Interventionen, aber auch industrieller Entwicklungen zu begreifen hätte. Der Szenarioansatz greift sowohl die institutionelle Netzwerk-Komponente auf als auch die Veränderung/Modifizierung in den politischen Entscheidungs- und Wirkungsprozessen, hinter denen Verhaltens- (und Einstellungs-) Änderungen der Akteure stehen, die ihrerseits als qualitative Indikatoren interpretiert und als solche in Szenarien eingebracht werden können.

Der Entwurf von Szenarien zum Themenfeld Neue Medien könnte von verschiedenen Fragestellungen und Optionen bestimmt sein, z. B.

- von der Entwicklung einer medienökologisch orientierten Medienpolitik oder
- von der Entwicklung eines medienökologischen Zusammenhangs, der nach altersbezogenen Längsschnitten die sozialen Strukturen und Systeme auf der Mikro-, Meso-, Exo- und Makro-Ebene zum Gegenstand hat.

Für die Informations- und Kommunikationssysteme auf der Makroebene ergeben sich Bedingungen, die die Anwendung der Szenariomethode für den Systemzusammenhang und die Systemabhängigkeit des einzelnen und der Gruppen sinnvoll erscheinen lassen. Zu prüfen ist, ob und inwieweit die konkreten kommunikationsökologisch zu definierenden Lebenswelten des einzelnen in der Familie, in Einrichtungen des Bildungswesens, am Arbeitsplatz usw. auf der Ebene der Meso- und Mikrosysteme szenarisch beschrieben werden können.

Der vorliegende Beitrag appelliert an die Verantwortung der Wissenschaften für eine systematisch und integrativ zu leistende Zusammenarbeit in einem weiterreichenden Sinn, als dies in der Regel mit »interdisziplinärer Forschung« gemeint ist. Hier ist der Zusammenhang mit einer öffentlichen Verantwortlichkeit zu sehen, die den Transport und die Implementation von Forschungsergebnissen sowie die Hypothesenbildung für noch nicht erforschte Sachverhalte einschließt. Das aber setzt eine kontinuierliche Kommunikation von Wissenschaft, Politik und Gesellschaft voraus, für die es gilt, Verfahren, Techniken und Organisationsformen zu finden. Daran müßten die demokratischen Institutionen längst größeres Interesse gezeigt haben, weil sie prototypisch darstellen und erleben, daß unser parlamentarisch-repräsentatives System den Erfordernissen eines geregelten Feed-back zwischen politischen Entscheidungsträgern und Betroffenen schon längst nicht mehr genügt.

Folgende fünf Schritte sind erforderlich, um den Diskurs zwischen den

Wissenschaften und der betroffenen, entscheidenden und handelnden Öffentlichkeit herzustellen:

1. Die Verantwortung der Naturwissenschaften scheint heute besonders darin zu bestehen, den Ausschluß neuer und z. T. alter Erkenntnisse aus ihrem Wissenschaftssystem zu beenden. Kopernikanische, Gutenbergsche und andere Wendepunkte in der Entwicklung der Menschheit sind Beispiele dafür, daß das Unglaubliche, das Unwahrscheinliche, das gesellschaftlich Unerwünschte zwar eine Zeitlang verdrängt und aufgehalten werden kann, sich letztlich aber durchsetzt. Die Frage des Zeitpunktes, zu dem sich solches Wissen durchsetzt, ist allerdings für die Entwicklung der Menschheit nicht ganz unbedeutend. Deshalb können wir auch die Hektik verstehen, mit der z. B. in der Friedensbewegung verantwortungsbewußte Leute die Durchsetzung von Erkenntnissen voranzutreiben versuchen, die der Einsicht dienen sollen, Vernichtungswaffen abzuschaffen, weil ihr bloßes Vorhandensein eine enorme Gefahr für den Bestand der Menschheit und dieses Planeten darstellt.

2. Die Naturwissenschaften haben auch die Verantwortung, für den Transfer ihrer Erkenntnisse in relevante soziale, politische und organisationswissenschaftliche Bereiche zu sorgen. An dieser Stelle darf die Bedeutung der Pädagogik in ihren verschiedenen Formen und Interventionsbereichen nicht übersehen werden. Immerhin gibt es gelungene Schulmodelle, die versuchen, neuere Erkenntnisse der Neuropsychologie und der Psychologie auf die Organisation des Schulunterrichts zu übertragen.

3. Die Bemühungen der Naturwissenschaften müssen allerdings scheitern, wenn die Sozialwissenschaften nicht die Verantwortung für die Rezeption naturwissenschaftlicher Erkenntnisse übernehmen und bereit sind, solche Transfermodelle zu entwickeln, die geeignet sind, eben diesen verantwortlichen Informations- und Wissensaustausch zu pflegen und ihn so zu modellieren, daß er entscheidungsfähig wird.

4. Eine Entwicklungsform für solche Transfermodelle, die einen gewissen Verantwortungsausgleich ermöglichen und geradezu institutionalisieren, ist das Modell der Szenarios, in denen Wissenschaften, Politik und Anwender verantwortlich miteinander über das Geschick einzelner gesellschaftlicher, wirtschaftlicher und technischer Entwicklungen verhandeln, und dies in einem langfristig angelegten Prozeß, der durch Rückkoppelung mit den erkenntnisschöpfenden Wissenschaften einerseits und der anwendungsbezogenen Technik und Organisation andererseits entsteht.

Bedauernd wird man feststellen müssen, daß Initiativen solcher Szenarien, wie z. B. der Deutsche Bildungsrat mit seiner Bildungsreformkonzeption, nicht überlebt haben, daß anderswo Gesundheits- und Verteidigungsräte nur eine vorübergehende Existenz hatten und daß eine ganze Reihe von Szenarien ähnlicher gesellschaftlicher Konstrukte aus dem Bereich politischer Alternativen geboren und im kommunalen Bereich gegen den Willen der herrschenden Parteien durchgesetzt worden sind.

5. Aber auch funktionierende Szenarien mit verantwortlichem Interessenausgleich stellen nicht die Prioritätskriterien bereit, die notwendig sind, um Maßstäbe für Interessenausgleich bei Anwendern und Entwicklern herzustellen. Verfahren gesellschaftlicher und ethischer Kontrolle müssen entwickelt und in die institutionalisierten Formen des Interessenausgleichs eingeführt werden. Solche Prioritäten müßten dazu führen, daß nicht alles, was machbar und bezahlbar ist, auch entwickelt und produziert wird, daß der Maßstab für Entscheidungen die Frage ist, was für den Menschen und seine Entwicklung gut ist, nicht für die Sachen und für die Systeme. Die Frage nach dem Menschenbild allerdings ist und bleibt eine Glaubensfrage, und die Entwicklung politischen Konsenses im parlamentarischen System liefert oft genug Beispiele dafür, wie verstümmelt das Menschenbild werden kann, wenn es nur noch auf der Basis des kleinsten gemeinsamen Nenners wirksam wird.

Die Zerstörung der Ethik
durch die Naturwissenschaften

Überlegungen eines Physikers

Das Vergnügen an der naturwissenschaftlichen Forschung gleicht ein ganz klein wenig jenem, das jeder empfindet, der Kreuzworträtsel löst. Aber es ist doch noch viel mehr, vielleicht sogar mehr als die Freude an schöpferischer Arbeit in anderen Berufen, die Kunst ausgenommen. Es besteht in dem Gefühl, in das Mysterium der Natur einzudringen, ein Geheimnis der Schöpfung zu lüften und etwas Sinn und Ordnung in einen Teil der chaotischen Welt zu bringen. Dies ist eine philosophische Befriedigung.

Ich habe mich bemüht, Philosophen aller Geschichtsepochen zu lesen, und viele erleuchtende Gedanken gefunden, doch keinen ständigen Fortschritt zu tieferer Erkenntnis und eingehenderem Verständnis. Die Naturwissenschaft hingegen vermittelt mir das Gefühl eines beständigen Fortschritts: ich bin überzeugt, daß die theoretische Physik tatsächlich Philosophie ist. Sie hat grundlegende Begriffe umgestürzt, zum Beispiel über Raum und Zeit (Relativität), über Kausalität (Quantentheorie) und über Stoff und Materie (Atomistik). Sie hat uns neue Denkmethoden gelehrt (Komplementarität), die weit über die Physik hinaus anwendbar sind. Im Laufe der letzten Jahre habe ich versucht, aus der Naturwissenschaft abgeleitete philosophische Grundsätze zu formulieren.

In meiner Jugend brauchte man in der Industrie sehr wenige Naturwissenschaftler. Der einzige Weg für sie, ihren Lebensunterhalt zu verdienen, bestand im Lehrberuf. An einer Universität zu lehren, war für mich eine sehr erfreuliche Sache. Einen wissenschaftlichen Gegenstand in anziehender und spannender Weise darzulegen, ist eine künstlerische Aufgabe, ähnlich der eines Schriftstellers oder gar eines Dramatikers. Das gleiche gilt für das Schreiben von Lehrbüchern. Das größte Vergnügen ist die Unterrichtung von Forschungsstudenten. Ich war so glücklich, unter ihnen eine beträchtliche Anzahl von genialen Leuten zu haben. Es ist

* Dieser Aufsatz erschien in »Literarische und naturwissenschaftliche Intelligenz. Dialog über die ›zwei Kulturen‹«, hrsg. von Helmut Kreuzer, Stuttgart 1978, S. 179–186. Der Abdruck erfolgt mit freundlicher Genehmigung des Ernst Klett-Verlages, Stuttgart.

herrlich, ein Talent zu entdecken und zu einem fruchtbaren Forschungsgebiet hinzuleiten.

Von meinem persönlichen Gesichtspunkt hat mir daher die Naturwissenschaft jede Befriedigung und jedes Vergnügen verschafft, das ein Mann
von seinem Beruf erwarten kann. Doch während meiner Lebenszeit ist
die Naturwissenschaft eine Angelegenheit von öffentlichem Belang geworden, und der Standpunkt l'art pour l'art meiner Jugend ist jetzt über-
holt. Die Naturwissenschaft ist ein integrierender und höchst wichtiger
Teil unserer Zivilisation geworden, und die naturwissenschaftliche Arbeit
bedeutet einen Beitrag zu ihrer Entwicklung. In unserem technischen
Zeitalter hat die Naturwissenschaft soziale, ökonomische und politische
Funktionen. Wieweit auch immer die eigene Arbeit von einer technischen Anwendung entfernt ist, bedeutet sie doch ein Glied in der Kette
von Handlungen und Entscheidungen, die das Schicksal des Menschenge-
schlechtes bestimmen. Dieser Aspekt der Wissenschaft kam mir in seiner
vollen Auswirkung erst nach Hiroshima zum Bewußtsein. Dann aber be-
kam er überwältigende Bedeutung. Er ließ mich über die Veränderungen
nachgrübeln, welche die Naturwissenschaften in den Angelegenheiten
der Menschen zu meiner eigenen Zeit verursacht haben und wohin sie
führen mögen.

Trotz meiner Liebe zu wissenschaftlicher Arbeit war das Ergebnis meines
Nachdenkens entmutigend. Es scheint mir, daß der Versuch der Natur,
auf dieser Erde ein denkendes Wesen hervorzubringen, gescheitert ist.
Der Grund dafür ist nicht nur die beträchtliche und sogar noch wachsende
Wahrscheinlichkeit, daß ein Krieg mit Kernwaffen ausbrechen und alles
Leben auf der Erde zerstören kann. Selbst wenn diese Katastrophe vermieden werden kann, vermag ich für die Menschheit lediglich eine düstere Zukunft zu sehen. Der Mensch ist in Anbetracht seines Gehirns von
seiner Überlegenheit über alle anderen Lebewesen überzeugt; doch es ist
zu bezweifeln, ob er in seinem Zustand des Selbstbewußtseins glücklicher
ist als die stummen Tiere. Wenige tausend Jahre seiner Geschichte sind
bekannt. Sie ist angefüllt mit aufregenden Ereignissen, doch im ganzen
genommen ist sie einförmig: Frieden wechselt mit Krieg, Aufbau mit Zerstörung, Wachstum mit Niedergang.

Während dieser ganzen Zeit gab es eine elementare, von Philosophen
entwickelte Naturwissenschaft und eine gewisse primitive Technik, die
von der Naturwissenschaft praktisch unabhängig war und sich in den Händen von Handwerkern befand. Beide wuchsen sehr langsam, so langsam,
daß lange Zeit hindurch eine Veränderung kaum wahrnehmbar und ohne
großen Einfluß auf die menschliche Szene war. Doch plötzlich, vor 300
Jahren etwa, trat eine explosionsartige Steigerung der Gehirntätigkeit
ein: die moderne Naturwissenschaft und Technik wurden geboren. Diese

sind seitdem mit ständig zunehmender Geschwindigkeit gewachsen, schneller wahrscheinlich als es einer Exponentialkurve entspricht, und sie sind im Begriffe, die menschliche Welt in einem Grade umzugestalten, daß sie kaum wiederzuerkennen ist. Aber obgleich dieser Vorgang durch den Verstand bewirkt worden ist, wird er nicht durch den Verstand kontrolliert. Für diese Tatsache braucht man kaum Beispiele anzuführen. Die Medizin ist der meisten Seuchen und epidemischen Krankheiten Herr geworden und hat die Lebensdauer im Laufe einer Generation verdoppelt: das Ergebnis ist die Aussicht auf eine katastrophale Übervölkerung. Die Menschen sind in den Städten zusammengepfercht und haben allen Kontakt mit der Natur verloren. Das Leben der Tiere in der Wildnis schwindet schnell dahin. Die Nachrichtenverbindung zwischen einem Platz auf dem Erdball und einem anderen vollzieht sich fast momentan, und der Verkehr wurde in einem unglaublichen Ausmaß beschleunigt mit dem Ergebnis, daß jede kleine Krisis in einer Ecke die ganze übrige Welt in Mitleidenschaft zieht und eine vernünftige Politik unmöglich macht. Das Auto hat das ganze Land für jedermann zugänglich gemacht, aber die Straßen sind verstopft und die Erholungsgebiete verdorben. Immerhin kann vielleicht diese Art technischen Irrgangs mit der Zeit durch technische und administrative Heilmittel ausgeglichen werden.

Die wirkliche Krankheit sitzt tiefer. Sie besteht im Zusammenbruch aller ethischen Grundsätze, die sich im Laufe der Geschichte entwickelt und ein lebenswertes Leben gesichert haben, selbst in Zeitabschnitten wilder Kämpfe und weiträumiger Zerstörung. Es genügt, zwei Beispiele für die Auflösung überlieferter Ethik durch die Technik anzuführen: das eine betrifft den Frieden, das andere den Krieg.

Im Frieden war harte Arbeit das Fundament der Gesellschaft. Ein Mensch war stolz auf das, was er gelernt hatte, und auf die Dinge, welche er mit seinen Händen schuf. Geschicklichkeit und Sorgfalt standen hoch im Kurs. Heutzutage ist davon wenig übriggeblieben. Maschinen haben die menschliche Arbeit entwertet und ihre Würde zerstört. Heute sind ihr Zweck und ihr Lohn das bare Geld. Das Geld wird benötigt zum Ankauf technischer Erzeugnisse, die ihrerseits wieder von anderen um des Geldes willen geschaffen werden.

Im Krieg waren die Kennzeichen des idealen Soldaten Stärke und Mut, Großmütigkeit gegenüber dem unterlegenen Feind und Mitleid gegenüber dem Wehrlosen. Nichts davon ist übriggeblieben. Moderne Waffen der Massenvernichtung lassen keinen Raum für irgendwelche sittlich begründeten Einschränkungen und degradieren den Soldaten zu einem technischen Mörder.

Diese Abwertung der Ethik ist die Folge der Länge und Kompliziertheit des Weges zwischen einer menschlichen Betätigung und ihrem Endeffekt.

Die meisten Arbeiter kennen lediglich ihren speziellen kleinen Handgriff in einem speziellen Abschnitt des Produktionsprozesses und sehen kaum jemals das vollständige Erzeugnis. Naturgemäß fühlen sie sich nicht verantwortlich für dieses Produkt oder für seine Verwendung. Ob diese Anwendung gut oder schlecht, harmlos oder schädigend ist, liegt völlig außerhalb ihres Gesichtskreises. Das grauenhafte Ergebnis dieser Trennung von Tätigkeit und Wirkung war die Vernichtung von Millionen menschlicher Lebewesen während des Nazi-Regimes in Deutschland; die Mörder vom Eichmann-Typ erklärten sich für nicht schuldig, weil sie »ihre Arbeit verrichteten« und mit dem Endzweck nichts zu tun hätten.

Alle Versuche, unseren ethischen Kodex unserer Situation im technischen Zeitalter anzugleichen, sind fehlgeschlagen. Die Repräsentanten der überlieferten Ethik, die christlichen Kirchen, haben keinen Ausweg gefunden, soweit mir ersichtlich ist. Die kommunistischen Staaten haben den Gedanken eines ethischen Kodex, der für jedes menschliche Wesen Gültigkeit hat, einfach aufgegeben und ihn durch den Grundsatz ersetzt, daß die Gesetze des Staates den moralischen Kodex darstellen.

Ein Optimist kann hoffen, daß aus diesem Dschungel eine neue Ethik erstehen wird, und zwar rechtzeitig, um einen Krieg mit Kernwaffen und eine allgemeine Vernichtung zu verhüten. Dem steht die Möglichkeit gegenüber, daß es gerade wegen der Art der naturwissenschaftlichen Revolution im menschlichen Denken keine Lösung dieses Problems gibt.

Ich habe darüber im einzelnen geschrieben und kann hier nur die Hauptpunkte andeuten.[1] Das durchschnittliche menschliche Wesen ist ein naiver Realist, das heißt, er nimmt wie die Tiere seine sinnlichen Eindrücke als unmittelbare Information über die Wirklichkeit, und er ist überzeugt, daß alle menschlichen Wesen diese Information mit ihm teilen. Es ist ihm nicht klar, daß es keinen Weg gibt, festzustellen, ob der Eindruck eines Individuums, beispielsweise von einem grünen Baum, und der eines anderen von diesem Baum der gleiche ist, und daß selbst das Wort »gleich« hier keinen Sinn hat. Einzelne Sinneswahrnehmungen haben keine objektive, das heißt mitteilbare und beweisbare Bedeutung. Das Wesen der Naturwissenschaft ist die Entdeckung, daß Beziehungen zwischen zwei oder mehr Sinneseindrücken, besonders Feststellungen der Gleichheit, durch verschiedene Individuen mitgeteilt und kontrolliert werden können. Wenn die Einschränkung, ausschließlich solche Feststellungen zu verwenden, angenommen wird, erhält man ein objektives, wenn auch farbloses und kaltes Bild der Welt. Dies ist die kennzeichnende Methode der Naturwissenschaft. Sie wurde langsam in der sogenannten klassischen Periode der Physik (vor 1900) entwickelt und erhielt eine dominierende Stellung in der modernen Atomphysik. Sie hat zu einer enormen Erweiterung des Horizonts unseres Wissens im Makrokosmos sowohl wie im Mi-

krokosmos und zu einem riesigen Zuwachs an Macht über die Naturkräfte geführt. Doch dieser Gewinn wird mit einem bitteren Verlust
bezahlt. Die wissenschaftliche Haltung ist geeignet, Zweifel und Skepti-
zismus zu erzeugen gegenüber überlieferter unwissenschaftlicher Erkenntnis und sogar gegenüber natürlichen, unverfälschten Handlungs-
weisen, von denen die menschliche Gesellschaft abhängt.

Niemand hat bis jetzt ein Mittel erfunden, um die Gesellschaft ohne überlieferte ethische Prinzipien zusammenzuhalten oder um diese durch die in
der Naturwissenschaft angewendeten rationalen Methoden abzuleiten.

Die Naturforscher selbst sind eine unansehnliche Minderheit; doch die
eindrucksvollen Erfolge der Technik verleihen ihnen eine entscheidende
Stellung in der Gesellschaft. Sie sind sich einer höheren objektiven Gewißheit bewußt, die durch ihre Denkweise erreichbar ist, aber sie sehen
ihre Grenzen nicht. Ihre politischen und sittlichen Urteile sind daher oft
primitiv und gefährlich.

Die nicht naturwissenschaftliche Denkweise hängt natürlich ebenfalls
von einer gebildeten Minderheit ab, nämlich den Juristen, Theologen,
Historikern und Philosophen, die infolge der Begrenzung ihrer Ausbildung nicht imstande sind, die gewaltigsten sozialen Kräfte unserer Zeit zu
verstehen. Somit ist die zivilisierte Gesellschaft in zwei Gruppen aufge-
spalten, wovon die eine durch die überlieferten humanistischen Ideen,
die andere durch naturwissenschaftliche geleitet ist. Diese Sachlage ist in
jüngerer Zeit von vielen hervorragenden Denkern diskutiert worden,
zum Beispiel C. P. Snow.[2] Sie betrachten dies allgemein als einen schwachen Punkt unserer sozialen Einrichtungen, glauben aber, daß durch eine
richtig ausgeglichene Bildung Abhilfe geschaffen werden könne.

Vorschläge für eine Verbesserung unserer Bildungseinrichtungen in dieser Richtung sind zahlreich, doch bisher unwirksam. Meine persönliche
Erfahrung geht dahin, daß sehr viele Naturwissenschaftler und Ingenieure durchaus gebildet sind, sie sind nicht ohne Kenntnisse in Literatur,
Geschichte und anderen humanistischen Dingen, sie lieben Kunst und
Musik, sie malen sogar oder spielen ein Instrument; auf der anderen Seite
ist die Unkenntnis und sogar Verachtung der Naturwissenschaft erstaun-
lich, wie sie von Leuten mit humanistischer Bildung an den Tag gelegt
wird. Ich kann mich selbst als Beispiel anbieten. Ich kenne und genieße
eine ganze Menge deutscher und englischer Prosa und Poesie und habe
sogar den Versuch gemacht, einen volkstümlichen deutschen Dichter ins
Englische zu übersetzen.[3] Ich bin auch mit anderen europäischen Schrift-
stellern vertraut: Franzosen, Italienern, Russen usw. Ich liebe Musik und
spielte in meinen jüngeren Jahren hinreichend gut Klavier, um bei Kam-
mermusik mitzuwirken oder mit einem Freund zusammen einfache Kon-
zerte an zwei Klavieren zu spielen, gelegentlich sogar mit einem Orche-

ster. Ich las und lese Bücher über Geschichte und über unsere gegenwärtige soziale, wirtschaftliche und politische Lage. Ich versuche, durch das Schreiben von Artikeln und Vorträge im Rundfunk die politische Meinung zu beeinflussen. Viele meiner Kollegen teilen diese Interessen und Betätigungen – Einstein war ein guter Violinspieler; Planck und Sommerfeld waren ausgezeichnete Klavierspieler; ebenso Heisenberg und viele andere.

Was die Philosophie betrifft, so ist jeder moderne Naturforscher, besonders jeder theoretische Physiker, sich zutiefst der Tatsache bewußt, daß seine Arbeit eng mit dem philosophischen Denken verwoben ist und daß sie ohne eine gründliche Kenntnis der philosophischen Literatur wenig bedeutete. Dies war ein führender Gedanke in meinem eigenen Leben, den ich meinen Schülern einzuimpfen suchte – natürlich nicht um sie zu Parteigängern einer überlieferten Schule zu machen, sondern um sie in den Stand zu setzen, Kritik zu üben sowie Flecken in den Systemen herauszufinden und diese durch neue Anschauungen zu überwinden, wie Einstein uns gelehrt hat. Auf diese Weise, so möchte ich glauben, werden die Naturforscher nicht von der humanistischen Denkweise ausgeschlossen.[4]

Die Kehrseite der Angelegenheit scheint mir ziemlich anders auszusehen. Sehr viele der Menschen mit rein humanistischer Bildung, die ich getroffen habe, haben keine blasse Ahnung von wirklichem naturwissenschaftlichem Denken. Sie kennen zwar oft naturwissenschaftliche Tatsachen, sogar verwickelte Dinge, von denen ich kaum gehört habe, doch kennen sie nicht die Wurzeln der naturwissenschaftlichen Methode, wovon ich weiter oben gesprochen habe; und sie scheinen nicht in der Lage zu sein, den Kernpunkt solcher Überlegungen zu erfassen. Es scheint mir, daß die Befähigung zu fundamentalem naturwissenschaftlichem Denken eine Gabe ist, die nicht gelehrt werden kann und die auf eine kleine Minderheit beschränkt ist.

Ich bin von dem Gedanken bedrückt, daß dieser Bruch in der menschlichen Zivilisation, der durch die Entdeckung der naturwissenschaftlichen Methode verursacht wurde, nicht wieder gutzumachen ist. Obwohl ich die Naturwissenschaft liebe, habe ich das Gefühl, daß sie so sehr gegen die geschichtliche Entwicklung und Tradition ist, daß sie durch unsere Zivilisation nicht absorbiert werden kann. Die politischen und militärischen Schrecken sowie der vollständige Zusammenbruch der Ethik, deren Zeuge ich während meines Lebens gewesen bin, sind kein Symptom einer vorübergehenden sozialen Schwäche, sondern eine notwendige Folge des naturwissenschaftlichen Aufstiegs – der an sich eine der größten intellektuellen Leistungen der Menschheit ist. Wenn dem so ist, dann ist der Mensch als freies verantwortliches Wesen am Ende.

Sollte die Menschenrasse nicht durch einen Krieg mit Kernwaffen ausge-
löscht werden, dann wird sie zu einer Herde von stumpfen, törichten
Kreaturen degenerieren unter der Tyrannei von Diktatoren, die sie mit
Hilfe von Maschinen und elektronischen Computern beherrschen.

Doch in praktischen Angelegenheiten, besonders in der Politik, braucht
man Leute, welche menschliche Erfahrung und Interesse an menschlichen Beziehungen mit einer Kenntnis der Naturwissenschaften und der
Technik in sich vereinigen. Außerdem müssen es Tatmenschen sein und
nicht kontemplative Charaktere. Ich habe den Eindruck, daß keine Bil-
dungsmethode Menschen mit all den erforderlichen Eigenschaften hervorbringen kann.

Dies ist keine Prophezeiung, sondern ein Alpdruck. Obwohl ich an der
Anwendung naturwissenschaftlicher Kenntnis für zerstörerische Zwecke
wie die Herstellung der A-Bombe oder der H-Bombe nicht teilgenom-
men habe, fühle ich mich verantwortlich. Wenn meine Philosophie richtig
ist, dann ist das Schicksal der Rasse eine notwendige Folge der Konstitution des Menschen, einer Kreatur, in der tierische Instinkte und intellektuelle Kräfte miteinander vermischt sind.

Gleichwohl, es mag sein, daß meine Überlegungen völlig falsch sind. Ich
hoffe, daß es so ist. Eines Tages mag ein Mann erscheinen, der geschickter
und klüger ist als irgend jemand in unserer Generation und imstande ist,
die Welt aus ihrer Sackgasse herauszuführen.

Anmerkungen

Sven Papcke: Wissenschaft und Ethik – ein Dilemma

1 Francis Bacon, Novum Organum. Herausgegeben und kommentiert von Thomas Fowler, Oxford ²1889, Buch 50, § 81.
2 Peter Strasser, Verbrechermenschen. Zur kriminalwissenschaftlichen Erzeugung des Bösen. Frankfurt am Main 1984.
3 Ebda., S. 7.
4 Ebda., S. 102.
5 Zit. nach: Frankfurter Rundschau, 4. 9. 1984, S. 1.
6 Carl Friedrich von Weizsäcker, Die Verantwortung der Wissenschaft im Atomzeitalter. Göttingen 1957, S. 11.
7 Hans Freyer (Hg.), Technik im technischen Zeitalter. Düsseldorf 1965, S. 88.
8 Karl Mannheim, Mensch und Gesellschaft im Zeitalter des Umbaus. Bad Homburg u. a. ²1967, S. 22.
9 Hans Jonas, Weder dem Wahren noch dem Guten ist gedient. In: Frankfurter Rundschau, 7. 7. 1984, S. 10.
10 Hans Mohr, Wissenschaft in der Krise? In: Frankfurter Allgemeine Zeitung, 7. 3. 1983, S. 33.
11 Jean Jacques Rousseau, Discours sur les sciences et les arts. Œuvres complètes. Paris 1864, Band I/2, S. 469.
12 Karl Jaspers, Die geistige Situation der Zeit. Berlin/Leipzig 1931, S. 41.
13 Oswald Spengler, Der Mensch und die Technik. München 1931, S. 78.
14 SPD, Godesberger Programm. Bonn 1959, S. 22. Vgl. auch Teil XII des »Irseer Entwurfs eines neuen Grundsatzprogrammes für die SPD« vom Juni 1986.
15 Karl Jaspers, Die geistige Situation der Zeit (Anm. 12), S. 119.
16 Zit. nach: Katharina Kessel, Ethik der Wissenschaft. In: Frankfurter Allgemeine Zeitung, 3. 2. 1984, S. 27.
17 Johann Wolfgang von Goethe, Faust I, Hamburg 1963, Vers 1851 ff.
18 Wilhelm Dilthey, Gesammelte Schriften, Bd. X. Stuttgart/Göttingen 1958, S. 16.
19 Herbert Marcuse, Der eindimensionale Mensch. Neuwied 1967, S. 161.
20 Theodor Fontane, Gesammelte Werke, Bd. I. Berlin 1919, S. 190.
21 Charles de Montesquieu, Œuvres diverses, Bd. VI. Paris 1842, S. 182 ff.
22 Ebda., S. 186.

Jürgen Altmann: »Star Wars« und die Verantwortung
der Wissenschaftler
Eindrücke aus den USA

1 R. Rilling, Konsequenzen der »Strategic Defense Initiative« für die Forschungspolitik. In: Blätter für deutsche und internationale Politik, Nr. 6, 1985.
2 Commentary, März 1983; Commentary, Januar 1984.
3 Z. Brezinski/R. Jastrow/W. Kampelman, Search for Security: The Case for the Strategic Defense Initiative. In: New York Times Magazine, 27.1.1985; IHT 28.1.1985.
4 S. Drell u. a., The Reagan Strategic Defense Initiative: A Technical, Political, and Arms Control Assessment. Center for International Security and Arms Control, Stanford 1984.
5 Science, 19.4.1985.
6 Massachusetts Institute of Technology (MIT): Tech Talk, 5.6.1985.
7 Universities Say Pentagon Misstated Role in SDI. In: Washington Post, 7.6.1985.
8 D.E. Sanger, Campuses' Role in Arms Debated As »Star Wars« Funds Are Sought. In: New York Times, 22.7.1985.
9 D.L. Parnas, Software Aspects of Strategic Defense Systems. Victoria B.C.: University of Victoria, Department of Computer Science, Juli 1985 (auch in: American Scientist, Bd. 73, 1985, S. 432–440); SDI-Berater: Das Programm wird niemals funktionieren. In: Frankfurter Rundschau, 31.8.1985.
10 C. Campbell, »Star Wars« Foes Press for Boycott. In: New York Times, 13.9.1985; US-Wissenschaftler gegen SDI. In: Frankfurter Rundschau, 15.5.1986.
11 M.L. Lawrence, Leserbrief. In: Physics Today, Nr. 10, 1986, S. 10–13.
12 W.J. Broad, The Young Physicists: Atoms and Patriotism Amid the Coke Bottles. In: New York Times, 31.1.1984. Ders., Star Warriors – A Penetrating Look into the Lives of the Young Scientists Behind Our Space Weaponry. New York 1985.
13 SDI-Forscher zurückgetreten. In: Frankfurter Allgemeine Zeitung, 12.9. 1986.
14 Ein »kleines« SDI-Programm? In: Frankfurter Allgemeine Zeitung, 2.7. 1985.
15 M. May, The U.S.-Soviet Approach to Nuclear Weapons. In: International Security, Frühjahr 1985.
16 Conversion Study. Berkeley CA: University of California Nuclear Weapons Labs Conversion Project, 1979.
17 H. DeWitt, Debate on a Comprehensive Nuclear Weapons Test Ban: Pro. In: Physics Today, August 1983, S. 24–34.
18 Council on Economic Priorities, Strategic Defense Initiative: Costs, Contractors, and Consequences. New York 1985; SDI-Aufträge im Finanzjahr 1986. In: Informationsdienst Wissenschaft und Frieden, Nr. 5/6, November 1986, S. 41.

19 U.S. Congress, Office of Technology Assessment (OTA), Arms Control in Space: Workshop Proceedings, OTA-BP-ISC-28, Washington DC: U.S. Government Printing Office, Mai 1984.

20 A.B. Carter, Directed Energy Missile Defense in Space-Background Paper, OTA-BP-ISC-26, Washington DC: U.S. Government Printing Office, April 1984.

21 U.S. Congress, Office of Technology Assessment (OTA), Ballistic Missile Defense Technologies, OTA-ISC-254, Washington DC: U.S. Government Printing Office, September 1985. Ders., Anti-Satellite Weapons, Countermeasures, and Arms Control, OTA-ISC-281, Washington DC: U.S. Government Printing Office, September 1985.

22 J. Tirmann (Hrsg.), The Fallacy of Star Wars. New York 1984 (deutsch: SDI – Der Krieg im Weltraum. Bern u. a. 1985).

23 T. K. Longstreth u. a., The Impact of U.S. and Soviet Ballistic Missile Defense Programs on the ABM Treaty. Washington DC: National Campaign to Save the ABM Treaty, März 1985.

24 Jürgen Altmann, Naturwissenschaftler brauchen ein »fundiertes Gewissen« – Moderne Physik und Rüstungswettlauf. In: Blätter für deutsche und internationale Politik, Nr. 6, 1983.

25 Wir machen nicht mit. Informationsdienst Wissenschaft und Frieden Nr. 4, September/Oktober/November 1985, S. 5–7; Forum Naturwissenschaftler für Frieden und Abrüstung (Hrsg.), Forschen zwischen Krieg und Frieden – Friedensarbeit der Naturwissenschaftler, Techniker und Ingenieure in Großforschungseinrichtungen und Betrieben. Schriftenreihe Wissenschaft und Frieden, Nr. 7, Marburg/Münster 1986.

Du-Yul Song: Technologie-Imperialismus à la Japan:
Mythos und Realität

1 Vgl. Max Horkheimer/Theodor W. Adorno, Dialektik der Aufklärung. Frankfurt am Main 1969.

2 »Als die Han-Dynastie gedieh, gab es einen Fürsten Cüng, der mit der Technik (Ji Shu) die Unwissenheit (des Volkes) ausgetrieben hatte.«

3 Dies ist eine Anspielung auf das ins Japanische übersetzte und vielgelesene Buch von Ludwig Klages, Der Geist als Widersacher der Seele.

Hanns Wienold: Blicke der Macht.
Sozialstatistik und empirische Sozialforschung als Staatsaktion

1 Johann Peter Süßmilch, Die göttliche Ordnung in den Veränderungen des menschlichen Geschlechts, aus der Geburt, dem Tode und der Fortpflanzung desselben erwiesen. Zit. nach: Victor John, Geschichte der Statistik: Ein quellenmäßiges Handbuch für den akademischen Gebrauch wie für den Selbstunterricht. Erster Teil, Stuttgart 1884, S. 245 ff.

2 Ebda., S. 177.

3 Zit. nach: Victor John, Geschichte der Statistik (Anm. 1), S. 189.

4 Jonathan Swift, Bescheidener Vorschlag, wie man verhüten kann, daß die Kinder armer Leute in Irland ihren Eltern oder dem Lande zur Last fallen, und wie sie der Allgemeinheit nutzbar gemacht werden können. In: Jonathan Swift, Ausgewählte Werke. Hrsg. von Anselm Schlösser, Bd. II, Frankfurt 1982, S. 541 ff.

5 Horst Kern, Empirische Sozialforschung. Ursprünge, Ansätze, Entwicklungslinien. München 1982, S. 37.

6 Zit. nach: Victor John, Geschichte der Statistik (Anm. 1), S. 354.

7 Götz Aly / Karl-Heinz Roth, Die restlose Erfassung. Volkszählen, Identifizieren, Aussondern im Nationalsozialismus. Berlin 1984, S. 31.

8 Vgl. ebda., S. 96 ff.

9 Ebda., S. 75.

10 Statistisches Bundesamt (Hrsg.), Bevölkerung und Wirtschaft 1872–1972. Stuttgart/Mainz 1972, S. 43.

11 D. Grunow / F. Hegner / F. X. Kaufmann, Steuerzahler und Finanzamt. Bürger und Verwaltung. Bd. I, Frankfurt am Main/New York 1978.

12 Kommission für wirtschaftlichen und sozialen Wandel, Wirtschaftlicher und sozialer Wandel in der Bundesrepublik Deutschland. Göttingen 1977.

13 Helmut Klages / Peter Kmieciak (Hrsg.), Wertwandel und gesellschaftlicher Wandel. Frankfurt am Main 1979.

14 Helmut Klages / Willi Herbert, Wertorientierung und Staatsbezug. Untersuchungen zur politischen Kultur in der Bundesrepublik Deutschland. Frankfurt am Main/New York 1983.

15 Horst Kern, Empirische Sozialforschung (Anm. 5), S. 201.

16 H. D. Schwind / W. Ahlborn / R. Weiss, Empirische Kriminalgeographie. Bestandsaufnahme und Weiterführung am Beispiel von Bochum (»Kriminalitätsatlas Bochum«). BKA-Forschungsreihe, Bd. 8, Wiesbaden 1978, S. 3.

17 Zit. nach: Hubert Beste, Innere Sicherheit und Sozialforschung. Eine empirische Analyse der Entwicklung kriminologischer Forschung und staatlicher Kontrollpolitik. Münster 1983, S. 415.

18 Carlo Ginzburg, Spurensicherung. Über verborgene Geschichte, Kunst und soziales Gedächtnis. Berlin 1983.

19 Wolfgang Bonß, Die Einübung des Tatsachenblicks. Zur Struktur und Veränderung empirischer Sozialforschung. Frankfurt am Main 1982, S. 111.

20 Helmut Schelsky, Ortsbestimmung der deutschen Soziologie. Düsseldorf/Köln 1959, S. 81.

21 Zit. nach: Horst Kern, Empirische Sozialforschung (Anm. 5), S. 179.

22 Vgl. Rüdiger Lautmann / Hanns Wienold, Das soziale Abwehrsystem gegen sexuelle Abweichung, insbesondere Homosexualität. Bericht zum Forschungsprojekt: Entstigmatisierung durch Gesetzgebung. Bremen/Münster 1978. SINUS-Studie, »Wir sollten wieder einen Führer haben...«. Die SINUS-Studie über rechtsextremistische Einstellungen bei den Deutschen. Reinbek 1981.

23 Max Kaase / Werner Ott / Erwin K. Scheuch (Hrsg.), Empirische Sozialforschung in der modernen Gesellschaft. Beiträge und Referate anläßlich und im Zusammenhang mit der gemeinsamen wissenschaftlichen Jahrestagung des Ar-

beitskreises Deutscher Marktforschungsinstitute (ADM) und der Arbeitsgemeinschaft Sozialwissenschaftlicher Institute (ASJ) am 1./2. 10. 1982 in Heidelberg. Frankfurt am Main/New York 1983, S. 12.

24 Walter Leisler Kiep, ebda., S. 51.

25 Elisabeth Noelle-Neumann, Die Schweigespirale. Öffentliche Meinung – unsere soziale Haut. München/Zürich 1980, S. 165 ff.

26 Ebda.

27 Ebda., S. 138 ff.

28 Ebda., S. 141.

29 Ebda., S. 240.

30 Elisabeth Noelle-Neumann, Amerikanische Massenbefragungen über Politik und Presse. Frankfurt am Main 1940, S. 132 ff.

Robert Tschiedel: Die mißbrauchte Autorität der Wissenschaft

1 Vgl. Karl R. Popper, Logik der Forschung. Tübingen ⁴1971.

2 Hans Albert, Traktat über kritische Vernunft. Tübingen ²1969.

3 Gregory Bateson, Geist und Natur. Eine notwendige Einheit. Frankfurt am Main 1982, S. 161.

4 Ebda., S. 107.

5 Iring Fetscher, Überlebensbedingungen der Menschheit – Zur Dialektik des Fortschritts. Konstanz 1976, S. 9.

6 Parlament aktuell, 7/1979, S. 30.

7 Vgl. Die Zeit, 7. 5. 1976.

8 Hermann Lübbe, Legitimationskrise der Wissenschaft – Über Ursachen anwachsender Wissenschaftsfeindschaft. Vortrag vom 16. 9. 1976, Ms.-S. 1.

9 Vgl. ders. in: Frankfurter Allgemeine Zeitung, 12. 6. 1982.

10 Vgl. z. B. Frankfurter Rundschau, 11. 12. 1982.

11 Vgl. ebda., 6. 3. 1982.

12 Vgl. Die Welt, 5. 3. 1977.

13 Ronald Inglehart, The Silent Revolution. Changing Values and Political Styles Among Western Publics. Princeton 1977.

14 Vgl. Frankfurter Rundschau, 23. 5. 1979.

15 Vgl. Frankfurter Allgemeine Zeitung, 12. 6. 1982.

16 Vgl. z. B. Der Spiegel, 13. 9. 1976.

17 Vgl. z. B. Frankfurter Rundschau, 12. 8. 1977.

18 Vgl. ebda., 23. 6. 1978.

19 Vgl. ebda., 12. 8. 1982.

20 Vgl. ebda., 24. 11. 1983.

21 Vgl. Stern, 27. 6. 1985.

22 Robert Tschiedel, Wissenschaft im Konflikt um die Kernenergie. Frankfurt am Main/New York 1977, S. 48–53.

23 Vgl. Heinz Hülsmann, Die technologische Formation – oder: lasset uns Menschen machen. Berlin 1985.

24 Helga Nowotny, Kernenergie: Gefahr oder Notwendigkeit. Anatomie eines Konflikts. Frankfurt am Main 1979, S. 222 ff.

25 Leo Baumanns, Welche Welt wollen wir? In: management heute 2/1980, S. 8–12.
26 Erwin K. Scheuch, Geleitwort. In: Ortwin Renn, Die sanfte Revolution. Zukunft ohne Zwang? Essen 1980, S. XI–XII.
27 Zit. nach: Wolfgang Sander, Konfliktfall Kernenergie. Anleitung zu sozialwissenschaftlicher Analyse und Urteilsbildung. Düsseldorf 1981.
28 Der Spiegel, Nr. 21/1979.
29 Ivan Illich, Entmündigende Expertenherrschaft. In: Ders. u. a., Entmündigung durch Experten. Zur Kritik der Dienstleistungsgesellschaft. Reinbek 1979, S. 7–35.
30 Helga Nowotny, Kernenergie: Gefahr oder Notwendigkeit. Anatomie eines Konflikts (Anm. 24), S. 215.
31 Vgl. Stern, 19. 7. 1984.
32 Jost Herbig, Die Gen-Ingenieure. Der Weg in die künstliche Natur. Durch einen Anhang erweiterte, aktualisierte Ausgabe, Frankfurt 1980, S. 264.
33 Helmut Schelsky, Auf der Suche nach Wirklichkeit. Düsseldorf/Köln 1965, S. 459.
34 Vgl. Arnold Gehlen, Die Seele im technischen Zeitalter. Sozialpsychologische Probleme in der industriellen Gesellschaft. Hamburg [14]1975.
35 Vgl. Frankfurter Rundschau, 26. 6. 1976.
36 Helmut Schelsky, Auf der Suche nach Wirklichkeit (Anm. 33), S. 456.
37 Ivan Illich, Entmündigende Expertenherrschaft (Anm. 29), S. 15.
38 Ebda., S. 18.

Carsten Klingemann: Das Individuum im Fadenkreuz der Gesellschaftswissenschaften

1 Friedrich H. Tenbruck, Der Mensch als Merkmalsträger. Wie die Sozialforschung die Privatsphäre veröffentlicht und zerstört. In: Frankfurter Allgemeine Zeitung, 31. 3. 1984.
2 Carsten Klingemann, Vergangenheitsbewältigung oder Geschichtsschreibung? Unerwünschte Traditionsbestände deutscher Soziologie zwischen 1933 und 1945. In: Sven Papcke (Hrsg.), Ordnung und Theorie. Beiträge zur Geschichte der Soziologie in Deutschland. Darmstadt 1986.
3 René König, Gesellschaftliches Bewußtsein und Soziologie. Eine spekulative Überlegung. In: G. Lüschen (Hrsg.), Deutsche Soziologie seit 1945. Kölner Zeitschrift für Soziologie und Sozialpsychologie, Sonderheft 21, Opladen 1979, S. 361.
4 Deutsche Gesellschaft für Soziologie, Stellungnahme zur Volkszählung. In: Kölner Zeitschrift für Soziologie und Sozialpsychologie, 35. Jg., Nr. 4, 1983.
5 Vgl. Leserbrief von K. R. Kümpers in: Frankfurter Rundschau, 28. 6. 1985.
6 Klaus Wahl/Michael-Sebastian Honig/Lerke Gravenhorst, Wissenschaftlichkeit und Interesse. Zur Herstellung subjektivitätsorientierter Sozialforschung. Frankfurt am Main 1982, S. 236.
7 Ebda., S. 237.

8 Ebda., S. 236.
9 Bernd Dewe/Enno Schmitz, Zur handlungslogischen Differenz sozialwissenschaftlichen und lebenspraktischen Wissens. Professionstheoretische Überlegungen. In: H.-W. Franz (Hrsg.), 22. Deutscher Soziologentag 1984. Beiträge der Sektions- und Ad-hoc-Gruppen. Opladen 1985, S. 618.
10 Ebda.
11 Ebda., S. 619.
12 Christian Sund, Kolonisierung der Biologie? Neues zur Entstehung der Molekularbiologie. In: Wechselwirkung, Nr. 23, 1984.
13 Micha Brumlik, Fremdheit und Konflikt. Programmatische Überlegungen zu einer Kritik der verstehenden Vernunft in der Sozialpädagogik. In: Kriminologisches Journal 1980, S. 314.
14 Volkmar Sigusch, »Man muß Hitlers Experimente abwarten«. In: Der Spiegel, Nr. 20, 13.5.1985, S. 250.
15 Lothar Baier, Wer unsere Köpfe kolonisiert. Zur Frage, ob die Emanzipation von der ratio fällig ist. In: Literaturmagazin 9, Reinbek 1978, S. 85.
16 Jürgen Habermas, Untiefen der Rationalitätskritik. In: Die Zeit, 10.8.1984.
17 Ebda.*
18 Oskar Negt, Die Konstituierung der Soziologie zur Ordnungswissenschaft. Strukturbeziehungen zwischen den Gesellschaftslehren Comtes und Hegels. Frankfurt am Main 1974, S. I.
19 Thomas Mathiesen, Soziologie: Eine disziplinierte Wissenschaft. In: Ders., Die lautlose Disziplinierung. Bielefeld 1985, S. 144.
20 Friedrich H. Tenbruck, Der Mensch als Merkmalsträger (Anm. 1).
21 Micha Brumlik, Fremdheit und Konflikt (Anm. 13), S. 317.

Günter Neuberger/Ekkehard Sieker: Tschernobyl und die Folgen

1 Vgl. Institut für Energie- und Umweltforschung (IFEU), Die Folgen von Tschernobyl. Heidelberg [3]1986, S. 78.
2 P. Kafka/J. König/W. Limmer, Tschernobyl – Die Informationslüge. München 1986, S. 11.
3 Ekkehard Sieker/Roland Kollert (Hrsg.), Tschernobyl und die Folgen. Bornheim-Merten [2]1986, S. 151 ff.
4 Ebda., S. 159.
5 Frederic Vester, Bilanz einer Ver(w)irrung. München 1986, S. 140 ff.
6 Ebda., S. 82 ff.
7 Peter Herrlich, Gentec pop onc. Berlin 1985, S. 33 ff.
8 AZ, 17.5.1986.
9 Frankfurter Rundschau, 4.12.1986.
10 Vgl. dpa-Hintergrund, 2.12.1986.
11 Friedrich Engels, Dialektik der Natur. In: Karl Marx/Friedrich Engels, Werke, Bd. 20, S. 452 ff.
12 G. Sitzlack, Einführung in den Strahlenschutz. Berlin (DDR) [7]1985, S. 12.
13 Ebda., S. 19.

14 Strom. RWE Information, Heft 4/1986.
15 Nach einem Bericht der UNO-Wirtschaftskommission für Afrika sind die afrikanischen Industrien lediglich zu 30% ausgelastet. Vgl. Kölner Stadt-Anzeiger, 3./4.1.1987.
16 Hermann Bömer, Die drohende Katastrophe. Globale Probleme der Menschheit. Frankfurt am Main 1984, S. 30.

Rudolf A. M. Meyer: Neue Medienpolitik oder
Die Frage nach der Verantwortlichkeit für den Innenweltschutz

1 K. W. Deutsch, Wie lernfähig ist der Mensch? In: AVZ-Informationen Nr. 6/1981, S. 2–5; A. King, Einleitung: Eine neue industrielle Revolution oder bloß eine neue Technologie? In: G. Friedrichs/A. Schaff (Hrsg.), Auf Gedeih und Verderb. Mikroelektronik und Gesellschaft. Bericht an den Club of Rome. Wien/München/Zürich 1982, S. 11–48.
2 H. Kellner, Wieviel und welches Fernsehen wollen und nutzen die Bürger? In: Media Perspektiven 2/1981, S. 116–123.
3 K. Berg, Organisation und Trägerschaft bei der elektronischen Textkommunikation. In: Media Perspektiven 6/1980, S. 353–361.
4 H. Schauer/M. J. Tauber, Kommunikationstechnologien – Neue Medien in Bildungswesen, Wirtschaft und Verwaltung. Schriftenreihe ÖCG/17, Wien/München 1982.
5 U. Saxer, Bildung und Pädagogik zwischen alten und neuen Medien. In: Media Perspektiven 1/1983, S. 21–27.
6 A. Müller, Einstellungen der Fernsehzuschauer zur weiteren Entwicklung des Mediums Fernsehen. In: Media Perspektiven 3/1980, S. 179–186.
7 H. v. Foerster, Das Konstruieren einer Wirklichkeit. In: P. Watzlawick (Hrsg.), Die erfundene Wirklichkeit. München 1981, S. 39–60.
8 Jean Piaget, Der Aufbau der Wirklichkeit beim Kinde. Stuttgart 1975.
9 K. Lewin, Principles of Topological Psychology. New York 1936.
10 J. Eibl-Eibesfeldt, Der vorprogrammierte Mensch. Wien 1973.
11 H. Bertram, Von der schichtspezifischen zur sozialökologischen Sozialisationsforschung. In: L. A. Vaskovics (Hrsg.), Umweltbedingungen familialer Sozialisation. Stuttgart 1982, S. 25–53.
12 U. Bronfenbrenner, Die Ökologie der menschlichen Entwicklung. Stuttgart 1981.
13 H. Bertram, Von der schichtspezifischen zur sozialökologischen Sozialisationsforschung (Anm. 11).
14 K. Lüscher, Medienwirkungen und Gesellschaftsentwicklung. In: Media Perspektiven 9/1982, S. 545–555.
15 Rudolf Bierkandt, Der soziale Alltag von Kindern in Fernsehserien. Minerva-Fachserie Wirtschafts- und Sozialwissenschaften. Minerva-Publikation, München 1978.
16 K. Lüscher, Ökologie und menschliche Entwicklung in soziologischer Sicht – Elemente einer pragmatisch-ökologischen Sozialisationsforschung. In: L. A.

Vaskovics (Hrsg.), Umweltbedingungen familialer Sozialisation (Anm. 11), S. 73–95.

17 U. Bronfenbrenner, Die Ökologie der menschlichen Entwicklung (Anm. 12).

18 K. Lüscher, Ökologie und menschliche Entwicklung in soziologischer Sicht (Anm. 16).

19 H. J. Kagelmann/G. Wenninger (Hrsg.), Medienpsychologie. Ein Handbuch in Schlüsselbegriffen. München 1982.

20 E. L. Huber/H. Mandl, Kognitive Sozialisation. In: U. Hurrelmann (Hrsg.), Handbuch der Sozialisationsforschung. Weinheim 1980, S. 631–648.

21 Comenius-Institut (Hrsg.): K.-H. Hochwald, Neue Medien – Auswirkungen in Familie und Erziehung. Münster 1983.

22 H. Sturm, Der Vielseher als Schlüsselproblem einer psychologisch orientierten Medienwirkungsforschung. In: Fernsehen und Bildung 15/1981/1–3, S. 9–15.

23 Ebda.

24 V. Martin, Massenmedien im Gespräch von Kleingruppen. Magisterarbeit. Universität Mainz, Institut für Publizistik, Mainz 1980.

25 K. Lüscher, Ökologie und menschliche Entwicklung in soziologischer Sicht (Anm. 16).

26 G. Gerbner, Die »angsterregende Welt« des Vielsehers. In: Fernsehen und Bildung 15/1981/1–3, S. 16–42.

27 H. Sturm, Der Vielseher im Sozialisationsprozeß: Rezipientenorientierter Ansatz u. d. Ansatz der formalen u. medienspezifischen Angebotsweisen. In: Fernsehen und Bildung 15/1981/1–3, S. 137–148.

28 H. Sturm/M. Grewe-Partsch, Psychologische Grundlagen einer Medienpädagogik. Arbeitspapier für das Symposium über die Erziehung zur bewußten Nutzung der Massenmedien. München 1982.

29 H. E. Krugman, Brain Wave Measures of Medie Involvement. In: Journal of Advertising Research 11/1971/1, S. 3–9.

30 J. Plaiker, Kinder als Fernsehkonsumenten. Eine experimentelle Untersuchung zum Problem der psychischen und physischen Begleiterscheinungen und Auswirkungen des Fernsehkonsums bei sechs- und achtjährigen Kindern. Universität Innsbruck, Philosophische Fakultät, Innsbruck 1972.

31 P. Tannenbaum, Emotionale Erregung durch kommunikative Reize. In: Fernsehen und Bildung 12/1978/3, S. 184–194.

32 S. Huth, Emotionale Wirkungen von Film und Fernsehen. In: Fernsehen und Bildung 12/1978/1–2, S. 235–290.

33 F. Ronneberger, Neue Medien. Konstanz 1982, S. 111.

34 Elisabeth Noelle-Neumann, Erster Bericht über die Ergebnisse der Begleitforschung zum Kabel-Pilot-Projekt Ludwigshafen/Vorderpfalz. Institut für Demoskopie, Allensbach 1985.

35 Klaus Haefner, Der »Große Bruder«. Chancen und Gefahren für eine informierte Gesellschaft. Düsseldorf/Wien 1980, S. 11.

36 Ebda., S. 196.

37 Ebda., S. 201.

216 Anmerkungen

38 Bertrand Russell, Mystik und Logik. Wien 1952.
39 Karl Thalmayer, Ethik im Spannungsfeld zwischen Glauben, Wissen und Macht. Berlin/München 1980.
40 Giselher Guttmann, Lehrbuch der Neuropsychologie. Stuttgart/Wien ³1982.
41 Franz Beer, Bericht über den Schulversuch »Angewandte Lernpsychologie im Unterrichtsgeschehen«. Wien 1981.
42 Georgi Lozanov, The Lozanov-Report. Silver Spring 1978.
43 Giselher Guttmann, Lehrbuch der Neuropsychologie (Anm. 40).
44 G. Friedrichs/A. Schaff (Hrsg.), Auf Gedeih und Verderb (Anm. 1).
45 André Danzin, Zwölf Probleme staatlicher Politik bei der Informatisierung der Gesellschaft. In: U. Kalbhen/F. Krückeberg/J. Reese (Hrsg.), Gesellhaftliche Auswirkungen der Informationstechnologie. Frankfurt am Main 1980.
46 C. Böhret/P. Franz, Technologiefolgenabschätzung. Institutionelle und verfahrensmäßige Lösungsansätze. Frankfurt am Main/New York 1982.
47 B. Mettler-Meibom, Kann Begleitforschung Technologien sozialverträglich machen? Das Beispiel Bildschirmtext. In: Rundfunk und Fernsehen 33/1985/1, S. 5–20.
48 Russell L. Ackhoff, Redesigning the Future. A Systems Approach to Societal Problems. New York/Chichester/Brisbane/Toronto 1974; ders., Creating the Corporate Future. Plan or be planned for. New York/Chichester/Brisbane/Toronto 1981.
49 H. Rust, Technologie und Kommunikation im Jahre 2000: Elemente eines Szenarios für die Bundesrepublik. In: Communications 8/1982/1–2, S. 3–54.
50 IIASA/Laxenburg (Hrsg.), Energy in a Finite World. 2 Bde., Cambridge 1981; OECD (Hrsg.), Inter futures. Facing the Future. Paris 1979.
51 H. A. Becker, Towards a Methodology for Designing Szenarios. Paper for RC on Future Research. World Congress of Sociology, Mexico City 1982, Universität Utrecht, Soziologisches Institut, Utrecht 1982.
52 H. v. D. Loo/P. Slaa, Information Policy in the Netherlands. Working Paper. Universität Utrecht, Soziologisches Institut, Utrecht 1982.
53 S. Leinhardt (Hrsg.), Social Networks, A Developing Paradigm. New York 1977.

Max Born: Die Zerstörung der Ethik durch die Naturwissenschaften

1 Symbol und Wirklichkeit. In: Universitas, XIX, August 1964, S. 817. Eine englische Übersetzung findet sich in: Max Born, Natural Philosophy of Cause and Chance. Neuausgabe, Dover Publications 1965, Anhang.
2 C. P. Snow, Science and Government. Oxford University Press 1961.
3 Wilhelm Busch, Klecksel the Painter. New York 1965.
4 Man muß aber nicht vergessen, daß gerade die Begeisterung der Naturforscher und Techniker für ihre Forschungen eine Versuchung bedeutet, der nur wenige widerstehen, entsprechend dem berühmt-berüchtigten Wort von Robert Oppenheimer: »Was technisch ›süß‹ ist, wird auch ausgeführt.«

Die Autoren des Bandes

JÜRGEN ALTMANN, geboren 1949, Studium der Physik, Diplom-Physiker, Dr. rer. nat.; Forschungsgebiete: 1976–80: Laser-Radar zur Messung von Umweltschadstoffen. 1981–84: Computer-Mustererkennung. 1985: Rüstungskontrolle für Laserwaffen, Vorstandsmitglied im »Forum Naturwissenschaftler für Frieden und Abrüstung e. V.« und in der Naturwissenschaftler-Initiative »Verantwortung für den Frieden«.

MAX BORN, geboren 1882, gestorben 1970, arbeitete über Relativitätstheorie und Kristallphysik, entwickelte mit seinen Schülern W. Heisenberg und P. Jordan die Matrizenmechanik und lieferte bedeutende Beiträge zur Wellentheorie; 1954 erhielt er für seine statistische Deutung der Quantenmechanik und Kristallgittertheorie den Nobelpreis für Physik.

ANTON-ANDREAS GUHA, geboren 1937, Studium der Germanistik, Geschichte und Anglistik, Redakteur bei der »Frankfurter Rundschau«, zahlreiche Buchveröffentlichungen zum Thema Abrüstung, darunter auch »Ende. Tagebuch aus dem Dritten Weltkrieg«, Frankfurt am Main 1983.

CARSTEN KLINGEMANN, geboren 1950, Studium der Soziologie, Publizistik und Pädagogik, Dr. phil. Habilitandenstipendium der Deutschen Forschungsgemeinschaft für das Forschungsprojekt über die Geschichte der Soziologie im Nationalsozialismus 1980/81 und 1985/86, Akademischer Rat am Fachbereich Sozialwissenschaften der Universität Osnabrück.

MATTHIAS KRECK, geboren 1947, Studium der Mathematik, Betriebswirtschaftslehre und evangelischen Theologie, seit 1977 Professor für Mathematik zunächst in Wuppertal und seit 1978 in Mainz. Seit 1983 Mitarbeit in der Naturwissenschaftler-Initiative »Verantwortung für den Frieden«.

RUDOLF A. M. MAYER, geboren 1931, Studium der Philosophie, Volkswirtschaft, Rechte und Soziologie. Promotion in Informationssoziologie. Berufliche Tätigkeiten: Personalwesen/Großindustrie, Erwachsenenbildung, Sozialisationsforschung, Planung von Informations- und Dokumentationssystemen, Medienwirkungsforschung, Abteilungsleiter im Deutschen Jugendinstitut München und Lehrbeauftragter an der Universität München.

GÜNTER NEUBERGER, geboren 1945, Journalist. Autor von Büchern zu internationalen Fragen, u. a. »Der Plan Euroshima«, Mitautor von »Tschernobyl und die Folgen« und »Das Ende des Nuklearzeitalters«.

SVEN PAPCKE, geboren 1939, Professor für Soziologie an der Universität Münster. Zahlreiche Veröffentlichungen zur Sozial- und Ideengeschichte, zuletzt: »Vernunft und Chaos«, Frankfurt am Main 1985.

EKKEHARD SIEKER, geboren 1955, Studium der Physik, Mathematik und Soziologie, z. Z. Promotion in Münster, Journalist. Autor von Büchern und Fernsehbeiträgen zum Thema Kernenergietechnik, Herausgeber von »Tschernobyl und die Folgen«, Mitautor von »Das Ende des Nuklearzeitalters«.

DU-YUL SONG, geboren 1944 in Tokio, Studium der Philosophie, Soziologie und Wirtschafts- und Sozialgeschichte in Seoul (Korea), Heidelberg und Frankfurt am Main, Promotion in Philosophie und Habilitation in Soziologie. Wissenschaftlicher Assistent in Münster (1972–77) und Berlin (1977–83), weitere Lehrtätigkeiten in Heidelberg und Stockholm, zahlreiche Veröffentlichungen.

ROBERT TSCHIEDEL, geboren 1949, Dr. phil., M. A., Wissenschaftstheoretiker und Soziologe, Privatdozent und wissenschaftlicher Assistent am Institut für Sozialforschung der Universität Münster. Leiter des Schwerpunkts »Sozialwissenschaftliche Technikforschung«, Projektleiter im Rahmen des Landesprogramms (NW) »Sozialverträgliche Technikgestaltung« im Bereich Neue Informations- und Kommunikationstechniken, zahlreiche Veröffentlichungen.

HANNS WIENOLD, geboren 1944, Studium der Soziologie und Ökonomie, Professor für Soziologie und Methoden der empirischen Sozialforschung an der Universität Münster. Arbeitsgebiete: Sozial- und Klassenstrukturanalyse, Gewerkschaften, Sexualitätsforschung. Veröffentlichungen u. a. »Gesellschaftlicher Reichtum und die Armut der Statistik« (^{2}1982), »Herrschaft, Krise, Überleben. Bundesrepublik in den achtziger Jahren« (1986).

JOACHIM WILLE, geboren 1956, Studium der Germanistik, Anglistik, Politologie und Pädagogik. Journalist bei der Frankfurter Neuen Presse/Höchster Kreisblatt, seit 1983 Redakteur bei der Frankfurter Rundschau mit den Schwerpunkten Umweltschutz, Grüne, Katholische Kirche.

Bitte umblättern:

Anton-Andreas Guha

Ende

Tagebuch aus dem Dritten Weltkrieg

Mit einer aktuellen Einleitung

Die Menschheit ist an einem Scheideweg angelangt: Entweder gelingt es, den atomaren Rüstungswettlauf zu bremsen und darüber hinaus Abrüstung zu verwirklichen, oder das höhere Leben auf diesem Planeten wird keine Chance haben. Es ist so gut wie ausgeschlossen, daß die atomare Abschreckung, die ständig mehr und perfektere Waffen produziert, auf Dauer den Nicht-Krieg, geschweige denn den Frieden sichern kann.

Angesichts der Totalität der Kernwaffen darf den Sicherheitspolitikern kein Irrtum, keine Panne, keine Fehlannahme unterlaufen; sie muß hundertprozentig funktionieren. Das kann aber niemand garantieren.

Dieses fiktive Tagebuch beschreibt, was geschähe, wenn die Abschreckung versagte, wie Menschen dann das unausweichliche Inferno erleben würden und erleiden müßten. Dabei stand der Autor vor einer doppelten

Band 4343

Schwierigkeit: Wie jedes Tagebuch ist auch dieses Ausdruck des eigenen Empfindens, insofern also emotional. Gleichzeitig aber versucht es, die Grundvoraussetzungen der gegenwärtigen Sicherheitspolitik und ihre offenkundigen Widersprüche in ihrer aberwitzigen Gefährlichkeit so realistisch wie möglich darzustellen.

Fischer Taschenbuch Verlag

Georg Wagner
Der rationale Wahn
Nuklearaggression und Abwehrsystem

Nuklearwaffentechnik und Abwehrsysteme (SDI) werden üblicherweise als Produkte des Menschen gesehen und behandelt, eine Mensch-Werkzeug-Relation besonderer Art: bedrohlich durch ein etwaiges Computer-Versagen, einen Bedienungsfehler oder eine Fehlentscheidung. Die Dinge so zu sehen ist richtig, aber unvollständig. Die Bombe ist mehr! Sie ist nicht einfach ein vom Menschen getrenntes Produkt. Sie ist die Verkörperung des menschlichen Denkens und Fühlens, unserer Ängste und Alpträume, unserer Vernichtungsphantasien und Aggressionen. Die Bombe ist weitaus mehr, als gängige Untersuchungen annehmen lassen: Die Bombe sind wir!
Dieses Buch beschreibt eine Beziehung: die zwischen Mensch und Bombe. Es stellt Nuklearwaffentechnik und Abwehrsystem als Entwicklungsstufe des Massentötens, der technischen Großmassaker nach Auschwitz und den beiden Weltkriegen dar.

Band 3865

Es behandelt den Einfluß dieser Entwicklung auf den Menschen, auf seine Anschauungen, seine Wahrnehmungen, sein Denken, seine Sprache und sein Handeln. Schließlich erfaßt das Buch die Wechselbeziehung zwischen Gesellschaft und Nuklearwaffentechnik als politischen und seelischen Konflikt, der das Schicksal der Menschheit bestimmt.

Fischer Taschenbuch Verlag

Hans-Jürgen Heinrichs
Die katastrophale Moderne

Endzeitstimmung – Aussteigen –
Ethnologie – Alltagsmagie

Die Tendenz, den Menschen im Namen der Vernunft nach und nach aus seiner Welt zu entfernen – sei es durch den totalitären Überwachungsstaat, wie ihn Orwell visionär entworfen hat, oder durch die Nuklearaufrüstung –, beruht zum großen Teil auf scheinrationalen und pseudo-magischen Vorstellungen. »Orwell« und »Magie« bestimmen den Alltag der Moderne, die katastrophale Moderne. Auf dem Umweg über Katastrophen, die er selbst zu verantworten hat, und über die Opfer, die er aufgrund dessen zu bringen hat, tritt der Mensch erneut in Beziehung zu sich, zu seiner von Anfang an bedrohten Existenz. Er macht sich selbst gleichsam wieder ohnmächtig, eine Situation, in der die Menschen früher die Magie als Gegenmittel erfanden. In den Katastrophen verläßt der

Band 3870

moderne Mensch seine vermeintlich beherrschbare Welt und tritt in die Bezirke des Existentiellen und Bedrohlichen ein, wo sich ihm Bezüge zum Göttlichen und Opfernden, zu Heil und Unheil herstellen.

Fischer Taschenbuch Verlag

Ein Band mit weiterführenden Beiträgen zum
„Historikerstreit" und zur Kontroverse über die
Historisierung des Nationalsozialismus.

Dan Diner (Hg.)
Ist der Nationalsozialismus Geschichte?
Zu Historisierung und Historikerstreit

320 Seiten. Originalausgabe. Band 4391

Aus dem Inhalt:

W. Benz: Abwehr der NS-Vergangenheit. Über Moral
und Geschichte

S. Friedländer: Überlegungen zur Historisierung des
Nationalsozialismus

D. J. K. Peukert: Alltag und Barbarei

D. Diner: Grenzen der Historisierbarkeit des Nationalsozialismus

H. Mommsen: Das Dritte Reich im westdeutschen
Geschichtsbewußtsein

H. Schulze: Die „deutsche Katastrophe" erklären

C. Leggewie: Frankreich und die NS-Vergangenheit

G. E. Rusconi: Italien und der „Historikerstreit"

G. Boltz: Österreich und der Nationalsozialismus

L. Niethammer: Erinnerungsspuren in die 50er Jahre

D. Diner: Deutsche und Juden nach Auschwitz

U. Herbert: Arbeit und Vernichtung

K. Kwiet: Literaturbericht zur Historiographie des NS

Fischer Taschenbuch Verlag